U0093069
一笑
古龍

盛期之風貌

臥龍生作品 帶動武俠風潮

《飛燕驚龍》開一代武俠新風

《飛燕驚龍》(1958)爲臥龍生成名作，共48回，約120萬言。此書承《風塵俠隱》之餘烈，首倡「武林九大門派」及「江湖大一統」之說，更早於香港武俠巨匠金庸撰《笑傲江湖》(1967)所稱「千秋萬世，一統」達九年以上。流風所及，臺、港武俠作家無不效尤；而所謂「武林盟主」、「江湖霸業」等新提法，竟成爲社會大眾耳熟能詳的流行術語了。

《飛燕》一書可讀性高，格局甚大。主要是寫江湖群雄爲覬覦傳說中的武林奇書《歸元秘笈》而引起一連串的明爭暗鬥；再以一部假秘笈和萬年火龜爲餌，交插敘述武林九大門派（代表正派）彼此之間的爾虞我詐，以及天龍幫（代表反方）網羅天下奇人異士而與九大門派的對立衝突。其中崑崙派弟子楊夢寰偕師妹沈霞琳行道江湖，卻如夢似幻地成爲巾幗奇人朱若蘭、趙小蝶之絕世武功技驚天龍幫，而海天一叟李滄瀾復接連敗於沈霞琳、楊夢寰之手；致令其爭霸江湖之雄心盡泯，始化解了一場武林浩劫云。

在故事佈局上，本書以「懷璧其罪」（與真、假《歸元秘笈》有關）的楊夢寰屢遭險難，卻每獲武林紅妝垂青爲書膽(明)，又以金環二郎陶玉之嫉才害能，專與楊夢寰作對(暗)爲反派人物總代表。由是一明一暗交織成章，一波未平，一波又起，極盡波譎雲詭之能事。最後天龍幫冰消瓦解，陶玉帶著偷搶來的《歸元秘笈》跳下萬丈懸崖，生死不明，卻予人留下無窮想像空間。三年後，作者再續寫《風雨燕歸來》以交代陶玉重出江湖，爲惡世間，則力不從心，當屬狗尾續貂之作。

在人物塑造方面，臥龍生寫男主角楊夢寰中看不中用，固然乏善可陳，徹底失敗；但寫其他三名女主角如「天使的化身」沈霞琳聖潔無瑕，至情至性，處處惹人憐愛；「正義的女神」朱若蘭氣質高華，冷若冰霜，凜然不可犯；「無影女」李瑤紅則刁蠻任性，甘爲情死等等，均各擅勝場。乃至寫次要人物如「賓中之主」海天一叟李滄瀾之雄才大略，豪邁氣派；玉簫仙子之放蕩不羈，爲愛痴狂；以及八臂神翁聞公泰之老奸巨猾，天龍幫軍師王寒湘之冷傲自負等，亦多有可觀。

與

台港武侠文學

流行天王

臥龍生

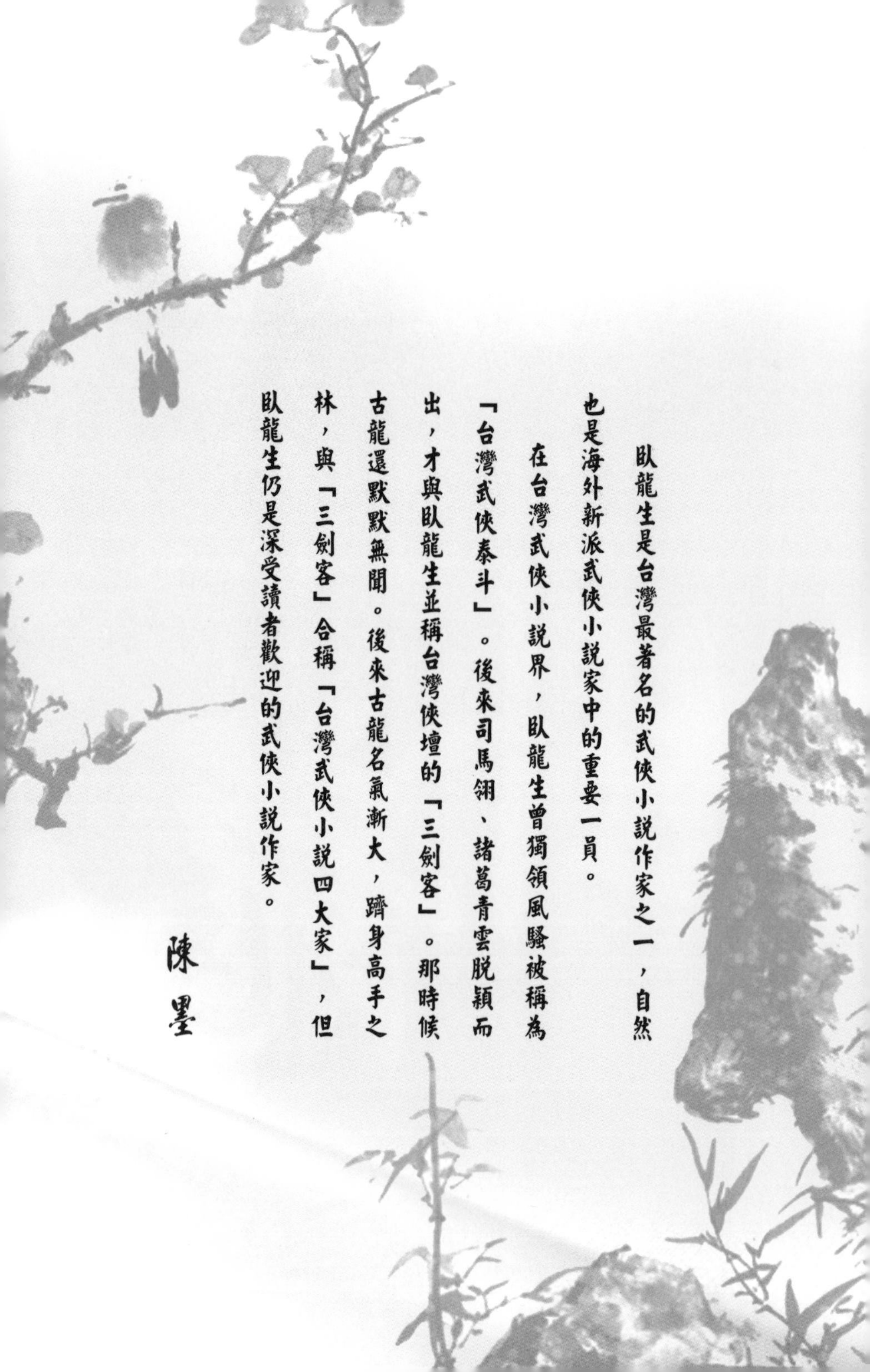

臥龍生是台灣最著名的武俠小說作家之一，自然也是海外新派武俠小說家中的重要一員。

在台灣武俠小說界，臥龍生曾獨領風騷被稱為「台灣武俠泰斗」。後來司馬翎、諸葛青雲脫穎而出，才與臥龍生並稱台灣俠壇的「三劍客」。那時候古龍還默默無聞。後來古龍名氣漸大，躋身高手之林，與「三劍客」合稱「台灣武俠小說四大家」，但臥龍生仍是深受讀者歡迎的武俠小說作家。

陳墨

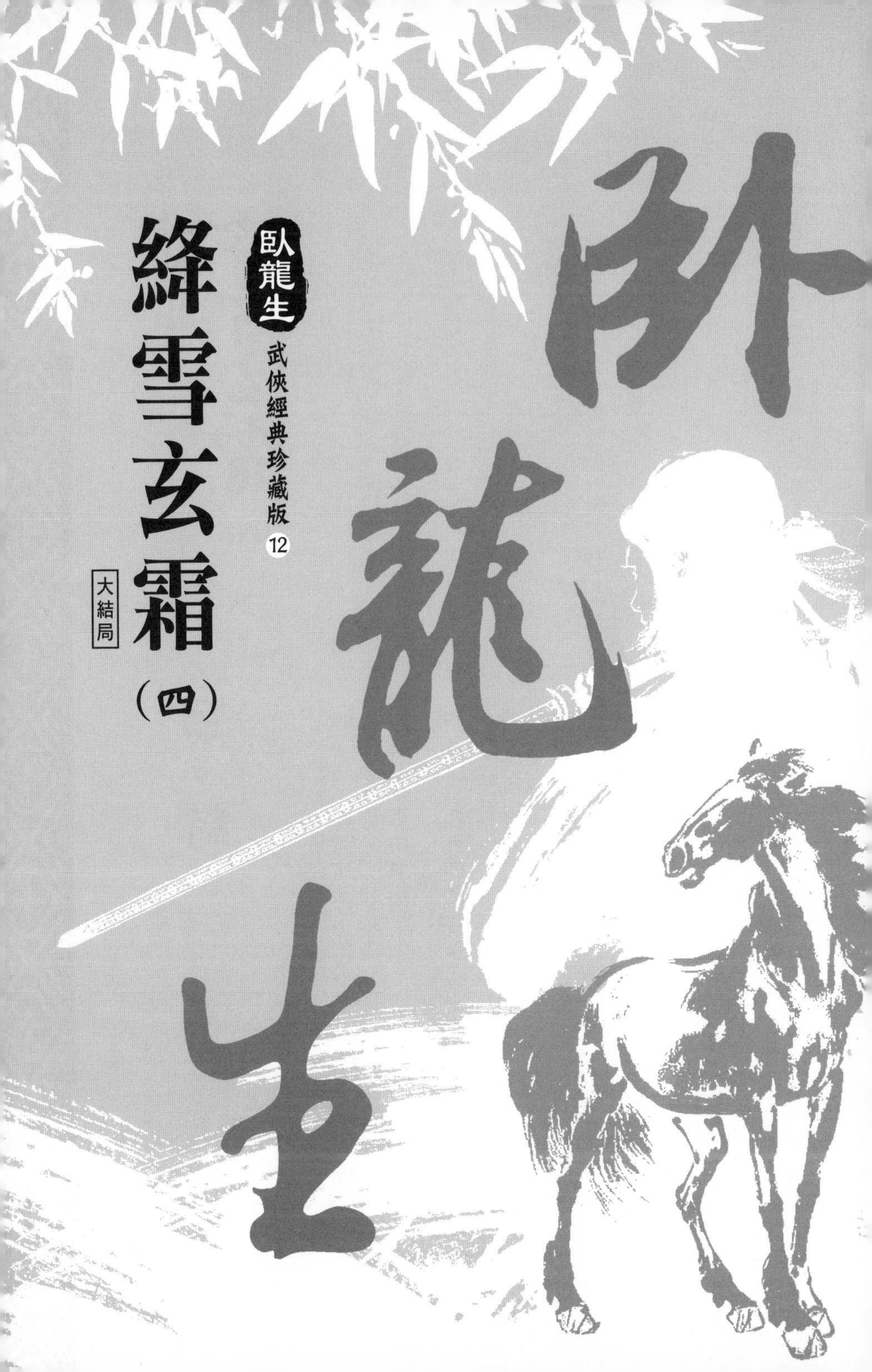
臥龍生
武俠經典珍藏版
12
絳雪玄霜
大結局
（四）
臥龍生

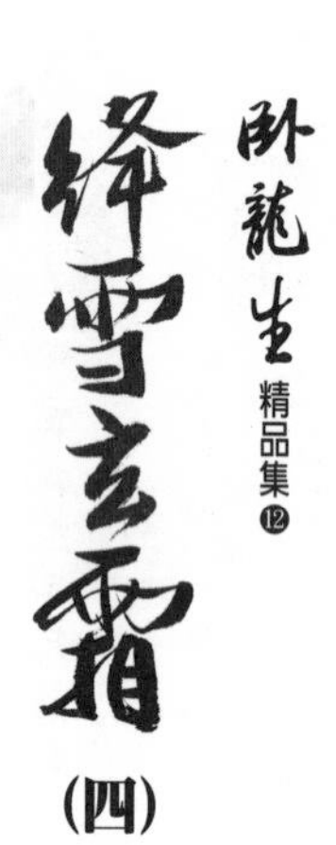

(四)

四十　風雨同舟

方兆南又問道：「近百年來，四大劍派之中，可有過傑出的人才弟子麼？」
天星道長道：「你可是審問貧道麼？」
方兆南道：「晚輩誠心討教。」
天星道長道：「昔年四派比劍爭名時，貧道正值功候要關，故而緣慳一面。」
方兆南長長嘆一口氣，站起身來，躬身一個長揖道：「敢問四大劍派比劍結果如何？」
天星道長道：「互有傷亡！」
方兆南道：「起因爲何？」
天星道長心中雖然不滿方兆南問話的神情，但看他禮貌周全，只好淡然一笑，道：「意氣之爭。」
方兆南道：「盛名累人，如若四大劍派的創招變化，不是在伯仲之間，也不會引起這一場比劍的事了。」
天星道長是何等人物，似是已聽出了方兆南的弦外之言，不禁一皺眉頭。
方兆南長長嘆息一聲，道：「道長的武功盛名，和南北二怪並舉江湖，因此，彼此都覺得極難忍受對方的冷諷熱譏，一、兩句口舌之爭，即演變成一場火併之戰……」

天星道長臉色肅穆，望了大愚禪師和方兆南一眼，默然不語。

方兆南又躬身一揖，道：「如若道長能退讓一步，這一場勢均力敵的火併，當可免去。」

天星道長臉上神情屢變，顯然他內心，正有著無比的激動，但他仍然默不作聲。

方兆南繼續說道：「老前輩請恕晚輩饒舌，這是一場誰也難以預料結果的搏鬥，但定是一個悲慘的結局……」

天星道長肅然接道：「你來見貧道，就只爲這件事麼？」

方兆南道：「一來慕名拜見，二來想求老前輩賜給晚輩一個薄面，免去這場意氣之爭。」

只見天星道長沉吟了良久，緩緩說道：「這等口舌意氣之爭，貧道原不放在心上，但崑崙派在武林中的威名，卻不能斷送在貧道的手中，如若南北二怪心存和解之意，貧道自是願以息事寧人之心，免去這場無謂的是非之爭。」

方兆南笑道：「老前輩如賞給在下一個薄面，南北二怪之處，自有晚輩勸阻，道長一言九鼎，咱們就此一言爲定，南北二怪那裡由晚輩予以勸說，老前輩正在行功時間，晚輩不再打擾了，就此別過。」說完，轉過身子，大步而去。

大愚禪師合掌一笑，轉過身子，緊隨方兆南身後而去。

幽靜的禪室中，南北二怪盤膝對坐著，兩人同時微閉雙目，似是都正在運功調息。

方兆南怕影響了兩人行功，小心地放輕了腳步，走近木榻。

北怪黃煉突然睜開了微閉的雙目，笑道：「小兄弟。」

他這忽然改變稱呼的口氣中，充滿著慈和、熱情，反使方兆南有一種受寵若驚之感，他回

顧了黃煉一眼，道：「老前輩……」

只聞北怪低聲說道：「我和辛老怪相處的數十年中，各自心懷鬼胎，一直無法分辨出是友是敵，得你一番話，消除了我們數十年無法消除的心病，只此一點，老夫就感激不盡……」

南怪辛奇只是微微一笑。

北怪黃煉長長嘆一口氣，道：「如若我們能夠早日消除彼此之間的隔閡，坦坦誠誠地相互切磋武功，對你我兩人都將有著甚大的收益……」

他緩緩把目光投注到方兆南的臉上，道：「老邁了，我們相遇的太晚了些，此事如若提早了數十年，當今的武林局勢，當又是一番形態。」

南怪辛奇也把右手慢慢地伸了出去。

這兩個被人們視為怪物的老人，終於把兩雙手緊緊地握著，相視而笑。

方兆南偷眼望去，接道：「一年之前，晚輩殷殷期望正和老前輩昔年用心一般，如何能在武林之中揚名，但這不足一年的時間之中，晚輩身歷目睹諸多慘變，深深地體會盛名得之不易，保名更難，早已雄心消散，只望能仗憑所學，做一點武林之事，早日息隱，落個數十年清靜歲月，心願已足了！」

北怪黃煉哈哈一笑，說道：「辛老怪，咱們不能再為往事悲傷，老邁感嘆了，影響所及，害得這位年紀輕輕的方兄弟，也受了咱們感染，意志消沉，雄心不長。」

南怪辛奇突一躍而起，目注方兆南笑道：「我和黃兄，數十年江湖行蹤，只知為私人爭名爭氣，是以經歷了無數凶險，但件件都不能流傳後世，也才有老懷落寂，不勝懺悔之感……」

他微微一頓，接道：「那牛鼻子老道的丹藥，倒是很靈，我經過這半日運功調息，已覺得

傷勢好了大半，看來三、五年內，還不致老邁而死，總之，不論能活好久，但我將盡我風燭殘年之力，助你成就一番事業。」

方兆南揖拜道：「這個叫小弟如何敢當，大哥千萬別再提它了。」

北怪黃煉道：「我也有此心意！」

方兆南感動之餘，心念一轉，肅然說道：「兩位這般相待小弟，我方兆南感激不完，但我既不存爭霸武林之心，又無意自立一派門戶，因此，兩位只要相助我，在武林做件大快人心的事，也就夠了……」

南怪辛奇接道：「不論你要做什麼，我等均將全力以赴，助你成功。」

方兆南突然轉臉望著北怪黃煉，打鐵趁熱地說道：「小弟現有一事，想求黃兄賜允。」

北怪黃煉微微一笑，道：「可是我和崑崙派牛鼻子老道訂的比劍之事麼？」

方兆南道：「不錯，崑崙派乃當今江湖上正大門派，一、兩句意氣之言，引起一場殺劫，太過不値，請看小弟面上，免去這場約鬥算了！」

黃煉略一沉吟，笑道：「兄弟既然覺得不値，那就不用比了。」

方兆南抱拳一揖，道：「多謝大哥賞臉。」

禪室中洋溢著和藹的氣氛，素來冷酷的南北二怪，臉上都泛著一片慈祥的微笑。

只聽一陣步履之聲，傳了過來，大愚禪師突然出現在禪室門口。

方兆南欠身一禮道：「老禪師。」

大愚禪師笑道：「天下各大門派，知道了冥嶽妖婦相犯我們少林之事，紛紛趕來助拳，老衲在接風酒宴之上，談起敝寺能得保存，方施主居功第一，辛、黃兩位老前輩仗義勇為，出手相助，才使敝寺脫出這次劫難，與會之人，無不心生敬慕，特命老衲趕來相請一見。」
方兆南道：「老禪師這般地誇獎晚輩，叫我如何敢當？」
大愚禪師望了南北二怪一眼，低聲對方兆南說道：「辛、黃兩位老前輩盛名早已傳遍江湖，不知可否也把兩位請去一見？」
方兆南還未及答話，北怪黃煉已搶先說道：「不用了，南北二怪已經老邁了，讓我們這位小兄弟代表去吧！」
大愚禪師合十答道：「兩位既然不願露面，老衲就恭敬不如從命了。」
他回顧了方兆南一眼，道：「當今九大門派，已有五派掌門人親自趕到，均在酒席筵前等待施主，咱們走吧！」
方兆南應了一聲，輕輕帶上禪室木門，緊隨在大愚禪師身後而行。

四一　百口莫辯

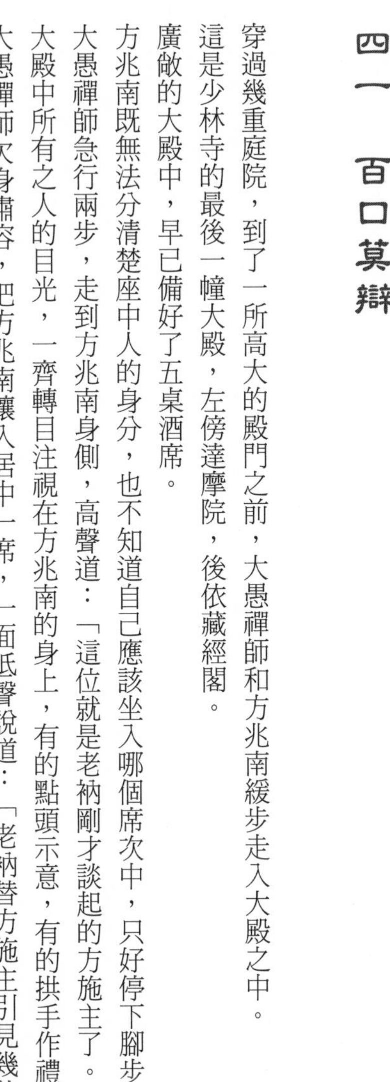

穿過幾重庭院，到了一所高大的殿門之前，大愚禪師和方兆南緩步走入大殿之中。

這是少林寺的最後一幢大殿，左傍達摩院，後依藏經閣。

廣敞的大殿中，早已備好了五桌酒席。

方兆南既無法分清楚座中人的身分，也不知道自己應該坐入哪個席次中，只好停下腳步。

大愚禪師急行兩步，走到方兆南身側，高聲道：「這位就是老衲剛才談起的方施主了。」

大殿中所有之人的目光，一齊轉目注視在方兆南的身上，有的點頭示意，有的拱手作禮。

大愚禪師欠身肅容，把方兆南讓入居中一席，一面低聲說道：「老衲替方施主引見幾位當代高人。」

天星道長當先站起，欠身一笑道：「方大俠。」

青雲道長也接著站起，揮手一笑。同桌的另一青袍老叟、白衣中年婦人，以及一位面色紅潤、形如孩童的黑衣人，也隨著站了起來。

大愚禪師指著那青袍老叟道：「這位是雪山派的石三公石老前輩。」

方兆南一抱拳，道：「久仰，久仰。」

大愚禪師又指著那位白衣婦人，接道：「這位女施主是點蒼派第七代掌門人曹燕飛。」

隨後是那面色紅潤，形如孩童的黑衣人，大愚禪師道：「這位乃是崆峒派的童叟耿震，耿老前輩。」

童叟耿震目光環掃了大家一眼，道：「南北二怪沒有來麼？」

大愚禪師笑道：「辛、黃二位老前輩避世已久，不願多見生人，堅辭老衲之邀。」

耿震冷笑一聲，道：「老夫數十年前曾和他們會過一面，算來已有四十春秋了，想不到兩個老怪物，依然故我，不改昔年之僻。」

他微微一頓之後，又道：「昔年『七巧梭』縱橫江湖之時，老夫適在閉關期中，致未能一會那妖婦，是以聞得『七巧梭』重現江湖之訊，立時請命掌門師侄，兼程趕來中原，想不到竟然晚到一步，仍未能會那妖婦一面……」

此人一口一個老夫，自恃身分極高，似是把在座中人，全都視做晚輩。

石三公突然接口說道：「耿兄如想見那妖婦，也不是什麼難事，在座之人，要算耿兄和在下年事最長，如若耿兄有膽，在下極願奉陪耿兄到冥嶽一行，會會那妖婦，看她是何等模樣的一個人物。」

這兩人似有意在群豪之前，表露出自己的身分高過在座的一輩，一搭一檔，老氣橫秋的。

童叟耿震突然站了起來，高聲說道：「不知那妖婦眼下是否還在這嵩山附近？」

大愚禪師還未及答話，石三公卻搶先而起，接道：「以老夫料想，他們絕然退走不遠，說不定就隱藏在這少林寺的附近，老夫之意……」

他疾快地把目光投注在大愚禪師臉上，接道：「由貴寺派出高手，分別搜尋強敵下落，一有警訊立時回報寺中，老夫就不信那冥嶽妖婦生得三頭六臂，勇不可當。」

大愚禪師沉吟不語，心中卻在千迴百轉，思索石三公之言。

童叟耿震冷然望了大愚禪師兩眼，看他凝目沉思，不知在想的什麼心事，恍似未曾聽得石三公之言，不覺心頭微生怒意。

當下一頓手中酒杯，冷冷說道：「大師父，你可是入定了麼？」

大愚禪師自知失了儀態，，長吁一口氣道：「老衲正思索一件不解之事……」

他望了方兆南一眼，接道：「此前，這位方施主及南北二怪兩位老前輩，均被那妖婦所傷，敝寺中弟子亦傷亡累累，已難擋強敵銳鋒，出人意外的，是那妖婦卻突然下令撤走，因此，老衲斷言冥嶽中人，極可能會去而復返，說不定就在今夜之中。」

石三公突然轉目望著大愚禪師說道：「道兄可知道那冥嶽中人，爲何會突然撤走麼？」

大愚禪師道：「這個正是老衲百思不解之處，似是被一曲似笛非笛，似簫非簫的樂聲所驚走。」

石三公道：「簫聲引鳳，樂曲醉人，但老夫卻從未聽過音韻之學，能夠驚退強敵。」

他冷峻的眼光緩移到方兆南臉上，接著道：「因此老夫對這位力阻冥嶽高手，勇猛絕倫的方大俠，動了極深的疑心，如若老夫論判不錯，你也可能是那冥嶽妖婦派來臥底之人……」

石三公這般單刀直入的說法，引起了全場的一陣騷動，所有人的目光，都不自覺地投注到方兆南的身上。

方兆南數月來歷經生死大劫，使他保持了和年紀極不相當的沉著和鎮靜，他在眾目炯炯相注之下，毫無驚懼之容，微微一笑，道：「老前輩，如若是說不對呢？」

石三公冷笑一聲，接道：「泰山大會與會之人，大部份陷身冥嶽，百位以上的武林精英，都未能逃出劫難，單單你一個人化險爲夷……」

大愚禪師輕輕嘆息一聲，這位仁慈的老僧，心中既感激方兆南力挽狂瀾，拯救少林的恩情，又覺得石三公說得甚有道理。

方兆南目光環掃了全場一周，看群豪臉色，似是都已被石三公言詞說動，心中暗生驚駭，忖道：「看來今日之局，很難善罷干休，此人如若說動了各門派的掌門之人，勢必要陷我於尷尬凶險的環境之中……」

石三公冷峻地望了方兆南一眼，接道：「爲了挽救這一場武林浩劫，必得先斬除你這一條禍根。」

方兆南緩緩站起身子，抱拳對大愚禪師一禮，道：「晚輩趕來報訊助拳，旨在使貴寺早作準備，免得措手不及，眼下各大門派趕援高手已到，衡諸情形，晚輩也無再留此的必要。何況晚輩的際遇，連我自己想來也覺有些不近情理，既有人懷疑晚輩是冥嶽妖婦派來的內應之人，自不便在此久留了，大師保重，晚輩就此告別了。」說完，轉過身子，大步向殿外走去。

大愚禪師急急說道：「方施主請留步。」

石三公厲聲喝道：「想走麼?只怕沒有那麼容易!」

童叟耿震右手一按桌面，飛身而起，躍落到方兆南的身後，道：「事情真相未明之前，你最好是先別慌著走。」

方兆南緩緩把目光移注在大愚禪師臉上，勉強壓制心中憤怒，等待著大愚禪師的反應。

面臨著這等尷尬的局勢，大愚禪師也有些手足無措之感，他已爲石三公的言詞所動，隱隱之間，也對方兆南動了懷疑。

但是，方兆南勇拒強敵的經過，又始終在他的胸際盤旋不息，兩種心情，使這位老和尚生出了一種極端的矛盾，既覺得應該挺身而出，維護方兆南的安全，但又覺得應該讓石三公等追查個水落石出。

方兆南目注大愚禪師，足足有一刻工夫之久，仍然不見他的反應，突覺一股憤怒之氣直沖而上，臉色一變，冷冷說道：「諸位且不要逼人過甚。」

方兆南這數月之中，雖然連經奇變，使他的心性、修養，突飛猛進，有著超越了年齡甚多的成熟，但他終是年少之人，血氣方剛，耐力有限，連番受人譏諷，登時感到熱血沸騰，怒火暴起，冷笑一聲，說道：「拳腳無眼，動上手，只怕難免要有傷亡了……」

耿震怒喝道：「好狂的口氣！」將手一伸，直向方兆南抓了過去。

方兆南身子一側，腳下移步換位，一閃之下，輕飄飄地避開了耿震那一抓之勢，身法奇奧異常。

耿震一抓未中，卻被對方輕巧地閃讓開去，不禁臉上一熱，兩頰登時飛現一片羞紅。

童叟耿震輕輕地咳了一聲，掩飾窘迫地說道：「好身法。」左腳踏前半步，緩緩舉起右掌，蓄勢待發。

就在童叟耿震掌力要落未發之際，青雲道長霍然站起身子，說道：「耿老前輩暫請停手，貧道有話要說，貧道可證明方大俠受傷一事，千真萬確，而且傷勢沉重無常，絕非裝作……」

點蒼派掌門人曹燕飛搶先接道：「道兄之言，叫人難信，縱然有起死回生的靈丹，也難在片刻之間，使人重傷痊癒，武功盡復。」

青雲道長微微一笑，道：「貧道如無確實把握，豈敢隨口而言，只因方大俠服用了『還命靈丹』，此藥不論給予何人服用，一樣可以在兩、三個時辰內，起死回生。」

此言一出，全殿中人，都不禁為之一怔。

曹燕飛滿臉不信的神色，問道：「道兄怎知他服用的是還命神丹。」

青雲道長緩緩伸出右掌，掌心之上托著一片碎玉，說道：「貧道就從這片碎去的玉瓶上，看出他服用的是還命神丹。」

石三公冷冷說道：「你可知那還命神丹，出自何人之手所製？」

青雲道長道：「出自一代人傑羅玄之手。」

石三公道：「你可知羅玄現在何處？」

青雲道長道：「天涯海角，仙蹤難覓。」

石三公厲聲喝道：「坐井觀天，竟然敢妄論江湖中事，羅玄早已物化人間……」

青雲道長縱聲而笑，反問道：「石老前輩斥貧道坐井觀天，見識有限，不知羅玄已離人間，但不知石老前輩握有何等證據，確知羅玄已死？」

石三公怒道：「在座之人除你之外，哪個不知羅玄已死，難道還要老夫提出證據不成？」

青雲道長道：「江湖傳說不過是臆測之言，只因那羅玄數年未現行蹤，故而有此傳言，但南北二怪亦有謝世之說，可如今兩人都在少林寺中，就此一例，當可證傳言不可憑做根據的。貧道並無意反對各位追查方大俠身世來歷之心，只望諸位能心平氣和，就事論事，咄咄逼人之言，徒招無謂之爭，於事無補，於人何益，老前輩請三思貧道之言。」

這一番話說得情理並兼，石三公當時被問得啞口無言。

曹燕飛突然笑道：「大愚禪師力誇方大俠勇拒強敵，久戰不敗，武功造詣必然不凡，本座

試他三招，看看他武功如何再說……」舉手一招「塔影西斜」，衣袂飄飄，橫裡拍來。

方兆南劍眉一挑，道：「老前輩言重了。」右手斜出一招「簾捲西風」，五指箕張，腳不移位，反扣脈門。

曹燕飛臉色一變，皓腕一挫一吐，「塔影西斜」，突然間變化成「翔鳳騰蛟」，用出了七成真力推擊過去。

方兆南自知大傷初癒，體力未復，絕難和對方硬拚掌力，隱覺暗勁襲來，立時移形換位，施出「七星遁形」身法，跨身一閃，輕巧地避開正面，反臂一招「月落星沉」疾向肘間擊去。

他出手兩招，一招是雪山派的手法，一招崑崙派的招數，看得石三公和天星道長暗皺眉頭，不知他何以學會了兩派中奇奧之學。

曹燕飛兩擊不中，倏然而退，白衣飄飄，閃開了三尺，只見她面如寒霜，冷冷地說道：「不要慌，還有一招未完。」

全殿中人都已看出了曹燕飛準備在這最後一擊中，挽回剛才失去的顏面，再一發招，必然將是她全身動力所聚。

大愚禪師突然合掌當胸，高聲說道：「曹道友且慢……」

他話還未完，曹燕飛突然一揮玉手，直向方兆南拍了過去，口中冷冷喝道：「你敢接我一掌麼？」

方兆南原無硬接曹燕飛掌力之心，但聽對方掌勢發出以後，出口相激之言，激起了豪壯之氣，竟然揮掌硬接一擊。

曹燕飛出掌後，再出口相激，旨在誘使對方硬接自己的掌力，任他方兆南機智絕倫，但究

竟江湖歷練遠未到家，激怒之下，果然出手硬接一掌。

雙方掌勢尙未相觸，方兆南已然覺得不對。

只覺對方拂過來的掌風之中，挾帶著一股勁力，有如南怪辛奇的那赤焰掌力一般，不禁心頭一駭。心念初動，還未來得及決定是否該閃避開去，曹燕飛柔軟的掌指，已然和方兆南拳勢觸在一起。

一股熱力循臂而上，方兆南頓覺全身勁力無法用出，內腑同時受到了劇烈的震動，腳下扎樁不穩，不自主地一連向後退了三步，張嘴噴出一口鮮血。

大愚禪師急躍過來，扶住了方兆南搖擺不定的身軀，道：「方施主傷得很重麼？」

青雲道長也立時閃身離位，急急趕了過來，探手入懷，摸出一粒丹丸道：「方大俠請把此丹服下，對內腑傷勢或有小補。」

方兆南接過丹丸，一口服下，笑道：「多謝老前輩賜丹之情。」

大愚禪師目光環視了四周一眼，道：「方施主傷勢不輕，可要老衲扶你回去方丈室中？」

方兆南淡淡一笑道：「晚輩還可走得動，不敢有勞禪師相送了。」

他微一停頓後又道：「不過晚輩離開這大殿後，當不致在貴寺停留，極可能就此別過。」

大愚禪師爲難地沉吟了片刻，道：「這個……」

顯然這位不善心機的老和尙，已然被石三公和童叟耿震說動，無意讓方兆南立刻離寺。

方兆南臉色微微一變，但瞬即恢復了鎭靜之容，說道：「老禪師用心何在，晚輩一時甚難了然，方某人當在方丈室小息半天，日落西山之前，再行離去，老禪師如若有什麼質疑之事，儘管去找在下。」這幾句話，說得十分沉痛、豪壯，說完之後，大步向殿外行去。

四二　九大門派

大愚禪師緊隨在一側相護，一路上默然無言。

穿過幾重庭院，到了方丈室外，才低聲對方兆南道：「方施主爲敝寺受盡了屈辱、苦難，老衲自是銘感於心，眼下聚會在大殿群豪，因方施主出身來歷之秘，引起了場爭辯，好在真金不怕火煉，此事在三、五個時辰之內，定然會查辨清楚……」方兆南淡淡一笑，搖手說道：「老禪師不用擔心晚輩突然而行，在此事未查清楚之前，晚輩絕不離開你們少林寺就是了。」

大愚禪師雖覺他言詞中隱含激憤，但又想不出適當的慰藉之言，合掌一禮，轉身而去。

方兆南也不相送，凝神閉目而立，運氣調息起來。

原來他怕回到方丈室後，南北二怪看出他的傷勢，恐又將引起一場麻煩。

青雲道長相贈的一顆靈丹，使他受震的內腑傷勢，受益甚大，運息片刻，浮動的氣血已自平了下去，這才緩緩走入方丈室中。

抬頭看去，只見南北二怪背脊相貼，盤膝而坐，兩人都緊緊地閉著雙目，方兆南也不驚動兩人，悄然在禪室一角坐下，自行運氣調息。

不知過了多少時間，室外傳來了一陣零亂的步履之聲，把方兆南驚醒過來。

睜眼看去，只見方丈室外，並肩站著石三公和童叟耿震，身後排列的人數更多，且大都佩著兵刃。

南北二怪仍是貼背而坐，似是睡得甚是香甜，方丈室外的腳步之聲，兩人竟然充耳不聞。

方兆南緩緩站起身子，順勢取過白蛟劍，慢步向門外走去，口中冷冷說道：「兩位擅自闖入此地，不知是何用心？」

童叟耿震怒道：「後生晚輩，也敢對老夫這等無禮？」

方兆南冷冷說道：「兩位這般苦苦相逼，怪不得在下無禮了。」

說話之間，欺身而上，左手一探，直向方兆南抓了過去。

說完揮手一招，直掃過去。

他出手的劍勢，用的是崆峒派中絕學之一，那童叟耿震，乃崆峒派中僅存的一位前輩，對本門中的劍招，自是瞭如指掌，知那橫削一劍之中，暗藏著兩個變化。

他心中雖然震駭，但胸藏破解之法，冷笑一聲，不退反進，右手斜斜一指，疾向方兆南右腕點去。

方兆南雖經一陣調息，但他的傷勢遠未復元，揮劍出手，登覺心臟一陣跳動，氣血浮升。但眼下形勢迫急，使他無暇思慮到自己的傷勢，強提著一口真氣，一劍「孔雀開屏」，白蛟劍撒出一片寒芒，反擊過去。

耿震看劍勢凌厲，左手陡然發出一掌，人卻向後退去。

方兆南劍勢推出，頓覺一陣氣血湧了上來，雖然他咬緊牙關，仍然吐出了一口鮮血，手中白蛟劍也脫手而落。

受此一震引發了他的內傷，但方兆南神志仍然清醒，右手一探，伏身撿劍。

只聽一陣衣袂飄風之聲，眼前人影一閃，石三公疾躍而入，一腳踏在劍上，右手一揮，抓住了方兆南的左臂，冷冷喝道：「我還道你是三頭六臂的人物，原來竟是這樣的膿包。」

童叟耿震緊隨著一湧而入，伸手撿起了地上的白蛟劍。

石三公眉頭微微一聳，低聲對耿震說道：「只怕大愚那老和尙，會出面阻擋咱們用刑逼供，但此人生性甚爲倔強，不動苦刑，只怕他不肯招認。」

耿震道：「兄弟倒有一個辦法。」

石三公道：「願聞高見。」

耿震目光一掠禪室外的群豪，道：「不妨先把他交給敝派中弟子，暗中押解到少林寺外，藏將起來，咱們抽暇同去，用刑迫他說出經過，然後再帶他同返少林寺，昭告與會同道。」

石三公道：「這辦法不錯，就依耿兄之見……」說時回目望了貼背而坐，渾然不覺的南北二怪一眼，低聲說道：「這兩人可真的是南北二怪麼？」

耿震道：「看兩人形貌確實很像，但南北二怪是何等武功之人，怎地能這般靜坐不醒？」

石三公隨手一指，點了方兆南的暈穴，回頭舉手一招，頓時有兩個身佩長劍的少年走了過來，把方兆南架了出去。

他回望了童叟耿震一眼，緩步向南北二怪走了過去。

耿震似是被石三公當先而行的豪氣，引得膽子一壯，倒提白蛟劍，緊隨石三公的身後，走了過去。

石三公直逼近兩人身側，舉手在南怪辛奇眼前一晃，看兩人仍然靜坐不動，立時低聲說道：「耿兄，快些出手。」

童叟耿震雙眉一聳，舉起了白蛟劍。

只聽一個低沉有力的聲音，傳了過來道：「老前輩不可造次。」

聲起人到，一陣微風颯然，在兩人身側，多了一個長髯束髮的道人。

來人正是那青城派掌門人青雲道長。

石三公臉沉一笑，不理會青雲道長，身子橫跨了一步，擋在青雲道長的身前，低聲對童叟耿震說道：「耿兄快些出手。」

童叟耿震手腕一揮，白蛟劍疾向南北二怪疾斬過去。

就在他舉劍劈出之際，青雲道長突然清叱一聲，右手一撥石三公的身子，左手一掌斜斜向童叟耿震右肩之上拍去。

石三公萬沒料到青雲道長竟然真的敢同時對兩人出手，事先無備，臨時措手不及，只覺身子被一強猛之勁一擋，橫向旁側移去。

童叟耿震對南北二怪的威名，心裡一直存著畏懼之心，聽得青雲道長那聲清叱，手中劍勢不自禁地一緩。

石三公一直向右面動移三步，才把身子穩住，陡然一個轉身，怒聲喝道：「雜毛牛鼻子，敢對老夫這般無禮。」

舉步一跨，直欺過來，右手疾出，當腦一拳。

青雲道長袍袖飄動，身軀突然斜向一側飛去，落在南北二怪身旁，單掌立胸，說道：「兩位老前輩請暫息胸中怒氣，聽完貧道下情如何？」

當下正容說道：「兩位硬指那位方大俠是冥嶽中派來的臥底之人，只不過是一種妄做的猜測，求明真相，貧道並無反對之心，但在真相未明之前，竟然要加罪於人，貧道不敢苟同。」他回目向南北二怪望去，只見兩人仍是一副靜坐的姿態，不同的是，兩人頭上泛現出豆大的汗珠滾滾而下，不時地聳動著雙眉。

顯然，兩人已經感覺到禪室發生事故，只是不能起身而已。

石三公心中忽然一凜，暗暗忖道：「如若南北二怪醒來之後，今日之局絕難善終，倒不如趁機下手，先把南北二怪斬除……」心念一轉，回頭對童叟耿震說道：「時機稍縱即逝，耿兄要快些下手，青雲道長由兄弟對付……」

青雲道長右手翻手一把，抽出背上長劍，冷然說道：「貧道今日拚著得罪兩位，也要維護南北二怪的安全。」

童叟耿震手橫白蛟劍，兩道眼神卻不住在南北二怪身上打轉，一付躍躍欲動之情。

石三公氣得臉色大變，冷哼一聲，道：「耿兄再不出手，讓南北二怪醒了過來，事情就麻煩了！」

童叟耿震道：「石兄說得不錯！」突然向前欺進兩步，一招「雲斷巫山」，白蛟劍攔腰橫斬過去。

石三公冷笑一聲，緊隨而上，一拳「挾山超海」猛推過去，他這一拳用出了九成以上真力，拳勢未到，拳風已來。

青雲道長心知兩人拳、劍夾擊，存心把自己迫退，好對付南北二怪……

這念頭只不過在腦際一轉，右劍左掌，一齊推出。

臥龍生精品集

只聽砰然一聲，拳掌硬接了一聲。

青雲道長只覺身子一震，身不由主地向後退了一步。

但他右手的劍勢，並未受到妨礙，仍然把童叟耿震迫得自行收回劍勢。

雙方這一交接之中，都了然對方功力，今日之戰，絕非三、五十招，可以拚出勝負，除非運出全力，做生死之搏。

石三公目光一掠南北二怪，只見他們頭上的汗水滾如泉湧，愈來愈多，而且隱隱可聞到急促的喘息之聲，只是仍然緊緊地閉著雙目。

童叟耿震回顧了石三公一眼，道：「今日形勢，看來已難免和青城結怨，石兄遙發掌力，襲擊南北二怪，兄弟全力對付青雲道長。」他此刻含憤出手，劍招凌厲無匹，倏忽之間，連攻八劍，幽靜的禪室中，頓時瀰漫起一片劍氣。

青雲道長吃虧在不敢硬行架封對方的兵刃，而且還得分神照顧到石三公，擔心他遙發掌力，傷害南北二怪，被耿震雙招猛攻之後，逼得向後移退兩步。

石三公卻微閉雙目，凝神而立，看樣子似正在提聚功力，準備一擊得手。

只聽一聲低沉的佛號，傳了過來，說道：「諸位快請住手……」

只聽佛號和怒喝並起，兩條人影，直衝入室。

僧袍飄飄的大愚禪師，躍擋在石三公的身前，另一個勁裝少年，卻揮劍直刺耿震。

童叟耿震耳目何等機敏，耳聞金刃破風之聲，立時判出了敵人來向，反手一劍橫掃過去，怒聲喝道：「你要找死，怪不得老夫心狠手辣！」

白蛟劍隨手一揮，挑飛了半截長劍，借勢下發，寒芒電奔，斜肩劈下。

那勁裝少年只覺一股冷芒，掠身而過，右肩衣服被削下一塊，金風劃肌，鮮血泉湧而出。

大愚禪師擋住了石三公，合掌說道：「老前輩請看在貧道面上，勿再出手，彼此都為援救少林而來，不論傷到哪個，都叫老衲不安。」

忽聽天星道長莊嚴的聲音，起自禪室門口，道：「令師等不過一時誤會，如再打了起來，造成傷亡，即將成一場火併之局，還不給我退下！」

原來青雲道長和童叟耿震、石三公動手相搏，引起三派弟子的相互仇視，在方丈室外列陣相對，劍拔弩張，大戰一觸即發。

幸得大愚禪師及時趕到，勸請三方首腦停手，天星道長的及時鎮壓，使雙方即將展開一場混戰，停了下來。

只見天星道長大步走入禪室，目光環掃了全場一眼，搖頭說道：「幾位都是武林中極有身分之人，怎地忍不下幾句氣憤之言，就動手打了起來？」

大愚禪師忽然心中一動，回目對石三公道：「那位方大俠呢？」

石三公目光一瞥禪室外弟子，搖搖頭道：「不知道哪裡去了。」

原來方兆南早已被押解離去。

大愚禪師肅然說道：「老衲想起了幾件事來，前後印證，恍然而悟，那位方大俠絕非冥嶽中派來的奸細！」

石三公口齒啓動，欲言又止。

天星道長接道：「貧道經三思之後，深覺那方大俠實非內奸……」

大愚禪師目光環掃了禪室內外，不見方兆南的行蹤，心中大是焦慮，急聲問道：「耿老前輩，方大俠哪裡去了？」

耿震搖頭一笑：「這個老夫就不清楚了。」

青雲道長忽接口道：「方大俠已被人押解出少林寺了，待貧道召來室外弟子問他一聲。」

忽見一個僧侶，急急奔了進來，低聲對大愚禪師說了幾句。

大愚禪師哦了一聲，揮手說道：「快給我追上去！」

那和尚應了聲，匆匆轉身奔去。

青雲道長回顧了南北二怪一眼，低聲對大愚禪師道：「這兩人已快醒來，咱們留此，諸多不便，老禪師最好選派幾位高僧替他們護法，閒雜人等一律禁入禪室，免得驚擾兩人行功。」

大愚禪師愁眉苦臉地說道：「道兄之言，甚是有理，咱們走吧！」當先出了禪室，步向大殿走去。

片刻之間，眾人已回到了大殿之中。

這時，殿中的酒席已撤，換上香茗。

大愚禪師雙目一直望著殿門，似是焦急地等著什麼。

只聽一陣步履之聲，一個身披月白袈裟僧侶，急步奔了過來，低聲對大愚禪師說道：「方大俠行蹤沒有查出，但那兩個挾持方大俠離寺之人，卻已不知被何人殺死，棄屍寺外。」

石三公急步離座，揮手說道：「他們屍骨現在何處？快帶我去瞧瞧！」

大愚禪師亦緩緩站起身子，合掌向青雲道長等說道：「諸位道兄，咱們一起出去瞧瞧如何？」

青雲道長、天星道長、耿震、曹燕飛紛紛站起身子，在那位僧侶導引之下，離開大殿，魚貫而行。

不一會兒工夫，已到寺外。

那帶路僧侶，伸手遙指著一座曲彎的山角，說道：「兩人的屍體，就在那轉角之處。」

轉過山角，果然見兩具屍骨，並排而臥，兩人同樣地緊緊閉著雙目，臉色蒼白。

忽聽那帶路僧人咦了一聲，道：「奇怪，貧僧初見這兩具死屍時，各自倒臥一側，何以此刻卻並肩而臥，而且……」說著忽然全身一顫，一跤栽倒地上。

突然間，一根銀芒疾閃，直飛過來。

這根銀芒微小得有如牛毛，如若在平時，石三公雖有著過人的目力，也是難以看得見。

但他此刻全神凝注，當真能眼觀四面，耳聽八方，右手一揚，呼的一股掌力，劈擊出手。

他功力深厚，劈出勁力強猛絕倫，那一縷閃飛而來的銀芒，吃他強猛的掌力一掃，有如沙石沉海，無蹤無影。

大愚禪師急聲叫道：「石老前輩快請退下！」

青雲道長突然長長嘆一口氣，道：「那位方大俠只怕已難免遭劫，咱們不用追尋他了，眼下的要緊之事，是如何籌思個拒敵之策！」

天星道長道：「這一提，倒使我想起一件大事來了……」

他微微一頓，接道：「石、耿兩位老前輩，在那禪室之中，欲出手傷害南北二怪，雖然未曾傷到，但以南北二怪的性格而論，這兩人定然不肯罷休！貧道之意，先把南北二怪除去，再齊心合力拒擋那冥嶽妖婦。」

童叟耿震點頭讚道：「道長思慮周到，兼顧全盤，果然是一派宗師之才。」

天星道長忽然把目光投注到青雲道長臉上，問道：「道兄以爲貧道所見如何？」

青雲道長道：「如以貧道的看法，此等行險求勝之學，未免太過冒險了，以南北二怪的威名而論，萬一謀事不成反樹強敵。」

大愚禪師道：「老衲深以青雲道長之言爲是。」

青雲道長說道：「如若咱們合力圍殲南北二怪，倒不如倚仗兩人之力，共拒冥嶽強敵。」

天星道長道：「那有勞道兄籌思一個解決的良策了。」

青雲道長沉吟了一陣，道：「貧道想先去找南北二怪勸說他們一陣，如若能把兩人說服，合力共禦強敵，那是最好不過。」

曹燕飛道：「此言甚是有理，必須先解決南北二怪之後，咱們才能安心共禦冥嶽強敵。」

童叟耿震緩緩把目光投注到大愚禪師的身上，接道：「只不知老禪師意下如何？」

大愚禪師當下點頭說道：「老衲亦覺得青雲道兄之言不錯。」

天星道長道：「既然老禪師贊同此法，那是最好不過，事不宜遲，咱們立時回寺準備……」

青雲道長似是有著極沉重的心事，滿臉憂苦之色地長嘆一聲，道：「貧道心中還有著一種極不祥的預感，只怕這短短的三、五日內，整個武林形勢，將要有極大的變化。」說完當先轉身，急步向前奔去。

群豪緊隨他的身後，一齊趕回少林寺。

四三　玄霜再現

青雲道長直接帶著曹燕飛趕往方丈室，只見南北二怪早已清醒過來，悠然坐在室中談笑。這兩個以心狠手辣著名江湖，殺人無數的老怪，有如突然間脫胎換骨一般，一見青雲道長二人，竟然一反平常的冷漠神態，點頭作禮。

青雲道長合掌欠身一禮，說道：「恭賀兩位老前輩功行圓滿。」

南怪辛奇淡然一笑道：「如非道長出手相救，我和黃老怪兩人，只怕早已沒有命在了！」

青雲道長微微一笑，轉變話題，道：「貧道等適才寺外巡行，發覺了冥嶽中人，尚留在少林寺外未曾離去。」

北怪黃煉接道：「此事早已在我和辛老怪的預料之中，算不得什麼稀奇的事。」

南怪辛奇目注青雲道長說道：「兩位的來意，可就是要我們答允出手相助之事麼？」

青雲道長道：「不錯，此事關係著整個武林大局，萬望兩位老前輩賜允出手。」

南怪辛奇突然放聲大笑，說道：「如若我和黃老怪不肯答應，幾位定然要先行對付我們兩個了？」

說時兩道目光不住地亂轉，似是已感覺到禪室外面正在布設著一個陷阱。

北怪黃煉，霍然站了起來，揮手對青雲道長說道：「南北二怪，素來不願受人要脅，我們是否願意出手相助，到時候才能決定，念在你剛才相護我們一番恩情之上，不願出言揭發你們心中的陰謀，快請退出去吧！」

青雲道長只覺臉上一熱，訕訕地說不出話，只好和曹燕飛緩步向外退去。

天星道長、石三公、童叟耿震等正並肩站在室外一側等待，禪室的四周，早已埋伏六大門派中選出的十四個高手，殺機隱隱，劍氣騰騰。

石三公一見兩人出來，迫不及待地迎了過去，問道：「怎麼樣？兩位可曾說服了南北二怪麼？」

曹燕飛搖搖頭，道：「南北二怪，似乎是已經知道了我們圍殲他們的計劃，言詞之間，已然暗示了出來！」

青雲道長臉色一片嚴肅，默然不語。

天星道長一皺眉頭，說道：「事情既已被二怪看了出來，已如箭在弦上，不得不發了。」

青雲道長淡然一笑，道：「如若咱們正和南北二怪動手之時，冥嶽中人同時攻到，事情又該如何呢？眼下尚未鬧到不可挽回之局……」

只聽一陣響亮的笑聲傳了過來，打斷了青雲道長未完之言。

幾人轉頭望去，不知何時南北二怪已然離開了那幽靜的禪室，並肩站在門外。

埋伏在四周的六大門派弟子，已紛紛拔出了兵刃，圍攏上去，排成了拒敵的陣勢。

石三公側顧青雲道長一眼，說道：「眼下已然形成列陣相對的僵局，看來縱不出手，也是不行了。」

事情已到了決定的階段，青雲道長自是不能說出不算，當下微一頷首，道：「事已臨頭，只有見機而行了。」

他雖然最是反對和南北二怪動手，但面臨著這等抉擇的局面，反而變得異常的勇敢，當先舉步走了過去。

直到相距南北二怪兩、三丈距離，才停了下來，合掌說道：「兩位老前輩可是要離開此室麼？」

南怪辛奇投注天際的目光，突然收了回來，冷然掃瞥了那排成陣勢一眼，反問道：「你們拔劍橫刀，列陣把這座禪室團團圍起，不知是何用心？」

耿震手橫白蛟劍，接道：「個中原因極爲簡單，恐怕兩位和冥嶽中人暗有勾結，爲防患未然，我等不得不屈駕留兩位在這禪室中休息幾日。」

南怪辛奇輕輕嘆一口氣，低聲對青雲道長道：「如果在前一日，單是你們這等列陣圍困禪室一事，勢必要激起我的殺心，但此刻我心中卻平靜得很……」

他目光緩緩由青雲道長等臉上掠過，接道：「你們這些人，縱然一齊出手，也未必是我們兩人敵手，休論把我們困入這禪室中了，快些退回去吧！」

青雲道長嘆道：「兩位老前輩這等胸襟氣度，實是叫人慚愧，貧道這裡先行謝罪了。」

說完果然合掌當胸，躬身一禮，回頭望著天星道長接道：「道兄，咱們走吧！不要再打擾兩位老前輩的清興。」

這兩人一打退堂鼓，石三公和童叟耿震，不得不隨著下台，默然不語，緩緩轉過身子，舉步欲行。

只聽北怪黃煉叫道：「站住！」

黃煉目光凝注在耿震的臉上，道：「留下你手中的寶劍再走。」突然一晃雙肩，疾快無比地直向童叟耿震衝了過去。

耿震的江湖閱歷，何等豐富，已然想到南北二怪可能會突然出手搶劍，早已蓄勢戒備。北怪黃煉身子一動，立時揮手一劍，橫刀斬去，金風破空聲中，幻起一片寒芒。

白蛟劍鋒芒絕世，斷金切玉，北怪黃煉雖然是極爲自負之人，但也不敢小看此劍的威力，右手食中二指遙遙點出，立時有一股潛力，急湧而出，左手一晃而到，抓向耿震握劍的右腕。

只聽北怪冷哼一聲，右手一揮，一股奇寒的掌力，疾湧而出，說道：「試試老夫玄冰掌的滋味如何？」

在眾目睽睽之下，耿震無法不硬接對方的一擊，只好劍交左手，右掌一揮拍出。

兩股掌力交接之下，旋起了一股急風，幾個距離兩人較近之人，都感到那急風中，挾帶著一股襲人的寒意。

童叟耿震陡然退開兩步，白蛟劍疾變「長虹經天」直刺過去。

原來他硬接對方一掌之後，已知功力難敵，必需仗憑劍術上的造詣，或可和對方一拚，只見他劍勢回旋，倏忽之間，連續攻出五招，白蛟劍幻起滿天劍花。

這是他求生保命的一戰，一出手就用出崆峒派的絕學「天干三十六劍」，劍勢如長江大河一般，綿綿不絕。

但見北怪黃煉飄飛的身影，飛旋於漫天劍花之中，掌劈、指點，使得對方奇奧的劍招無法變化出手，黃煉雖陷入重重劍影的籠罩之下，卻是有驚無險。

激鬥到十回合時，忽聽北怪黃煉縱聲長笑，高聲說道：「少時雙手盡血腥，老來一片向善心。」喝聲中疾落一掌，登時狂飛急旋，寒氣逼人，強猛的掌力，打破了重重劍影，拔身而起，直升三丈多高，懸空打了一個轉身，頭下腳上，直撲而下，右腳剛好踢在耿震那握劍的右腕之上。

耿震但覺手腕一麻，白蛟劍頓時脫手飛出。

但聞站在禪室門外的南怪辛奇，嘯聲沖天而起，人如天馬行空，急掠而去，飛行之間伸出右手，懸空抓住了白蛟劍。

只聽那清嘯長笑之聲，劃空而去，轉眼間已不見兩人行蹤。

忽聽一陣兵刃交擊之聲，遙遙地傳了過來。

青雲道長眉頭一皺，突然加快了腳步。

曹燕飛急急地問道：「可是冥嶽中人，攻入了少林寺麼？」步履突然一快，搶到那青雲道長的前面。

石三公、天星道長、耿震等，大概都聽到了那兵刃相擊的聲音，同時急奔過來。

穿過了幾重庭院，到了第三重大殿前面，抬頭看去，只見一個全身黑衣的少女，和四個僧人正打得難分難解。

黑衣少女手中的長劍，矯若游龍，幻化起來朵朵劍花，銳不可當。

大愚禪師手扶禪仗，站在大殿前面，凝神觀戰，他身側站著四、五個身受劍傷的僧侶。

青雲道長雙腳一點地，道袍飄風聲中，躍落在大愚禪師的身側，低聲問道：「這位黑衣姑娘是什麼人？」

大愚禪師搖頭說道：「不知來歷。」

青雲道長道：「爲什麼不問她？」

大愚禪師道：「她不肯說出身分……」

他停頓了一下，又道：「她單身入寺，昂首而行，起初，寺中弟子都誤爲她是點蒼派的門下，是以並未出手攔阻，一直被她闖過二層大殿，才有護法弟子問她姓名。

「哪知，她出口就罵，出手就打，被她一連劍傷五人，闖入第三個殿院之中，唉！想不到少林，竟然變成了一個是非之地。」

青雲道長當下翻腕抽出背上長劍，說道：「待貧道去問問她吧！」提劍一躍，落在動手之處，沉聲喝道：「諸位大師請讓讓，待貧道接她幾劍。」

他乃一派掌門身分，地位極是崇高，四僧又正感招架不住之時，果然依言而退。

那黑衣女長劍一振，唰的一劍「天外來雲」，迎胸刺到，口中卻冷冷喝道：「和尚廟裡橫出來個老道士，你是幹什麼的？」

青雲道長劍出「推山移海」，湧出一片劍光，封開那黑衣少女劍勢，道：「貧道青雲……」

黑衣女素腕揮動，唰唰兩劍，著著辛辣，迫得青雲道長向後退了一步，才冷冷喝道：「什麼青雲、紅雲我都不管，我只要找他。」

青雲道長氣度恢宏，耐性過分，雖然感到此女太過蠻橫不講道理，仍然忍耐下胸中之氣，問道：「姑娘要找的人，可有姓名麼？」

黑衣女忽然停下了手中的劍勢，道：「我要找方兆南，怎麼樣？有人告訴我他在少林手中，你別想騙得過我。」

青雲道長回顧了大愚禪師一眼，問道：「姑娘貴姓？」

黑衣女被問得一怔，沉吟了半晌，才答道：「我是他的師妹陳玄霜。」

青雲道長爲難地道：「方兆南之前確在少林手中……不過，他此刻已經不在少林寺了。」

陳玄霜綻開在臉上的微笑，突然消失不見了，幽幽地問道：「他到哪裡去了？」

青雲道長道：「大概是被冥嶽中人劫走了，下落不明。」

他想了甚久時間，才想出這句話來，既未說謊言，亦可消解去對方的疑慮。

陳玄霜呆了一呆，兩行清淚順腮滾了下來，道：「冥嶽中人恨他入骨，如若他被冥嶽中人劫去，那定然是沒有命了。」

目光卻移注到青雲道長的臉上，問道：「你說他被冥嶽中人擄去，可是親眼所見麼？」

青雲道長搖頭說道：「沒有，貧道只是這麼猜想，因爲方大俠離寺不久，我等立時追蹤尋找，只見到和他同行之人的屍骨，卻不見方大俠的人蹤何去，故而貧道猜想，他可能是被冥嶽中人劫去了。」

陳玄霜忽然丟了長劍，躬身作禮道：「我求你帶我去瞧瞧好麼？」

青雲道長沉吟了一陣，道：「那地方雖然很近，但卻凶險得很，姑娘如果一定要去，必得先答應貧道一個條件，就是貧道帶姑娘到那段地區之後，只宜遠觀，不可逞強冒險而入。」

陳玄霜長長嘆息一聲，道：「好吧！」伸手撿起地上長劍。

青雲道長當先舉步，揮手對陳玄霜道：「姑娘請隨在貧道身後。」

陳玄霜依言學步，隨在青雲道長身後。

曹燕飛見狀，亦隨在陳玄霜身後而去。

三人步履迅快，片刻工夫，已走到那個死亡地區。

青雲道長遙指著山角橫臥著的三具屍骨，黯然說道：「在那轉彎的山角之中，不論草木、山石，都布滿了毒粉……」

陳玄霜道：「你們在此地等一會兒，我去瞧瞧就來。」話出口，人已疾躍而起，直向那三具屍骨奔去。

只見陳玄霜揮動手中長劍，撥開那三具屍骨，緩步向谷中行去。

青雲道長立時躍飛而起，同時迅速地吞服下了兩粒避毒丹丸，閉住真氣，疾快地越過那三具屍骨，進入山谷之中。

凝目望去，只見兩側山勢，夾著一道十丈長短的狹谷，谷中雜草及腰，怪石嶙峋，乃一個險惡的山谷。

除了亂草怪石之外，連一株小樹也未生長，不禁一皺眉頭，暗暗忖道：「如若冥嶽中人在這道窮谷之中，遍布毒粉，埋了暗器，誘敵而入，不難一舉盡傷少林寺中集聚的高手……」

一面忖思，右手即拔出了背上長劍，撥分叢草而入。

他爲人堅毅、多智，愈是陷身在危惡的環境之中，愈是沉著冷靜，一面撥草而行，一面默查陳玄霜留下的痕跡。

兩人先後之差，不足一盞熱茶的工夫，尋找陳玄霜留下的痕跡，應該不是什麼難事。

哪知這荒草瀰漫的山谷之中，因久年人跡罕至，荒草彈勁甚大，一腳踏下，腳起草直，竟是找不到陳玄霜落足的痕跡。

行進約四、五丈遠，已然到了那山谷總長的一半，但仍然未發現陳玄霜留下的點滴痕跡。一縷恐怖的感受，泛上了青雲道長的心頭，他敏銳地感覺到這險惡的山谷，極可能就是冥嶽中人預布的陷阱。

如此看來，陳玄霜可能已經遭了毒手。

這等自我疑慮形成的恐怖感覺，使沉著的青雲道長也有些方寸大亂，不由凜然地止步。

突然間，傳過來一聲深長的嘆息，來自右側一塊突立的怪石之後。

青雲道長只感全身一震，左手探入懷中，摸出了兩支短劍，蓄勢戒備，右手長劍平胸讓身，兩目注定那突立的怪石，沉聲喝道：「什麼人？」

山石後忽然飄飛出一片白色粉末，暴散成四、五尺方圓大小，像一團濃霧般，罩了過來。

青雲道長何等機警，一瞥之間，已判斷出那是一個絕毒的藥粉，只要吸入少許，可能立時倒地而死，他趕忙縱身而起，斜斜向一側躍落，同時運集一口真氣，張口吹去。

那一片白色粉末，吃他運氣一吹，隨風飄去，飛落一側。

怪石後忽然響起一清脆的女子聲音，道：「什麼人？」

青雲道長冷然地應道：「單靠迷藥勝人，算不得英雄，姑娘既敢出言喝問，何以不敢現身相見呢？」

怪石後青翠的雜草中，忽地探出了一張容貌嬌絕的美麗面孔。

青雲道長仔細地打量了那張姣好的面孔，雖然容色如花，但卻無法掩飾著雙目中凶厲的光芒，一皺眉頭，說道：「姑娘可是冥嶽中人麼？」

那少女圓圓的大眼睛眨了眨，笑道：「是又怎麼樣？」

那少女緩緩舉起右手，招了一招，道：「你走近來，我要和你商量一件事情。」

她的舉動，異常的親切自然，似是和多年的老友說話一般。

青雲道長道：「咱們相距不遠，彼此的言詞清晰可聞，妳有什麼話說，我站在此地也是一樣，再者，妳我素昧平生，姑娘怎地就這般信任貧道？」

紅衣少女道：「問得好，老實說，我已身受了很重的內傷，才這般相求於你，如若我未受內傷，只怕你早已傷在我的手中了。」

青雲道長心中一動，忽想起陳玄霜來，問道：「適才有一位黑衣姑娘，不知現在何處？」

紅衣少女冷哼一聲，道：「如非我錯估了那黑衣丫頭的武功，也不致受此重傷了。」

她微微一頓，接道：「我雖然施展迷藥，把她迷倒，但卻沒有防到她在暈迷之前，全力反擊，被她掌力震傷。」

青雲道長急急接道：「你可是已將她殺害了麼？」

紅衣少女道：「沒有，她現在在這怪石後面，你走過來就可以看到她了。」

青雲甚長暗運功力，遍布全身，然後淡然一笑，道：「好吧！」緩步走了過去。

他右手橫著長劍，撥開長草，凝目望去，果見陳玄霜橫躺在山石之後，在她的身側，躺著方兆南。

青雲道長生性沉毅，強自按捺下心中喜悅，淡然說道：「他們都還有救麼？」

這時，他已可看清楚那美麗少女的整個身子，只見她紅衣褲，身前放著一柄青芒閃閃的寶劍，和一個拂塵，以及另有一個蓬髮亂鬚的怪人。

紅衣少女目光一掠那蓬髮怪人，說道：「你知不知道知機子言陵甫這個人？」

青雲道長道：「一代名醫，譽滿武林，貧道傾慕已久。」

紅衣少女雙手分動長草，坐下嬌軀，接道：「這個人就是你傾慕已久的一代名醫，譽滿江湖的言陵甫。」

青雲道長仔細看去，只見他蓬亂的頭髮中隱藏著一副端正的五官，當下淡然一笑道：「言陵甫名滿江湖，除了醫道之外，武功也是當今江湖上一流高手，不是貧道輕視姑娘，用毒、武功，只怕妳都難是他的敵手。」

紅衣少女突然一皺柳眉，嬌嚶一聲，接道：「快過來幫我推拿一下前胸的穴道，我快要悶死了。」

青雲道長重重地咳了一聲道：「男女授受不親，何況貧道又是跳出三界五行以外之人，妳把解藥給我，我先救了那陳姑娘，再由她幫你推拿穴道……」

紅衣少女道：「來不及了……」

但見她勻白的嫩臉上，突然泛起一片鐵青，櫻口張後，噴出一口鮮血。

青雲道長眼看情形危殆，心中忽生不忍，舉步走了過去，放下右手長劍，一掌按在她前胸「玄機」要穴之上，暗運內力，迫出一股熱流，幫助她平復泛動的氣血。

那紅衣少女突然一翻右手，迅快絕倫地點來一指。

辣手突出，大出青雲道長意外，一時間應變不及，被對方一指點了右肩處「雲門」要穴。

紅衣少女一挺而起，左手迅快地抓起了身側長劍，冷森的劍芒，指逼在青雲道長頸間，笑道：「你猜猜看，我會不會一劍把你殺死？」

從冷森異常的劍氣中，青雲道長已感受到對方手中的寶劍，鋒利非凡，但他卻淡淡一笑，道：「生死一事，豈足以威脅貧道？」

紅衣少女突然收了長劍，嫣然一笑道：「你可是知道我不會殺死你麼？」

青雲道長被她忽而刀劍相向，忽而輕聲淺笑，嬌媚橫生的神情，鬧得茫然無措，一時之間，想不出適當的措詞回答，索性默然不語。

紅衣少女忽然長長嘆息一聲，接道：「你不用害怕，因爲我有重要之事和你商量，如若你肯答應，咱們攜手合作，此事如成，咱們終生都享用不完。」

紅衣少女目光一掠，接道：「你知道『血池圖』這個傳說麼？」

青雲道長道：「知道又怎麼樣？」

紅衣少女道：「那血池之中，藏有一代仙傑羅玄的遺物，誰要能最先進入血池，誰就可以取得羅玄的遺物，那時，他就可以縱橫天下，所向無敵……」

青雲道長冷冷接道：「血池圖只不過是江湖上一個傳說，當世之人，有幾個人見到過那幅圖案？齊東野語，豈足採信，也許一代仙傑羅玄，還活在人間未死。」

紅衣少女臉色突然變得十分莊嚴，說道：「不錯，羅玄確實未死，而且他在這幾日之中，還到少林寺來……」

青雲道長心頭一震，但他爲人沉穩，仍然保持著鎮靜的神情，道：「此事當真麼？」

紅衣少女道：「自然是當真了……我現在跟你說的話，字字句句都是出自真誠，因爲眼下

的情勢，已非獨力所能夠辦到……」她緩緩把目光投注在方兆南的身上，接道：「我本來是想要找他相助，哪知他竟然一口回絕了……」

她頓了一頓，又道：「但是他並沒有聽我把話說完，如果他能夠耐心地聽完，我相信他定然會答應和我同心合作。」

青雲道長看她神色間充滿著自信，不禁問道：「方大俠乃一位胸懷磊落的英雄，只怕不會受妳的威迫利誘。」

紅衣少女道：「那倒是一點不錯，我師父處心積慮，稱霸江湖，已經準備了數十年之久，冥嶽之中，網羅之人遍及大江南北，邊陲蠻荒，以及關外的白山黑水間……

「也許有很多人誤認這些高人已歸隱林泉，或是已經死亡，其實都是被我師父收入冥嶽，他們的際遇，說來倒是可憐得很……」

「他們之中，大部份都被藥物毒成了白癡，不辨是非，也忘去自己的出身來歷，消失了喜怒哀樂等七情六欲，變成了渾渾噩噩的人……」

青雲道長只聽得心神大震，口中卻故意問道：「那些高手既然都變成了癡呆之人，難道還能對敵麼？」

紅衣少女道：「他們人雖然變成了白癡，但武功並未失去，在統一的號令下，個個奮不顧身，驃悍絕倫，除了像少林那等多的人手和浩大陣勢之外，當今武林中不知哪一門派，還有誰能拒擋得住這等凌厲的攻勢？」

只聽那紅衣少女嬌媚一笑，又道：「看你的衣著風度，地位決然不會很低，不知是何身分？」

青雲道長略一忖思，道：「貧道乃當今青城派中掌門之位。」

紅衣少女道：「哎喲喲，失敬，原來是一派宗師。」

青雲道長道：「令師挾數十年準備的精銳而來，不知何以竟未全功而返。」

紅衣少女冷笑一聲，說道：「好吧！我可以把胸中所知，盡皆相告，反正咱們如不能攜手合作，你也別想生離此地。」

她舉手理一下散垂在鬢邊的秀髮，接道：「我師父天不怕地不怕，但她卻極怕我的師祖羅玄，是以，當我師祖羅玄的笛聲，出現在少林寺後，她立時帶著所有的隨行高手，轉回冥嶽，只留我一人在此，打聽少林寺中情形。」

青雲道長有意探出她更多的隱秘，並好借談話之機，拖延時間，等待援手，當下說道：「也許那笛聲不是羅玄吹奏的呢？」

紅衣少女道：「我師父是何等人物，豈會不顧及此，但我師祖羅玄的銅笛，和天下所有的笛子，構造完全不同，吹奏之間音韻縹緲，若斷還續。

「而且它能同時發出幾種不同的聲音，混合一起，一聞之下，立可辨音，縱然不是我師祖羅玄的大駕親臨，亦必是他的銅笛無疑，是以家師匆匆趕回冥嶽……」

青雲道長接道：「如若那羅玄未死，令師趕回冥嶽，又有什麼用呢？」

紅衣少女沉思了一陣，問道：「你先告訴我，願不願和我合作，我再告訴你個中原因。」

青雲道長笑道：「妳先說明什麼事，貧道才能考慮到是否答應。」

紅衣少女道：「咱們同入血池尋寶，你如答應，我絕不虧待於你，除了平分尋得之寶物外，且願以身奉獻……」

四四　血池風暴

青雲道長萬萬沒有料到紅衣少女會突然講出此等之言，當下呆了一呆，道：「貧道乃出家之人，一生不近女色。」

紅衣少女冷哼一聲，突然一揮手中寶劍，青芒一閃，斬斷青雲道長胸垂長髯，笑道：「我先把鬍子斬斷，然後再讓你脫下道袍，還我本相……」

說著緩緩站起身子，舉手一劍，當胸刺去。

青雲道長早已運氣戒備，眼看青芒刺來，立時橫向旁側一滾，避開一劍。

他穴道受制，行動終欠靈活，紅衣少女格格一笑，舉劍一挑，青雲道長一襲道袍，應手裂飛一半。

但那紅衣少女似是意猶未盡，右手一揮，又扯下兩片衣服才停下手來，倚身在山石之上，嬌聲喘息了一陣，道：「只要我聽到有人進入這絕谷之中，我就立時脫光了自己的衣服，和你躺在一起。」

紅衣少女突又吐出一口鮮血，緩緩把身軀移了過來，說道：「我身受重傷，生望甚少，但我又不願這樣死去……」

青雲道長心中一動，道：「如果我幫你療好傷勢……」

紅衣少女接道：「那是最好不過，咱們就一起進入血池尋寶。」

要知青雲道長乃一派掌門身分，此事如若被人目睹，縱然傾盡三江之水，也是洗不乾淨，形勢迫得他無法選擇，只好長長嘆息一聲，道：「好吧！我先替妳療傷。」

說著探手入懷，摸出一個玉瓶，倒出兩粒白色丹藥，接道：「妳先服用兩粒平血安神丹丸，稍時再服療傷之藥。」

那紅衣少女毫不猶豫地服下了兩粒白色丹丸，她忽然睜開眼睛，兩顆晶瑩的淚珠，滾了下來，無限憂苦地接道：「我是不是真的很美？」

紅衣少女閃掠過一抹苦笑，道：「如若我一旦離開冥嶽，或是背叛了我的師父，三個月內，我這嬌美的容色，即將完全消失，變成了一個滿臉皺紋，又醜又老的人啦！」

青雲道長道：「姑娘年紀正輕，如花初放，怎會在數日內變得老醜？」

紅衣少女道：「這就是我要告訴你的隱秘了。我那師祖羅玄，雖被後人稱譽爲一代人傑，但他卻也替人世間留下了無比的禍害，我師父繼承了他的衣缽，也學了他調製各種藥物的才能，因我那授業恩師生性多疑，她想出了一個控制我們的絕毒之策，她讓我們服用一種丹丸，說那丹丸有潤膚容色之效。但事實上，我們都已中了一種奇毒，每隔三個月的時間就得服用另一粒毒丹，不然立時將容色萎枯，變得既老且醜。」

紅衣少女續道：「當師父告訴我們此事之時，我們四個姐妹都不相信，覺得那是她故做的危言聳聽，不料我們那位大師姐，卻偷偷收起了那粒丹藥，沒有服用。我親眼看到她嬌若桃花的臉色，變成了一片枯黃，一道道皺紋堆累而起，雪樣的肌膚，也逐漸變成乾枯黑黃之色，大師姐才慌了起來，趕忙把那粒毒丸吞服下去。」

青雲道長道：「既然吞下藥物，當可容色恢復了？」

紅衣少女道：「沒有，她雖然吞下了那粒藥丸，但那萎枯了的容貌卻依然如故，大師姐憤而自殺死去，當她噍絕最後一口氣時，曾囑咐我們要記著她以前的美麗……大師姐爲人謙和，生前之時，帶領著我們四姐妹，相處十分融洽，自她死後，我們三姐妹卻開始勾心鬥角，彼此各樹黨羽，討好師父，獻媚邀功，鬧得情意全絕。」

青雲道長道：「同門之間，鬧出此等慘事，實在是大恨大憾之事。」

紅衣少女繼續說道：「自從我那師妹暗助她心上情郎，離開冥嶽一事，被我那師姐查明，稟告師父之後，我們三姐妹之間的傾軋暗鬥，更形激烈，師妹更因暗助情人脫逃，被師父逼得撲入火山一死，四位同門姐妹，只餘我和二師姐兩個人了……」

她的目光突然放射出怨毒和憤怒的火焰，接道：「但我那心地惡毒的二師姐，又把主意轉動到我的身上，在我師父面前進言，指我和師妹暗中勾結，準備倒反冥嶽。我師父雖未完全聽信，卻也對我動了懷疑，指命我留在此地，暗查少林寺的動靜，既未限定時間，亦未再給我保容丹丸。現下距我應服那丹丸之日期，只不過月餘時光了，我必需要在一月之內，設法尋找到保容的藥物……」

青雲道長道：「因而妳急於進入血池找那羅玄遺物，以求保得美麗，長駐青春。」

紅衣少女道：「我如毫無一點計劃，豈能這般冒險，我師父無意之中曾透露出，羅玄調製有五顆絕世奇丹，如若能尋得那五顆奇丹，始可解我們服用的保容丹毒……」

青雲道長又從懷中取出兩粒丹丸，說道：「妳服下這兩粒丹丸之後，運氣調息一陣，試試看傷勢是否好轉，貧道自信我們青城門下秘製靈丹，足以療好妳的傷勢。」

紅衣少女說道：「我受傷雖然不輕，但如能給我三日時間靜養調息，我自信可以復元，眼下要緊的是你答不答應和我一道去血池一行。」

她回顧了蓬頭亂髮的言陵甫一眼，又道：「江湖上傳說此人，和羅玄有過師徒之份，因此我決定帶他同行……」

青雲道長冷笑道：「姑娘說了半天，可知那血池位在何處麼？」

紅衣少女道：「自然是知道了，哼！我如毫無一點把握，豈敢妄作此想？」

青雲道長被她說得心中怦然而動，微微一笑道：「如果妳真能說得讓貧道相信確有其事，我就甘冒大不韙，和妳到血池一行。」

紅衣少女緩緩從懷中摸出在陳玄霜身上找到的一幅絹圖，接道：「先讓你開開眼界，看看傳誦於江湖上的『血池圖』吧！」

青雲道長目光一掠絹圖，只見一片黃綾之上，塗滿了血紅之色，只要你的目光一和那圖案相觸，先就給你一種恐懼之感。一條條縱橫的黑線，穿梭交織成一片蛛網形圖案，墨色有濃有淡，筆劃粗細不等，看上去一片凌亂。

圖案中間，空出了小小一片白色，寫著兩行小字：「三絕護寶，五毒守丹，陰風烈焰，窮極變幻，千古奧秘，豈容妄貪，擅入血池，罹死莫怨。」

紅衣少女迅速收好了血池圖，接道：「你現在可以相信我的話了吧？」

青雲道長似已被那紅衣少女說得怦然心動，忍不住插口問道：「那血池不知在何處？」

紅衣少女道：「這個，你只要答應助我，我自然會帶你去了！」

青雲道長緩緩閉上雙目，道：「貧道止水之心，亦被姑娘說動，想不到名利二字，竟是如

此地難以勘破，吾師坐化之際，曾告訴貧道遇事三思再行決定，容貧道想想再答應妳好麼？」

紅衣少女伸手抓起地上的長劍，臉上泛現出一片殺機，只等青雲道長說出不去，立時將揮劍把他劈死，然後再把方兆南、陳玄霜、言陵甫一起殺死。

只見青雲道長臉上綻開微微的笑意，霍然睜開雙目，說道：「貧道答應妳了。」

紅衣少女冷然一笑，道：「我早曉得你會答應的！」

青雲道長道：「貧道的心願，一則去發掘羅玄之秘，公布武林，以證世人對他猜測，二則想從他遺物之中，找出些深奧的醫理，用以濟世活人。」

紅衣少女突然揮動寶劍，削去青雲道長頭上的髮髻，顎下的長髯，側臉端詳了一陣，笑道：「這樣一來，就沒有人能認出你了！」

青雲道長嘆息一聲道：「妳現在可以解開我的穴道了吧？」

紅衣少女搖搖頭道：「不行，還有一個條件，你答應了我立誓，才能解開你的穴道。」

她嫣然一笑，又接道：「立誓人青城派掌門青雲道長，答應遵奉蒲紅萼一切命令，面天立誓，如背誓約，天誅地滅。」

青雲道長沉吟了良久，終於面天立下重誓。

蒲紅萼盈盈一笑道：「你快些提聚真氣，我要解你受制的穴道了。」

青雲道長暗裡運氣迫使行血加速，運行受傷的脈穴之中，果覺行血已能通過傷穴。他霍然睜開雙目，一掠方兆南和陳玄霜道：「這兩人，妳要怎麼處理？」

蒲紅萼道：「最好是一劍殺死，免留後患。」

青雲道長心念一轉，淡然笑道：「咱們此去血池，事必經過甚多凶險，這兩人武功不弱，

如能攜帶他們同行，當可獲得不少助力。」

蒲紅萼微一沉吟，道：「攜帶他們同行，雖可獲得甚多助力，但如兩人醒來之後不肯聽命，豈不自惹一場麻煩？」

蒲紅萼緩緩站起身子，探手入懷，摸出一條小指粗細的絲索，說道：「我把他們用這條絲索捆起，然後再點了他們右臂穴道，再迫他們服下絕毒的藥物，就不怕他們反抗了。」

青雲道長心知此刻若再勸阻於她，只怕將引起她的疑心，只好默然不語。

蒲紅萼先用繩索把方兆南和陳玄霜的左臂聯合捆在一起，回頭望了言陵甫一眼，自言自語地說道：「把這人也捆上吧！」說著探手入懷摸出解藥，分塗在方兆南和陳玄霜鼻息之間，順手又點了方兆南和陳玄霜的穴道。

只聽陳玄霜長吁一口氣，當先醒了過來。

她生死玄關已通，感應靈敏過人，睜開雙目一瞧，挺身坐了起來，轉眼望去，只見一條繩索，由頸上繞過，緊緊縛住左臂之上，另一端緊繫在方兆南身上。

方兆南吃她一拖，也提前醒了過來，緩緩睜開雙目。

他這段時日之中，連番遇上凶險之事，對江湖的險惡已有甚深的了解，顯得十分沉著，先打量了一下四周形勢，慢慢地坐起身子。

方兆南目注陳玄霜，輕輕嘆息一聲，道：「妳何時來了？」短短的一句話中，包含了無限感慨。

方兆南目光移注到蒲紅萼的臉上，道：「妳這般對我們是何用心，乾脆說明白吧！」

青雲道長冷冷接道：「蒲姑娘要去血池尋寶，恐要經過甚多凶險之處，要你們相隨相助，

進入血池就可以放你們一條生路，這是唯一的生機了，你們仔細地想一下，再答應不遲。」

方兆南卻從青雲道長幾句暗示的話中，獲得了甚多靈機，略一思忖，道：「事已至此，也只好受屈於人了。」

青雲道長急急說道：「此地不宜久留，咱們得快些走了。」

就在這幾人離開荒谷不久，少林寺大愚禪師帶著耿震、石三公、曹燕飛、張雁等人也趕到了荒谷。

張雁心急師父安危，當先進入谷去。

石三公等看張雁涉險無恙，膽氣一壯，隨在身後魚貫入谷。

原來薄紅萼預布在谷口的藥粉，早經山風吹散，她又出谷離去，無人再施放暗器，大愚禪師等再進谷口，自然是毫無阻礙了。

但見滿谷荒草，及人而深，找人既不易，又怕中了隱身強敵的暗算，張雁右腕一翻拔出背上長劍，撥斬亂草，一面高喊師父。

忽聞砰的一聲，張雁已縱身飛起，大愚禪師、童叟耿震緊隨張雁身後躍去，只見一座大石旁邊，雜草臥倒不少，在那臥倒長草之處，遺留了不少頭髮。

張雁卻似發現了什麼奇蹟一般，蹲下身子，仔細在那草地大石之處查看，一皺眉頭，道：「還好，家師在這巨石之下，留下了我們青城派的暗記，表示家師尚未遇上凶險。」

大愚禪師道：「令師那暗記之中，除了說他未遇凶險之外，不知還暗示什麼？」

張雁道：「家師這暗記之上，還留有路標指示他的去向。」

大愚禪師道：「既然如此，咱們就照他留下路標指向，追上去吧！」

張雁急急接道：「家師這路標中還藏暗語，限定追蹤他行蹤之人，不得超過六人……」

天星道長聽了張雁之言，不禁縱聲大笑道：「好啊！青雲道兄的每一舉動，似是都算得準確無比，大愚禪師、石老前輩及耿老前輩、加上曹道友、貧道和帶路之人，豈不是剛好六人，意思不讓咱們帶門下同行了。」

童叟耿震冷冷說道：「此刻寸陰如金，咱們得快些走啦！」

六條人影依據青雲道長留下的標記，蜿蜒在崎嶇的山道上。

張雁當先帶路，走走停停，每到一處轉彎的所在，定要停下身來仔細地查看很久，約轉了一個時辰左右，果然被他找到了師父留下的路標。

但他仔細看了那留下的暗記之後，不禁為之一呆。

原來這次留下的暗記十分簡單，除了標向指入一道千丈深谷之外，別無一句指示之言。

天星道長看他忽然凝神而立，發起呆來，心中甚感奇怪，忍不住低聲說道：「張賢侄，可是發現了什麼難題嗎？」

張雁道：「老前輩猜得不錯，恩師留下的路標向這條深谷之中，不知是有何用意？」

石三公探頭一望，只見立壁峻峭，懸崖千丈，這是條形勢異常險惡的深谷，隱隱可見谷底嶙峋聳立的怪石，他不禁一皺眉頭，道：「令師既是路標指向此處，咱們就下谷去吧！」

他忽然變得異常豪邁合作起來，領先一躍而下，遇到無處落足的峭壁，就旋展壁虎功，游牆而下。

緊接著童叟耿震、曹燕飛、張雁依序向峭壁下面游去，大愚禪師走在最後。

眾人落著實地後，石三公即對張雁道：「你查看一下，這道山谷之中，可有令師的指向路標嗎？」

張雁道：「晚輩這就查看。」

大愚禪師抬頭打量了一下四周的形勢，道：「好一處險惡的所在。」

只聽張雁的聲音，傳了過來，道：「諸位老前輩，快請過來。」

張雁指著山洞說道：「家師留下的路標，指向這洞口之中，因而使晚輩猶豫不決。」

石三公凝目向那洞中望去，但見黑暗如漆，目力只能及兩、三丈遠，暗裡一皺眉頭，道：「如若令師的路標指向不錯，咱們就進入瞧瞧吧！」突然放步而行，搶先進入了山洞之中。

群豪急起相隨而入。

這是個幽暗的山洞，地勢崎嶇不平，走不過兩丈，立時向左面轉去，而且愈走愈是黑暗，伸手不見五指。

石三公晃燃一只火摺子，查看四壁一眼說道：「此洞久年不見人跡，四周都生滿綠苔。」

一股陰寒的冷風，迎面吹襲過來，火摺子，一晃閃過，石洞中陡然又恢復了原有的黑暗。

曹燕飛道：「好冷的風，本座預測這洞中定然有千年未化的積冰。」

說話之間，又是一股陰寒之氣，迎面襲來。

這一股寒風，不但陰冷之極，而且挾帶著一股腥氣，迫得幾人不得不運氣抵禦陰寒，並加快行速，大步而行。

這一道幽暗陰沉的洞穴不知有多深多長，而且曲折盤轉，十丈內定然要轉換一個方向。

轉過了四、五個彎子之後，到了一處分岔的路口，隱隱聽到了一陣沉重的步履之聲。

這聲音似是一個巨人，踏著笨重的步子，遙遙地走了過來，又像百丈的高峰上滾下來一塊山石，在懸崖間的林木上。

驀地，一陣奇腥直沖過來，觸鼻欲嘔，隆隆之聲，緊接著傳入耳際。

顯然，有一個龐然大物，正向幾人停身之處走來。

天星道長低沉地喝道：「快些靠到壁間，閉住呼吸。」

石三公暗運內力，呼的一聲，把手中的火摺子，直投過去。

一道火光，閃動在黯暗的洞穴中，兩顆大大的明珠，在火光照射下閃動碧綠光芒。

天星道長啊了一聲，道：「什麼東西？」

石三公站在最前面，看得也較爲清楚，當下冷冷地說道：「是一雙眼睛……」

張雁突然搶前而行，朗朗道：「還是晚輩走前面吧！」說話間，張雁已行出了十幾步遠。

張雁忽然大聲叫道：「在這裡了。」

身子一轉，突然隱失不見。

群豪急急奔了過去，只見壁間一道突裂的隙縫，寬可及人，向裡延伸而去。

曹燕飛高聲問道：「張賢侄可是找到了令師留下的暗記嗎？」

只聽張雁遙遙應道：「家師一向謹慎，自然不會有錯。」

但聞聲音愈來愈遠，顯然他的行速甚快。

石三公道：「哼！這小子想跑了。」說完，放腿直追上去。

幾人一口氣直追出了二、三十丈，仍然不見張雁行蹤，走了一陣，突然覺得炎熱灼人，似是走近了一座巨大的火爐。

石三公仍然當先而行，此刻突然停了下來，道：「咱們走入火山中了。」

忽聽天星道長大聲喝道：「什麼人？」他呼的一掌，劈了出去。

曹燕飛縱身一躍，直飛過去。

凝目望去，只見一個長髮散披，全身黑衣的身材矮小之人，手中橫著一柄長劍，擋在右面上個轉彎的岔口處。

左面又一片赤紅，火漿熊熊，灼熱漸漸逼來，別說是血肉之軀，就是鐵打羅漢，再往前走，也要被那強烈的火漿溶化。

但右面的岔口處，卻吹出陣陣陰寒的冷風，寒熱交衡，使那灼人的炎熱，消滅了不少，如不是那陣由岔口處吹出的寒風，只怕幾人早已被炎熱灼傷。

這時，天星道長已和那長髮散披，滿臉污泥的瘦小黑衣人，動上了手，雙方劍招均極凌厲，幾招攻拒相接，竟然是各善其妙。

一條隱隱可見的白索，縛住了那黑衣人的手腕和項頸，使他的活動受了極大限制，劍招的奇奧也無法完全發揮出來。

雙方激鬥了十幾個照面，仍然是一個不勝不敗之局。

曹燕飛突然一翻右腕拔出長劍，欺身而上，直向那岔口處衝去。

那矮瘦之人雖然和天星道長動手，但他似是仍能兼顧到其餘之人的舉動，激鬥之中，突然分出一劍，疾向曹燕飛刺了過去。

天星道長爲了保持一派掌門的宗師身分，在曹燕飛和對方動手時，立時抱劍而退，不肯以二攻一。

曹燕飛暗自吃了一驚，忖道：「無怪天星道長和他力搏良久，仍然是一個不勝不敗的局面，此人劍勢，果然有著驚人的造詣……」

心裡有想，手中劍勢並未鬆懈，一劍緊過一劍，猛攻硬逼過去。

那黑衣矮小之人，似是有著無窮盡的內力，不論曹燕飛攻勢如何猛烈，他均能從容化解，硬接巧封，門戶嚴緊無比。

激鬥了二十餘回合，曹燕飛的勝算愈來愈少，心中的懷疑卻是愈來愈大，陡然攻出兩劍，迫得對方劍勢一緩，疾退三步，橫劍當胸，冷然喝道：「住手，我有話問你？」

那黑衣人果然停手不攻，橫劍而立。

曹燕飛道：「你的劍法，是我生平所遇最爲龐雜混亂的劍法，忽東忽西，毫無章法，你是那一門派中的人物？」

黑衣人只是默默不言。

曹燕飛回顧了天星道長一眼，道：「目下時機，不宜拖延，此人的武功，變化異常，太難對付，咱們不如聯手出戰，先把他除去再說。」

天星道長搖搖頭道：「這樣不太好吧！」

石三公高聲說道：「此時此地，大可不必再顧到什麼身分，老夫願助妳一臂之力。」

說完話揚手發出一拳，一股激彈的暗勁，挾帶著呼嘯之聲，直向那黑衣人撞了過去。

但見那黑衣人目光一轉，冷冷地瞥了石三公一眼，拍出一掌，一股掌風應手而出。

兩股激彈的暗勁，相撞一起，滑旋成風，吹拂起幾人衣袂。

忽然那黑衣人揚手一指，隔空點來。

石三公左袖一拂，右手一拳，迎著那點來指風劈去。

拳勁指力，相互一觸，石三公立時覺出不對，只覺那點過來的一縷指風，銳犀異常，直似一把錐尖，裂破拳勁，直刺而出，心頭大為震動，左腳用力一旋，身子突然地轉閃開去，避開了正面。

一縷暗勁，掠身而過。

石三公暗道一聲：「好險。」借勢欺進兩步，揚手一拳，迎胸搗去。

黑衣人手中長劍一閃，斜斜由下面翻了上來，橫削右腕。

石三公旋身移步，避開一劍，雙拳連環揮擊出手，拳風呼呼，威勢驚人。

但那黑衣人出手詭異，劍招辛辣，七、八個回合之後，竟然搶去主動。

石三公手中沒有兵刃，無法硬行拆解對方的劍勢，逐漸被迫落下風。

童叟耿震一皺眉頭，道：「想不到這山腹密洞之中，竟然遇上了這麼一個棘手人物，看樣子如不把他早些殺死，絕難過得此山。」

他口中自說自話，右手已從腰間抖出一條九龍金環，隨手一抖，金環筆直地掃擊過去。

他這奇形的外門兵刃，專以鎖拿刀劍之類的兵刃，金環一陣鏗鏘震響，幻起一片圈影，橫向那黑衣人手中長劍套去。

黑衣人手腕一震，幻起朵朵劍花，疾向金環點去。

只聽一陣金鐵相擊之聲，耿震手中的金環盡被劍花彈震開去。

石三公借勢疾發兩拳，拳風呼呼地直擊過去，迫得那黑衣人連退兩步。

黑衣人反手兩劍，又把石三公迫退兩步，雙目中神光閃動，殺機隱隱。

顯然這黑衣人已被兩人合手的迫攻激怒。

耿震九龍金環一招「神龍擺尾」，挾著一片叮叮咚咚之聲，橫掃過去。

這黑衣人和天星道長、曹燕飛動手相搏甚久，但卻始終站在原地，未退一步，此刻被童叟耿震揮環一擊，竟然自行躍避開去。

石三公施展千里傳音之術，低聲說道：「童兄請全力抵擋一陣，兄弟即刻出手相助。」

說完話，微閉雙目，暗中運氣，凝聚畢生功力，霍然睜開雙目，正待揚手發拳，那黑衣人卻突然倒躍而退，隱入那森寒陰暗的洞中。

只聽天星道長輕輕嘆息一聲，道：「這人並未存傷害咱們之心。」

石三公道：「何以見得？」

天星道長道：「耿兄左肩衣服，被對方劍鋒挑破，如是他存了傷害咱們之心，當不致下手留情了。」

曹燕飛道：「有一件使人費解之事，不知諸位可曾發覺。」

天星道長道：「曹道友可是說那黑衣人身上，縛了一條柔細的軟索之事嗎？」

曹燕飛道：「不錯，那人的劍招變化，似是已兼通天下各家，但他身縛索繩，分明又暗中受人控制，想那幕後之人，定然更爲棘手了。」

天星道長點點頭，道：「不論對方武功如何高強，這陰沉的岩洞之中，如何凶險，咱們已如箭在弦上，不得不發了，貧道替諸位開道。」

說罷，一揮長劍，當先向前走去。

一腳踏入洞中，這是條陰暗寒冷的通道，群豪雖有極好的目力，也難看出六、七尺外的景物。

天星道長輕輕咳了一聲，道：「目下處境，的確凶險異常，諸位之中，如若帶有暗器，不妨取出來備用……」

餘音未住，突然冷哼一聲，向後退了一步。

天星道長突然提高聲音接道：「什麼人，躲躲藏藏暗施算計，豈是英雄行徑？」

忽聽石三公哼了一聲，也向後退了一步，分明也中了暗算。

大愚禪師忽道：「是啦！諸位遇到的可能是無影神拳，那冥嶽妖婦手下有一位西域奇人，身具奇技，拳風發出時無聲無息……」

只聽童叟耿震悶哼一聲，罵道：「什麼人？鬼鬼祟祟地躲在暗處，算得什麼人物？」

顯然，童叟耿震也中了一記無影神拳。

天星道長提聚真氣，滿布全身，道：「諸位請留在此地，貧道到前面瞧瞧去。」

洞中黑暗，天星道長走不過十幾步遠，已然消失不見，只聞步履之聲，逐漸遠去。

哪知天星道長這一去竟若投海沙石一般，群豪等了良久，仍舊不聞一點回音。

四個人怕再走散，走得甚是緩慢，哪知事情，大出了意料之外，行了四、五丈遠，竟然到了盡處，四人打量了一下形勢，不禁猶豫起來。

原來又到了兩個岔口所在，迎面一堵石壁，攔住了去路，左右兩側卻各有一個岔口。

曹燕飛道：「左面岔道中陰寒逼人，咱們從右面岔道中走吧！」當先舉步向前行去。

石三公、大愚禪師、童叟耿震，魚貫相隨身後，向前走去。

走了半里路之遙，地勢突呈開闊。原來不過兩尺寬窄的甬道，突然間變成了一丈左右。

曹燕飛加快了腳步，疾快地向前奔去。但覺那甬道愈來愈寬，百丈之後，突然成了一片廣闊的平地。

這一塊山腹平地，足足有一畝方圓大小，不冷不暖，雖然不夠明亮，但在四個內功精深，目力異常之人看來，早已是景物清晰，可辨全貌了。

童叟耿震望著蜂巢般的一面牆壁，說道：「這光亮不知由何處透入？」一面說話，一面沿著石壁走了一周。

突聽一陣輕微的隆隆之聲，起自一面石壁之中。

四人凝神聽了一陣，仍然無法確定是什麼聲音，個個默然不語。

良久之後，只聽砰的一聲大震，發聲的石壁之處，突然裂開了一座石門，緩步走出一個衣不蔽體，滿臉黑灰的人。

那人看到四人之後，不禁呆了一呆，正待退回，石三公已飛身躍了過去，厲聲喝道：「站住。」

石三公怕他閉上石門，疾步追了過去。

剛到門口，忽覺一股無聲無息的拳風，撞擊在前胸之上，向前疾動的身子，登時被震得向後退了三步。

曹燕飛看那石門，尚未關閉，正待走上前去，忽聽那石門之中，傳出話聲，道：「諸位請給我投來一件掩遮身體的衣物，好容在下出去相見。」

石三公回顧了大愚禪師一眼，說道：「老禪師，可否把身背袈裟，借他一用？」

片刻之後，石門之中，緩步走出那滿臉污灰，蓬頭散髮的少年。

一襲寬大的黃色袈裟，裹住了他的全身，只露出一個腦袋。

石三公目光凝注在那少年的臉上，打量了一陣，問道：「小兄弟貴姓？」

只聽那身披黃色袈裟之人，長長嘆一口氣，道：「在下姓葛，單名一個煒字。」

童叟耿震身子一轉，橫攔石門之前，冷冷說道：「適才在那陰暗石洞之中，暗算我們的可是你嗎？」

葛煒搖搖頭，道：「在下一直未離開過此地，怎會暗算諸位……」

他微微一頓之後，又道：「是啦！或是我兄葛煌。」

他似是言未盡意，微微一笑，雙目閃動著奇異的光輝，問道：「你四人之中，可有武當派中的人嗎？」

大愚禪師說道：「老衲等一行，雖無武當派中人，但老衲卻和神鐘道兄相交甚久，小施主提出武當派來，想必和武當派一門有什麼淵源了？」

葛煒嘆息一聲，失望的說道：「既是沒有那就算了……」

大愚禪師正待答話，曹燕飛已搶先說道：「這山腹之中，只有你們兩個人？」

葛煒道：「這座山腹密洞之中，或有他人，但我見到的只有我們兄弟兩個。」

忽然間，響起了一陣步履之聲，由那石門內傳了出來。

童叟耿震霍然轉過身去，目注石門，蓄勢戒備，低沉地喝道：「什麼人？」
葛煒道：「此處只有我們兩人，自然是我兄來了。」
大愚禪師目光一掠葛煒，說道：「既然是令兄來了，何不請出一見？」
葛煒注目石門高聲叫道：「煌兄嗎？快些出來……」他一連叫了數聲，仍不聞回答之聲。
葛煒滿臉茫然地說道：「諸位請在此地稍候，在下進去一瞧！」
縱身一躍，疾快地進入石門之中。就這一瞬工夫，葛煒早已走得沒了影兒。
忽聽那幽暗的石門之內，響起了一聲厲喝，緊接著拳風呼呼，石門內展開了激烈的拚搏。
石三公一皺眉頭，探首向裡面望去，只見一片黑暗，難見數尺外景物，卻清晰地聽到搏鬥激蕩而起的拳風，顯然，打鬥就在不遠之處。
石三公道：「一起進去瞧瞧吧！」
曹燕飛、大愚禪師、童叟耿震，魚貫相隨身後，緩步向前走去。

石門裡面的甬道雖然黑暗異常，但卻極是寬敞，地勢也極平坦。
只見兩條人影，正在動手相搏，雙方拳來腳往，打得激烈異常。
曹燕飛揮動手中百煉精鋼的寒鋒，借寶劍閃動的微光，看出了兩個動手之人，其中一人正是剛進石門的葛煒，另一個身軀矮小，似是剛才和天星道長動手的黑衣人。
葛煒的拳法雜博異常，忽拳忽掌，變化難測，而且變化大出拳路常規，似是他的武功，也盡兼天下之長。
童叟突然說道：「那小子已經招架不住了，咱們要不要出手助他一臂之力？」

四五　險劫迭出

這兩人對他們雖然是一般的陌生，但在利害的衡量之下，必需保得葛煒的性命。

石三公首先發難，欺上兩步，呼的發出一掌，向矮黑衣人劈去。

他蓄勢出手，這一掌力道奇大，那黑衣人在驟不及防之下，揮手接了一掌，竟被震得向後退了兩步。

石三公一擊得手，立時全力攻上，掌拍指點，連攻了十四、五招。

那黑衣矮小之人，不但拳勢變化精奇，而且似有無窮無盡的內力，連番激鬥，竟然毫無疲累之情。

曹燕飛一揮長劍，說道：「石老前輩，暫請小息片刻，讓本座再領教一下他的劍法。」

曹燕飛橫劍護胸，緩步向前追去，唰的一劍「玉女投梭」，當胸刺去。

黑衣人寶劍橫起，一式「閉門推月」，寒芒劃閃，噹的一聲，硬把曹燕飛劍勢封開，但人卻又向後退了一步。

黑衣人忽然微微一笑，又向後退了兩步，劍光閃動中，見他一口整齊雪白的玉齒。

一直沒有出手的大愚禪師，此刻急步衝了上去，說道：「讓老衲試他幾招。」迎頭一杖「泰山壓頂」，直劈下去。

他兵刃沉重，一杖劈下，虎虎生風。

那黑衣人武功再好，也不敢以輕靈的寶劍，硬接大愚禪師鴨蛋粗細的禪杖，疾快絕倫地向後一伏，仰身一躍，人已隱失不見。

石三公望著黑沉沉的甬道，自言自語地說道：「他們既然能去，咱們何嘗不可以去呢？」

突然回過頭去，高聲對葛煒說道：「閣下久居這山腹密洞之中，想必已知這甬道是通往何處了？」

葛煒聽得石三公相詢之言，淡然笑道：「這甬道麼，通入一片岩壁的火海之中。」

石三公道：「既然別人敢去，我們有何不敢？」說著，大步向前走去。

大愚禪師、曹燕飛、耿震等依序相隨而行。

走了七、八丈遠，甬道突然向左彎去，轉過山彎後，立時感到一股炎熱之氣，逼了過來。

曹燕飛道：「此處已有炎熱之感，通往火山之中，果然是不會錯了，但一路行來，又不見其他岔道，那黑衣人難道是從火漿中跑出來的不成？」

葛煒忽然回過頭去，低聲對曹燕飛道：「你們可和那黑衣人結過樑子，追他到此處？」

曹燕飛道：「我們追蹤別人而來，只是遇上他而已。」

葛煒道：「既是這樣，你們苦苦要尋他爲何？他的劍法、拳掌，不但博奇龐雜，而且內力深厚，你們找到了他，也未必一定能討得了好！」

石三公道：「你可是怕那黑衣人嗎？」

葛煒沉吟了良久，道：「我雖然打他不過，但你卻未必能勝得過我。」

石三公道：「你的武功是何人所授？」

葛煒突然垂下頭去，黯然說道：「授我武功之人，我一時也無法數計，但他們和我，卻沒有師徒的名份，我連他們的姓名形貌，也是記憶不起。」

曹燕飛奇道：「有這等事？」

石三公話鋒一轉，道：「你兄哪裡去了，何不請出一見？」

葛煒道：「我們兄弟一起習練武功，平日都是同行同遊，甚少分離像今天這樣久……」

石三公雙目閃動，道：「他可會遇上什麼凶險嗎？」

葛煒道：「你說的可是黑衣人嗎？」

石三公道：「不錯，我們一個同伴，也落入他的手中，老夫敢斷言，令兄許久未返，定然已被他們生擒去了。」

葛煒怔了一怔，突然氣聚丹田，大聲叫道：「煌兄，煌兄……」這兩句煌兄叫得如春雷驟發，震得幾人耳際嗡嗡作響，幽暗的甬道中，隱隱可見他臉上閃動的淚珠。

石三公擺出一副老氣橫秋的神態，說道：「令兄是否遇險，目下還很難說，此事必得先找到那黑衣人後，始可一明究竟。」

葛煒默然不言，顯然，他已爲石三公言詞說動。

石三公頓了一頓，又道：「爲今之計，你只有和老夫等坦誠合作，憑仗你地形的熟悉，帶我們一起追尋那黑衣人下落，相遇之後，老夫等出手相助於你，迫使那人說出令兄的下落。」

葛煒經過一番沉思之後，說道：「好吧！咱們走吧！」當先放腿行去。

石三公等四人緊隨在葛煒身後，一口氣跑出去里許左右，才停下了腳步。

這一段奔行之間，連轉了兩三個彎，那灼人的炎熱，已經是減了甚多，以幾人內功的深

厚，抗拒這點炎熱，已毫無灼燒的感覺了。

忽聽葛煒低聲說道：「看！前面是什麼東西？」

群豪凝目望去，果見兩點碧綠的光芒，不住的閃動，似兩顆放置在黑暗中的明珠。

大愚禪師突然挺身而出，道：「老衲手中的兵刃又長又重，在前面替諸位開路了。」大步向前走去。

群豪魚貫地相隨在大愚禪師身後，逐漸地接近了那隱現的碧光。

這時，群豪心中，都已承認了那兩點碧光，是一頭前所未見的怪獸雙目，只是甬道過黑，暗中無法看到牠身貌形狀。

大愚禪師暗中運氣戒備，提起禪杖，大喝一聲，衝了上去。

就在他禪杖點出的同時，那怪獸突然站了起來，疾快地向後退去，竟然沒有反撲抗拒。

大愚微微一怔，橫杖護身，緊隨那怪獸身後追去。

那獅頭蛇身的怪獸，似是有意爲幾人帶路一般，奔行一陣之後，就停下來回頭瞧瞧幾人，然後再向前奔去。

大約有一頓飯工夫之久，那怪獸突然停了下來，一雙碧綠的怪目瞪著五人，舉起前腿，在一面石壁之上敲打。

大愚當先追到，望著怪獸敲打的石壁，低聲說道：「難道這石壁之中，有什麼古怪不成。」

忽聽一陣軋軋之聲，群豪凝目望去，只見一座渾然而成的石壁，緩緩裂開一座石門，石門之中，飄出縷縷香煙。

四六　藏寶之地

眾豪自入這石洞之後，連番遇上凶險，對這神秘陰沉的地方，更是深懷戒心，見縷縷香煙飛出，立時閉住呼吸。

只見那獅頭蛇身的怪獸，突然一矮身子，進入了石門之中。

石三公低聲說道：「這香煙之中無毒，咱們也進去吧！」說完當先而入。

大愚禪師等相隨而入，進了石門。

這是幽黑的石洞，洞中香煙瀰漫，撲鼻沁心，但因那煙氣過濃，更增了視物困難，以幾人超異常人的目力，只不過可見到四、五尺左右。

只聽葛煒的聲音，遙遙傳了過來，道：「老禪師快些過來。」

聲音似是透過一重石壁，繚繞在石室之中。

大愚禪師正待開口，葛煒的聲音，重又傳了過來，道：「你們繞過左面洞角之處，有座狹窄的石門，就可以看到我了。」

大愚禪師等依言繞了過去，果然瞧見葛煒和獅頭蛇身的怪獸，站在一起，抬頭仰望，不知在看什麼事物。

曹燕飛排眾而出，當先走了進去。

這是座方圓不過兩丈的石室，經過一條狹窄的甬道，連接在一起。

靠後壁處，有一座突起的石墩，在平滑的石面上，只見盤膝端坐著一個胸垂白髯，全身道裝的老人，雙手平放在膝蓋之上，雙目緊閉，長眉如雪，長披的白髮散垂在石面上。

在他盤坐的雙膝前面，放著一具白玉的石鼎，鼎中香煙裊裊，滿室清香。

忽聽石三公的驚呼聲：「血池，想不到世上當真有血池這個地方！」

曹燕飛凝目望去，只見那雪白如玉的石鼎之上，雕刻著「血池」二字，只是字色和石色一般模樣，不留心很難看得出來。

大愚禪師激動地說道：「這麼說來，那白衣長髯，道裝白髮的老人，定然是傳言之中的羅玄了。」

石三公搖搖頭道：「什麼氣味……」一語未完，突見那獅頭蛇身的怪獸，身子倏地一轉，疾向外面撲去。

香煙飄紗中，突然飄過一股腥臭之氣，觸鼻欲嘔。

緊接著外面石室中傳出來一陣隆隆的震聲。

葛煒一轉身，當先向外奔去。

石三公低聲說道：「咱們一起出去瞧瞧吧！」

大愚禪師正待接口，忽聽室內之中，傳出一種「嗤嗤」之聲。

那怪獸突然掉過頭，奔入室內之中。

曹燕飛怔了一怔，道：「這是什麼聲音？」驀地又是一聲砰然的大震傳了過來。

內室中嗤嗤之聲，已然消失不聞，那怪獸和重又奔入內室的葛煒，亦似投入大海的沙石，不聞一點聲息。

石三公忍不住高聲叫道：「小兄弟，小兄弟……」

一連呼叫數聲，仍不聞回應之聲。

耿震一皺眉頭，道：「奇怪呀！這傢伙搞什麼鬼？」

耿震取下九節金環，說道：「這室中定然有什麼暗門。」

抖手一環，擊在那石鼎之上。

這一環用力甚大，那石鼎頓時被一環擊得片片碎裂，那石鼎之中，積滿了白色的煙灰，也隨著飛起的濃煙散布開去。

突然一陣嗤嗤之聲，傳入耳際，那端放的石墩緩緩向下面陷去。

童叟耿震和曹燕飛圍攏上去，探首向下一看，只見一道石梯，向下面通去。

石三公皺皺眉頭，道：「咱們要不要下去看看？」

曹燕飛道：「幾位跟在本座後面吧！」說罷，當下踏梯而下。

走完了九級石梯，又是一座廣大的石室，那盤膝而坐的白髯白髮老人，仍然端坐一座石墩之上，在他的身側有三座同樣的石墩。

這時，石三公和耿震都隨著走了下來，看到那三個同樣的石墩，心中恍然大悟。

石三公長長嘆息一聲，道：「這白髮道裝老人，定然是羅玄了，江湖上盛傳此人不但醫道精博，武功絕世，而且還深通建築消息之學……」

說話之間，又響起一陣軋軋之聲，那盤膝坐有人像的石墩，突然向上升去。

那石墩上升的速度甚快，片刻之間，已升到洞口之處，剛好把那洞口緊密地封閉起來。

這座廣大的石室四角，分嵌著四顆明珠，不知借何處光華透照了進來，反射出一片珠光，可以清晰見到大廳景物。

曹燕飛一跺腳道：「大愚禪師，尚留在上面石室之中，洞口既被石墩封閉，操縱那石墩升降的石鼎，也被耿老前輩打破，只怕他難以找到咱們了。」

石三公淡然一笑，道：「眼下咱們已進入了傳言的血池之中，是生是死，甚難預料，但既然到了此地，豈能空手而回……」

曹燕飛道：「如若這石室當真是羅玄藏寶之地，想來必有機關埋伏，咱們入此山腹之時，共有六人，眼下已六去其三，只餘下三個人了，因此，萬一中了羅玄埋伏，寶藏未得，人先受傷，那就有些得不償失了。」

曹燕飛心中一動，接口說道：「羅玄才智絕世，豈肯這般大意，這座石室，只怕還有通路。」

童叟耿震哦了一聲，接道：「那娃兒和那獅頭怪獸，哪裡去了？」

石三公一面說話，一面留神搜著四壁，忽然發現左面壁角之處，有一道向裡凹去的石槽，放腿奔了過去。

石三公伸出右手，探入那石槽之中，果然摸到了一個金環，正待用力拉那金環，突聽一個嬌脆但卻冰冷的聲音，傳了過來，道：「放開手。」

這聲音起自石壁一角，來的是那樣突然，三人雖然身負著上乘武功，也不禁爲之心頭一震，一齊轉頭望去。

只見一個容色絕世的白衣少女，緩步走了過來。
四壁完好，不見洞穴，此女突然出現，帶來了一片恐怖的氣氛。
白衣少女走到相距三人四、五步處，陡然停了下來說道：「你們如還想活命，那就自行放下兵刃。」
石三公怒聲喝道：「小小年紀，講話這等放肆，你可知老夫是何等人物嗎？」呼的一掌，劈了過去。
白衣少女雙肩一晃，腳不移步，腿不屈膝地突然向旁側閃開三、四尺遠，冷冷說道：「我懶得和你們動手……」
童叟耿震早已暗中提氣，蓄勢待發，眼看石三公劈出掌力，被那人一閃避開，立時緊接著拍出一掌。
白衣少女這次不再閃避，玉腕一揚，素手疾翻而起，竟然硬接童叟耿震一擊。
兩股掌力懸空一接，耿震突然覺得心頭一震，身不由己地向後退了一步。
看去弱不禁風的一個女孩子，竟然有這等深厚的功力，大出了童叟耿震意外。
白衣少女突然探手入懷，摸出一條白色的索繩，道：「你們如若想活下去，那就趕快收起兵刃，用這白索縛起雙手，我帶你們到一處安全所在……」
石三公冷笑一聲，道：「如若我們不答應呢？」
白衣少女道：「那你們就等著死吧！」說著突然轉身而去，隱入一個突出的石壁之後。
耳際間倏然響起了一陣軋軋之聲，原來那突石之後，有一座暗門。
曹燕飛和童叟耿震聯手趕到時，那石門已然關閉了起來，兩人揚手一掌，向那石門之上推去。

但那石門堅固無比，仍分毫未動。

耿震微微一皺眉頭，道：「這女娃兒說咱們等死之言，實是叫人不解？」

曹燕飛長長嘆息一聲說道：「只怕她不會是虛言恐嚇。」

一語未完，突聽另一角石壁之處，又響起了一陣軋軋之聲，見那右面一角石壁，突然緩緩地裂開。

三人正感驚詫，突聞得裊裊清香傳來，待警覺要閉住呼吸，卻已然不及，三人隨即暈了過去。

一座石室之中，並坐著耿震、曹燕飛、石三公、葛煒等四人，一道白色的索繩，把四人連扣在一起。

石三公、曹燕飛人尚未醒，但葛煒卻是早已醒來多時，瞪著一雙圓圓的大眼睛，望著石三公等三人出神。

耿震輕輕地咳了一聲，道：「小兄弟！你也是被那白衣女娃兒捉來的嗎？」

葛煒突然回過頭來，望了耿震一眼，道：「是啊！那丫頭武功高強得很，因她乃是冥嶽妖婦手下的三個女弟子其中之一！」

耿震吃了一驚，道：「那白衣女娃兒如果是冥嶽中人，咱們豈不是自投羅網了嗎？」

忽聽一陣步履之聲，傳了過來，睜眼看去，只見那白衣少女手中托著一顆龍眼大小的明珠，緩步走了進來，那珠上光芒燦爛，照得滿室通明。

只見她轉動一下俏麗的雙目，打量耿震一眼，冷然問道：「你醒來多久了？」

耿震輕輕地咳了兩聲，借機籌思了措詞，答道：「醒來有一會兒了。」

白衣少女眼珠兒轉了兩轉，問道：「現在生死兩條路，任憑選擇一條。」

耿震道：「生路怎樣？死路又是怎樣？」

白衣少女道：「簡單得很，如若想活，那就聽我之命，甘心爲我效勞，但我也不虧待你們，將傳授你們三招武功，雖只三招，但威力卻是強大得很……」

她微微一頓之後，又道：「想死嗎？那更容易了！」

耿震皺了眉頭，道：「老夫是何等身分之人，豈能甘做妳一個女娃兒的屬下？」

但他乃有豐富閱歷之人，心念略一轉動，立時想到了一個暫時解脫之策，說道：「此事讓老夫一人甚難決定，待他們醒來之後，容我們計議一番再作道理。」

那白衣少女緩緩轉過身去，目光凝注在葛煒的臉上，問道：「你可想好了嗎？」

葛煒搖搖頭，道：「沒有，生死何等重大，豈能一念而決，我還得多想一想。」

白衣少女冷冷地說道：「你知不知道，你現在的生死，完全操在我的手中，我可以把你碎死萬段。」

葛煒道：「妳在出其不意之下點了我的穴道，使我失去反抗之能，殺我雖然容易，但可算不得什麼正大行徑。」

白衣少女道：「說了半天，原來你的心中不服。」

她凝目尋思了片刻，又道：「如若我解開了你的穴道，然後咱們再動手相搏，你如打我不過，再被我點中了穴道，心中服是不服？」

葛煒道：「那我自然是服了。」

白衣少女伸出纖纖玉指，解開了葛煒身上的繩索，拍活了他的穴道。

葛煒穴道被解，立時一躍而起，伸動了兩下手臂，活動一下全身的脈穴，然後閉上雙目，運氣調息。

這一戰，不只是關係著他的勝負榮辱，而且關乎著他的生死命運，是以看得十分嚴重，絲毫不敢存大意之心。

這時，石三公和曹燕飛，也清醒過來，六道眼神，凝注在兩人身上，觀望著局勢的發展。

大約有一盞熱茶工夫，那白衣少女已等得不耐起來，冷冷對葛煒說道：「你還沒有調息好嗎？」

葛煒道：「好啦！妳出手吧！」

白衣少女忽然的嫣然一笑，道：「你要小心了。」舉步直欺而上，迎胸拍出一掌。

她素來不笑，一副冷若冰霜的神情，偶爾一笑，更顯風情萬種。

四七 步步驚魂

那白衣少女動人的笑容，葛煒不由看得一呆，竟似忘了在和人動手相搏，對方的掌勢將要拍中前腦，仍然不知閃避。

白衣少女纖掌將要觸及他前胸之時，陡然收了回來，怒聲地喝道：「你可是認爲我不敢殺你嗎？」

葛煒只覺臉上一熱，揚手一拳，直擊而出。

白衣少女凝立不動，臉上又恢復那種冷漠的神色，直待葛煒擊來的拳勢，將要擊中前胸時，才陡然向後一側嬌軀，輕描淡寫地避開了一掌，右手閃電而出，橫向葛煒腕脈之上扣去。

她出手反擊之勢，迅快絕倫，葛煒幾乎被她一把扣住腕脈，被迫得疾快地向後退了兩步。

白衣少女緊隨而上，借勢急攻，指點、掌勢，倏然之間，連攻八招。

哪知葛煒身負武功，異常龐雜，白衣少女攻襲之勢，雖然快速絕倫，但均被他奇出巧招，化解開去。

白衣少女一輪急攻，未能傷得葛煒，陡然向後退了三步，說道：「倒是未想到你的武功這等高強。」

葛煒雖然化解開了對方的一輪急攻，但卻感到異常吃力，心中暗暗忖道：「這姑娘武功不

弱，不可存輕敵之心。」暗中一提真氣，發出一記無影神拳。

那白衣少女忽覺一股暗勁逼到，心中吃了一驚，一面運氣抗拒，一面冷然喝道：「好啊！你還會無影神拳。」

半年之前，大方禪師和神鐘道長聯合武林高手圍攻冥嶽失利，一部份壯烈戰死，臨到大家將潰之際，神鐘道長和甚多的武林高手，各顯生平絕技，傳給了葛氏兄弟。

二人在這山腹密洞之中，苦心練習，因爲兩人都有甚好的武功基礎，又生得天資過人，半年時光，竟成了一身博雜之學。

但究竟時間過短，尙無法盡得精要，雖然胸羅無數絕技，但運用克敵之上，卻難連貫發揮，盡展妙用。

葛煒已對那白衣少女生出戒心，發出一記無影神拳之後，立時疾撲而上，左手一招「河嶽流雲」，劃出一串指影，右手一記「冰河開凍」，打出一股凌厲的拳風。

這兩招武功，一是武當派不傳之密，一是華山派中絕學，他把兩招奇學，合一用出，只看得石三公、耿震等，心頭暗生凜駭。

但那白衣少女倒是毫不放在心上，素手揮展，一指點出。

葛煒但覺她點來的一指，有如急瀑狂流，洶湧而來，而且攻襲之處，又似是非救不可，好像自己急急攻出的兩記絕學，完全失去了克敵之用，不禁心頭大駭，急急向後躍退數尺。

只聽那白衣少女冷笑一聲，如影隨形般疾衝而上，葛煒只覺右手一麻，右腕脈穴已被對方扣住了。

只聽那白衣少女，嬌脆冷漠的聲音，說道：「你心中服了嗎？甘心聽命於我嗎？」

葛煒雙目神凝，盯注在那白衣少女的臉上，望了一陣，道：「好吧！既然技不如人，我聽妳之命就是，放開了我的脈穴。」

白衣少女鬆開了葛煒腕脈，轉身走到石三公面前，說道：「你們三人想好了沒有？」

只聽砰然一聲大震，傳了過來，似是一件極重之物擊在石壁之上。

石三公輕咳了一聲道：「有人來了，姑娘如若能釋放我等，我等極願和姑娘共禦強敵。」

白衣少女初聞那大震之聲，不禁微微一愕，但一瞬間，又恢復鎮靜之容，淡淡說道：「不要緊，那石門堅牢得很，用不到諸位費心。」

她一面伸手入懷，取出一個玉瓶，倒出來三粒紅色藥丸，說道：「這些紅色藥丸，名叫『散魂丹』，服用之後，就要喪失記憶，當今武林之世，不知有多少高手，被迫服下此丸，服役冥嶽，你們如若不信，那就不妨試試。」

她緩步走近石三公等停身之處，探手一把抓起了童叟耿震的耳朵，說道：「你比他們先醒，就請先服此藥吧！」

耿震吃了一驚，道：「姑娘且慢，在下答應就是。」

白衣少女道：「哼！我不怕你不答應。」

邊說右手連揮，點了耿震身上兩處穴道，又緩步走到石三公身前說道：「你有沒有勇氣服用下這顆藥丸。」

石三公道：「藥物之用，非關謀勇，老夫雖有視死如歸的豪氣，也不能服用此藥。」

白衣少女道：「膽小鬼。」

她伸手點了石三公兩處穴道，又緩步走到了曹燕飛的身前，說道：「咱們同是女兒之身，我也不來爲難於你，妳自己選擇一條路吧！是服用這顆藥丸呢？還是和他們一般，讓我點妳少陰、少陽二經？」

曹燕飛道：「服藥、傷經，我都不清楚，妳既然要我選擇，那就請將這兩種結果，講給我聽聽如何？」

白衣少女道：「說起來，兩件事都不好過，這藥物服下之後，立時失去記憶，神志迷亂，不服解藥，永遠受我奴役，但卻不會有痛苦的感覺。」

曹燕飛道：「如若妳點傷我少陰、少陽二經呢？」

白衣少女道：「那就大不相同了，妳仍然能記起往日之事，但那經脈收縮的痛苦，卻不是任何人所能忍受，每隔兩個時辰，必須我施展手法，疏通妳閉塞的穴道一次，要不然湧血漸增，疼苦隨加，全身的經脈，隨同收縮，生生把人疼死。」

曹燕飛道：「妳的目的，只不過想使我們聽命於妳，受妳奴役，妳雖然點傷了我的經脈，但我們仍有著清晰的記憶……」

曹燕飛長嘆一聲道：「那妳就點我少陰、少陽兩脈吧！」

白衣少女隨手兩指，點了她兩處穴道，然後解開繩索，放了三人。

石三公立時出手，一語不發，揮掌攻去。

白衣少女冷笑一聲，幾指順勢掃出，迎向石三公腕脈掃去。

石三公被她奇招所襲，迫得向後退了一步。

童叟耿震借勢欺上，一拳搗向後心，力道強猛，帶著呼呼嘯風之聲。

白衣少女反臂一指，疾點而出，劃向耿震肘間「曲池穴」。

一擊之下，耿震亦被迫退了數尺。

曹燕飛翻腕抽出了背上長劍，但卻凝目而思，不肯出手。

石三公大聲叫道：「曹掌門，快出劍啊！」

曹燕飛道：「如若咱們一旦把她殺死，等一會兒傷勢發作起來，哪個解救咱們？」

只聽那白衣少女高聲對葛煒說道：「快些過來。」

一面揮掌搶攻，迫退了石三公和耿震的夾擊之勢。

葛煒應聲而上，揮手一拳，劈向石三公，石三公左手急忙一招「拒虎門外」，封開了葛煒攻來的拳勢，說道：「小兄弟，你發瘋了嗎？」

葛煒道：「大丈夫一言如山，我已答應了受命於她，豈可出爾反爾？」說完，呼呼兩掌，連環擊出。

只聽砰砰砰三聲大震，石壁傳音，震耳不絕。

白衣少女一皺眉頭，掌勢忽變，盡都是奇奧凌厲的招術，指襲向童叟耿震的要害大穴，倏忽之間，已把耿震，迫逼到石室中一個角落之間。

曹燕飛目睹耿震已難招架，當下一揮長劍，疾衝而上。

白衣少女嬌軀一閃，冷冷說道：「很好，很好，我所學成的幾種武功，還不知威勢如何，你們聯手而戰，倒可以給我一個試驗的機會了。」

說話之間，身法忽變，白衣飄飄，疾轉在兩人之間，掌拍指點，詭奇絕倫。

曹燕飛只覺她疾快輪轉的身法，凌厲詭奇的掌指，飄忽不定，心頭大爲驚奇，暗暗忖道：「這是什麼武功，生平從未見過。」

忽聽那白衣少女冷哼一聲道：「妳要小心了。」突然探手一把，直向曹燕飛手腕上扣去。

曹燕飛右腕疾向下面一沉，劍由下面倒翻而上，若點若劈地刺了過來。

哪知白衣少女扣向曹燕飛右手的五指，忽然一轉，竟巧快無比地抓住了曹燕飛的右腕，手中長劍亦被那白衣少女奪了過去。

曹燕飛呆了一呆，滿臉羞愧之色，向後退了兩步，道：「本座生平之中會過無數高手，從沒有敗過一次，今日兵刃被奪，實叫人羞於再生人世。」

白衣少女長劍疾揮，唰唰兩劍迫得童叟耿震，打了兩個轉，一面冷笑說道：「妳如想死，我也不阻攔於妳，不過，我要告訴妳，我奪妳寶劍的手法，乃武林一代聖傑羅玄遺下的絕技之一，放眼當今武林，能夠破解此招之人，只怕也難找得出幾個。」

說話之間，劍勢突然一緊，寒芒流轉，灑出了漫天劍影，童叟耿震立時被那繚繞的劍氣，迫得手忙腳亂，匆忙之間，突覺頭頂一涼，寒芒掠肌而過，削落了一片頭髮。

白衣少女這奇奧的劍法，已使老奸巨猾的耿震，覺出了情勢嚴重，當下大聲說道：「姑娘暫請住手，有事從長計議。」

白衣少女緩緩收回寶劍，冷若冰霜地說道：「你們可是自知無能抗拒了嗎？」

石三公眼看耿震和曹燕飛都停下了手，立時疾攻兩拳，迫退了葛煒，說道：「咱們停停再打。」

葛煒回顧了那白衣少女一眼，大步走了過去，站在她的身側。

只聽童叟耿震說道：「姑娘劍法的奇詭，確爲老夫生平僅見，適才所言，妳的劍法武功，得自羅玄遺傳，不知是真是假？」

白衣少女道：「自然是真的了。」

忽聽一聲震耳欲聾的山石撞擊之聲，傳入耳際，緊接著一片軋軋之聲，連續不絕。

白衣少女秀眉一聳，道：「他們擊中那石門外面的機關了。」

只聽步履之聲，自室外傳了進來，顯然，來人已經撞開了石門而入。

步履聲倏然而至，石室門口，突然出現了一個滿臉污灰，身材嬌小的黑衣人，從那黑衣人垂肩的長髮上，可辨出那是個女人。

只見她手中橫著一柄長劍，兩道銳利的目光，不住在幾人身上打量。

那白衣少女突然一揮右臂倒握劍尖，把長劍送到曹燕飛身前，說道：「接著，過去守住石門。」

曹燕飛楞了一楞，伸手接過長劍，緩緩向前走去。

那黑衣人突然向後一縮，隱失不見。

白衣少女冷峻的目光，掃掠耿震和石三公一眼，道：「來人已經闖入石室，可惜他們來晚了一步，已難再見羅玄之面了……」她冷冷一笑，接道：「羅玄真身坐化之處，暗門隱密，機關巧妙，沒有我帶路，他們絕難找到。」

她這話似對石三公和耿震說，又似是對那隱失的黑衣人說，但這人人渴望得知底細之事，不論何人聽得，都將引起極大的好奇之心。

石三公望了那白衣少女一眼，說道：「姑娘，羅玄的遺骨，當真在這山腹密洞中嗎？」

白衣少女答非所問地說道：「眼下強敵已然逼近室外，如若你們不願助我，我也不勉強你們……不知什麼人，洩漏了這血池之秘，近日之內，已有甚多高手，進入這血池之中，這座隱密的山腹石洞之中，即將展開一場勾心鬥角的殺戮。」

忽然那石室之外傳過來一陣嬌脆的笑聲，道：「是師妹嗎？妳沒有死啊！」

那白衣少女仍是冰冷的神情，道：「可是二師姐嗎？」

石室外傳過來一陣嬌笑之聲，道：「究竟是一起長大，情逾骨肉的好妹妹，還可以聽出來我這做姐姐的聲音。」

語音未絕，石門口處，陡然出現了一個全身紅衣的少女，右手握著一柄拂塵，背上斜揹著一柄長劍。

白衣少女冷漠的粉臉上，肌肉微微地顫動，顯然她內心正有著強烈的激動。

四目相對，互注了良久，仍是那紅衣少女當先開口道：「唉！絳雪師妹，自妳在師父迫逼之下，投入那火山中之後，姐姐無時不在祈求皇天，幫助師妹脫險，果然師妹福大、命大，安然無恙。」

紅衣少女目光轉動，續道：「絳雪師妹，我也被大師姐擠出恩師門牆了……」

梅絳雪淡淡接道：「當真嗎？」

沒想到紅衣少女卻笑意盈盈地說道：「反倒是師妹因禍得福，進入這血池之中……」

梅絳雪冷哼一聲，道：「沒錯，可惜妳們來得太晚了，那羅玄已經氣絕而逝……」

紅衣少女急急接道：「這麼說將起來，師妹已經見過羅玄了？」

梅絳雪道：「見過了，承他老人家錯愛，已把我收歸門下。」

紅衣少女笑道：「師妹的奇遇，當真是叫人羨慕得很……」

只聽一聲斷喝，遙遙傳了過來，打斷了紅衣少女未完之言。

隨著那聲斷喝，紅衣少女的臉色，亦不禁為之一變，低聲說道：「師妹，又有人來了，看來這血池之中，來人不少。」

梅絳雪凝神而立，若有所思，恍似未聞那紅衣少女之言。

但聞一陣叮叮咚咚的兵刃相擊之聲，傳了過來，石室外似已展開了激烈的搏鬥，而且兵刃相擊之聲，一陣緊過一陣，似已展開群毆群鬥的混戰局面。

那紅衣少女似是已沉不住氣，突然轉身，奔出室外。

白衣少女目光一掠石三公和耿震，道：「你們是想死呢？還是要活？」

她微一停頓之後，又道：「如是要活，那就俯首聽我之命。」

忽見那急轉出室的紅衣少女，重又急快地奔了回來，滿臉惶急之色，說道：「師妹，不得了啦！師……父……」

十餘年傳藝積威，梅絳雪也不禁吃了一駭，急急說道：「她已到了洞門外嗎？」

紅衣少女長嘆一聲，答道：「我雖未見到師父，但卻見到了大師姐，帶著不少高手。」

梅絳雪道：「定然是妳們入洞之時，留下什麼痕跡，被她追蹤找來。」

紅衣少女略一沉思，道：「大師姐既然出現在這石室之外，師父亦必隨來，如若咱們師妹之間，再不拋棄昔年恩怨，合力拒敵，勢必將落得死無葬身之地的淒慘之局。」

梅絳雪突然轉過身去，兩道冷電一般的眼神，逼視在那紅衣少女的臉上，緩緩說道：「咱們同在師門之時，妳武功就不如我，此刻妳更不是我的敵手，哼！除非聽我之命，不然咱們就各行其是，互不相關。」

紅衣少女冷冷說道：「妳大概認為我只有一人，人單勢孤，不足以和妳分庭抗禮，哼！不是我誇口，只要師父沒有親臨，我一人手下的實力，就足以抗衡大師姐了。」

梅絳雪道：「妳從哪裡收羅了這多高手？」

紅衣少女道：「不是師妹提起，愚姐倒是忘了告訴妳啦，我收羅的屬下三人，其中還有師妹的心上情郎。」

梅絳雪心頭一震，道：「方兆南！」

紅衣少女道：「不錯，方兆南，他早已被我施用藥物，控制了心神，爲我所用……」

只聽一聲尖厲的大叫傳來，梅絳雪和那紅衣少女同時一震，道：「大師姐受傷了嗎？」

那兵刃交擊的響聲突然停頓下來，石室外卻相繼響起了一連串腳步聲，走進了四個人來。

當先一人身著黑衣，身軀嬌小，平橫著一柄長劍。

在那嬌小的黑衣人後，緊隨著微作喘息的方兆南。

第三人的形狀，極是奇怪，身上的髮髻，似乎都已被人剃去，只留下短髮、短鬍，滿臉油污，一時之間，群豪竟然看不出他是何人。

第四個人，蓬頭亂髮，鬚髯掩口，手中握著一根竹杖。

梅絳雪仔細看去，發覺這四人之間，被一條極細的索繩，縛連在一起，當下冷笑了一聲，道：「方兆南。」

方兆南淡淡一笑，默然不語。

突見那黑衣人，對著方兆南說話，但卻聽不到說的什麼。

方兆南緩緩一點頭，仍是默不作聲。

原來那嬌小的黑衣人，正是受那紅衣少女迷藥暗算的陳玄霜，施展「傳音入密」之術，相

詢方兆南，問那白衣少女是不是梅絳雪。

忽聽石三公大聲叫道：「青雲道長……」

那髫髮被削之人，略一猶豫，說道：「曹道友和兩位老前輩，不知進入這血池幾時了？天星道長、大愚禪師都未來嗎？」

石三公道：「唉！大愚和天星以及貴派中的張雁，都和老夫等走失了，他三人雖在這山腹之內，但卻不知失落何處。」

梅絳雪突然一側身軀，欺到方兆南的身前，素手揮揚，解他身上的索縛。

陳玄霜冷冷喝道：「走開去。」反手一劍，直劈過去。

劍芒閃動，灑出兩朵劍花，迫得梅絳雪，疾快地向後退了一步。

這一路之上連番惡戰，都由陳玄霜獨自出手對敵，她劍招精奇，連戰皆勝，紅衣少女默查她武功、劍路，不論功力，變化，都不在自己之下，估計足可和梅絳雪放手一戰。

當下回顧了陳玄霜一眼，接道：「妳替我出手教訓她一頓。」

陳玄霜應聲而出，揚手一劍，直對梅絳雪前胸刺去。

忽聽方兆南大聲喝道：「霜妹，快退回來。」

只聽紅衣少女格格大笑道：「你可是擔心傷了她嗎？」

說話之間，嬌軀一轉，人已欺到了方兆南的身前，拂塵一揮，抽在方兆南的身上，登時碎衣橫飛，鮮血淋漓。

梅絳雪冷漠的臉色上，泛現出一抹憐惜，櫻唇啓動，欲言又止。

陳玄霜尖聲叫道：「不要打他！」返身奔來。

紅衣少女冷冷說道：「我可以立時把他置於死地。」

陳玄霜突然停下腳步，兩行淚水，滾下雙頰，說道：「我一直聽妳吩咐，爲妳拚命，爲什麼妳還要打他？」

梅絳雪突然一揮素手，道：「二師姐，妳不過貪圖羅玄遺物，我帶妳去取就是。」

紅衣少女先是一怔，繼而笑道：「師妹看去雖冷若冰霜，但內心之中卻是熱情如火。」

紅衣少女舉手理一理散髮，笑道：「師妹一向言出必踐，姐姐絕不懷疑，只要我取得羅玄遺物，立時解開他身受禁制，解去他身上索縛。」

梅絳雪道：「大師姐敗退之後，必將歸告冥主，她既然知道了進退之路，最遲一個時辰內就可趕到，妳縱然拿到羅玄遺物，也難據爲己有。」

只聽童叟耿震冷哼一聲，全身突然打了一寒顫，似是突然間被人重擊一拳，全身站立不穩，搖搖欲倒。

梅絳雪冷笑一聲，道：「傷勢發作了，你們嘗嘗這經穴麻痺，行血受阻的滋味如何……」

石三公突然出手，一把抓住了耿震的左臂，大聲喝道：「耿兄哪裡不對……」

話還未完，突然鬆手向後退了兩步。

只聽噹的一聲，曹燕飛手中的長劍，突然脫落地上。

剎那間，三人都發出痛苦的呻吟，黃豆般大小的汗珠，滾滾而下，臉色脹紅，神情間流露出無比的痛苦，六道眼光，一齊盯在梅絳雪的身上，含蘊著乞救之情。

梅絳雪忽然一躍而上，一腳踏在童叟耿震的前胸之上，冷冷說道：「這滋味怎麼樣？」

耿震道：「老朽……老朽……」只覺受傷的經脈之處，有如千百條毒蛇啃噬、穿行，一陣

劇疼刺心，舌頭發硬，接不下去，只好不住點頭。

梅絳雪淡然一笑，伸出兩指，分點在耿震「藏血」、「天戶」兩穴之上，然後在他背後「命門」穴上，拍了一掌。

梅絳雪又迅快地移動嬌軀，拍活了曹燕飛和石三公的傷穴，說道：「這一次只不過暫讓你們受點教訓，嘗試一下滋味如何，除非你們有勇氣能在受傷經脈第二次發作之前，先行自絕一死，血肉之軀，絕難忍受得這等痛苦。」

石三公、曹燕飛、耿震，只聽得打了一個寒顫，垂頭不語，顯然，這三個自負極高的武林高手，已屈服在梅絳雪的威迫之下。

只聽紅衣少女嬌聲說道：「好妹妹，咱們該走了吧！」

方兆南突然接口說道：「梅姑娘，羅玄遺物關係著武林劫運，何等重大，所得非人，那還得了……」這幾句話，說得大義凜然，只聽得石三公、曹燕飛、耿震一個個頰生愧色。

紅衣少女又道：「三師妹，以羅玄的遺物換得心上情郎，這交易豈能算不公平嗎？」

梅絳雪緩緩閉上雙目，道：「我卻怕妳不守信約，拿到羅玄遺物後，仍然不肯放了他。」

方兆南突然一睜雙目，凝注在梅絳雪的身上，道：「這女人狡猾無比，豈可信任，何況羅玄遺物，關係重大，爲我一人生死，拱手讓人，造成武林間一場浩劫，縱然當真能救得了我，那也是生不如死……」

忽聽一陣狂風呼嘯，怒濤海潮般，震人心神，打斷了方兆南未完之言。

梅絳雪緩緩抬起頭，自言自語道：「又是一夜當頭月，今天已是八月十五了。」

方兆南心中一動，突然想起一件事來，低聲說道：「師妹。」

陳玄霜拂拭一下淚痕，說道：「你可是叫我嗎？」

方兆南長長嘆息一聲，道：「陳老前輩去世之前囑咐了我們一件事，師妹可忘記嗎？」

陳玄霜略一沉思，道：「我想起來啦，可是要咱們到泰山絕峰，黑龍潭去見那位瞎……」

方兆南一面點頭，一面急急接道：「不錯。」打斷了陳玄霜的話，不讓她再接下去。

只聽那狂風之聲，愈來愈是凶猛，銳嘯刺耳，聲勢驚心，石三公、耿震、曹燕飛等，雖都是久在江湖上闖蕩之人，但也未聞過這等風勢，不禁為之色變。

那紅衣少女凝神聽了片刻，低聲說道：「師妹的才能，姐姐一向敬服，想必知道這一陣大風，來自何處，幾時才能停息？」

梅絳雪冷冷地瞧了那紅衣少女一眼，道：「告訴妳也不妨事，妳既能找到血池中來，想必已見過那血池圖了。」

紅衣少女道：「圖上線紋錯綜複雜，很難看懂……」

梅絳雪道：「諒妳也看不明白，但那圖上的偈語，妳應該記得了……」

紅衣少女低聲誦道：「三絕護寶，五毒守丹，陰風烈焰，窮極變幻……」

梅絳雪秋波電轉，環掃了室中群豪一眼，接道：「這就是那偈語所指的陰風了，這陰風從每月十五夜子時吹起，連續有七日不絕，凡是可以通風之處，都吹著這冰寒刺骨的陰風。但這寒風經過燃燒不息岩漿之時，又變成足以灼燒致死的熱風，每當陰風吹起時，整個的血池中，到處充滿著死亡的恐怖。」

梅絳雪冷冷一笑道：「出了這石室之後，到處都將充滿著死亡，除我之外，你們誰也沒法能保護自己的安全。」

忽聽一陣尖銳的金哨之聲，混入那狂嘯的陰風聲中，傳了過來。

紅衣少女臉色大變，急急說道：「師父來了。」

梅絳雪淡然一笑，道：「不錯，師父來了，而且還帶了冥獄中很多高手。」

那嬌麗毒辣的紅衣少女，突然變得畏怯起來，嘆道：「如若咱們被師父抓了回去，勢必將遍經三十六種殘酷絕倫毒刑，然後，容色萎枯，變成了一個又老又醜的女人……」

只聽那尖厲的金哨之聲，此起彼落，混入嘯風聲中，不絕於耳。

奇怪的是那哨聲，一直停留一定的距離之外，未能接近石室。

梅絳雪望了望那紅衣少女一眼，道：「他們被那突起的陰風所阻，一時半刻之間，尚不致找入這石室中來……」

她微微一頓，接道：「不過，妳別太高興，這陰風雖然強烈，連續七日不絕，但每過一個時辰，就要靜止一陣，待那陰風一停，他們就可以找入這石室中來。」

紅衣少女內心雖然畏懼異常，但她表面之上，卻勉強裝出鎮靜之容，說道：「如若師父當真找入這石室中來，也不至我一人受害。」

她偷眼看去，只見梅絳雪神情漠然，渾如未聞。

但見室中的光輝，逐漸暗淡下來，漸成一片墨漆，伸手不見五指。

狂吼的陰風，威勢漸減，似是就要停止下來。

那紅衣少女突然伸手一把抓住了方兆南的左腕，迫使行血返向內腑攻去。

紅衣少女高聲叫道：「師妹，趁師父未到之前，咱們得快些走了。」

梅絳雪沉吟片刻，道：「好吧！我帶你去就是。」

方兆南欲待出言阻止，但因被那紅衣少女扣緊了脈穴無法開口。

梅絳雪回顧了石三公等一眼，道：「我再給你們一次選擇的機會，如果你們自信能夠忍得下傷勢發作之苦，不畏死亡，儘管請便，如是自知難以忍下，那只有跟著我走了。」

也不讓三人答話，放步向前行去。

葛煒當先舉步，隨後而行，童叟耿震和石三公低語一陣，一齊舉步向前行去，曹燕飛長長嘆息一聲，提劍走在最後面。

只聽那紅衣少女高聲對陳玄霜道：「妳走在最前面。」

為了方兆南的安危，陳玄霜忍受了無比的委屈，對紅衣少女的令諭，不敢稍有違背，當下應了一聲，提劍緊隨在曹燕飛身後而行。

這時，那狂嘯的陰風威勢大減，但刺耳的金哨之聲卻是愈來愈近，似已到了石室之前面。

只聽一聲尖厲的金哨聲，劃空而來，倏然之間，已到了幾人身側。

梅絳雪突然收住了身子，揮手拍出一掌。

掌力拍出，應手響起了一聲慘叫。

但聞衣袖飄風之聲，十幾條人影衝入了石洞中來。

幽暗的石洞中，梅絳雪的一身白衣，極為刺目，那衝入洞中的敵人，顯然都最先見到了她，數十道閃動的目光，大都凝注在她的身上。

刺耳的金哨聲，也突然靜了下來。

雙方在沉默中對峙，形成了風暴前的緊張。

驀然間，亮起一道藍色的火光，熊熊地燃燒起來，照亮了數丈的景物。

緊依梅絳雪而立的葛煒突然向前移動一下身軀，低聲道：「姑娘，咱們可要出手了嗎？」

梅絳雪敏感地回顧葛煒一眼，果見他雙目中流露出無限情意，不禁一聳秀眉。

輕微的步履聲，傳了過來，一個身披薄紗，膚光奪目的美色婦人，緩步走了進來。

葛煒驚呼一聲：「冥嶽嶽主！」

梅絳雪玉掌一揮，應手擊出去一股強凌的暗勁潛力，燃燒的藍焰，一閃而熄。

葛煒隨著發出了一記無影神拳，應手響起了一聲悶哼，顯然對方已有人被拳勢暗勁擊中。

一陣紊亂的腳步聲音，和兵刃出鞘聲，震破石洞中的幽靜，對峙的僵局，已被打破，雙方都已經準備出手。

只聽一個嬌脆的聲音喝道：「不許妄動。」

一陣格格大笑聲，使緊張的氣氛，暫時消滅不少，那嬌脆之聲，重又響盪在石道中道：「雪兒，妳居然還活在人世之上，因禍得福，進入血池。」

梅絳雪輕輕地嘆息一聲，道：「咱們師徒之情已絕，妳不必再哄騙我了。」

那嬌脆的聲音，笑道：「妳可知道抗違我令諭之人，所受的刑苦嗎？」

梅絳雪道：「哼！如今的梅絳雪，已不是冥嶽門下了……」

薄紗美婦冷笑一聲，道：「好啊！妳當真敢抗拒我的令諭了？」

梅絳雪冷笑一聲，道：「有什麼不敢，老實說我不但已脫離冥嶽門下，而且還身懷誅滅……」她忽然住口不言，探手入懷，摸出一封白簡，素手一揮，投了過去，說道：「妳先瞧瞧這封白簡。」

薄紗美婦伸手接去，拆開封簡，凝目瞧了一陣，臉色突然大變，隨手把封簡撕得片片裂碎，投擲了一地，怒聲喝道：「他現在還活著嗎？快帶我去……」

說到「快帶我去」，突然住口不言。

梅絳雪仰天大笑道：「怎麼，妳害怕了嗎？哼！妳可是當真要見他嗎？」

只聽風嘯之聲重起，排山倒海一般的怒吼聲，如雷震耳。

那薄紗美婦沉吟了良久，突然回過頭去，冷冷地說道：「妳帶我去見他吧！」

梅絳雪略一沉吟，道：「要我帶妳去見師父不難，但有兩個條件，妳必須得遵守，不然，咱們寧願在此地做個了斷，我也不帶妳去見。」

薄紗美婦說道：「哼！妳竟敢和我談起條件來了？什麼條件，妳說吧！」

這時，那站在身後的藍衣少女，卻突然加快了腳步，行到薄紗美婦身側，低語了一陣。

薄紗美婦似是對那藍衣少女之言甚感嘉許，一面點頭，一面笑道：「雪兒，妳過來，我要考究妳一點武功，如妳能答得出來，那就證明你確然見過他了。」

梅絳雪一面暗中運氣戒備，一面放步向前行了數尺，說道：「妳是不到黃河不死心，就讓妳發一拳試試我功力，是否長進很大。」

事實上，不待她再謙讓，那藍衣少女早已暗中運聚了功力，蓄勢相待，梅絳雪還未停住身子，她已暗中發出，足以制人死地的指力了……

梅絳雪早已蓄勢戒備，一翻手發出蓄聚掌心的內勁，擋開了藍衣少女點來的指力。

兩股暗勁，互撞一起，那藍衣少女突然向後退了一步，梅絳雪也似被人一擋，嬌軀搖了兩搖。

四八　因禍得福

這一招交接之下，顯然那藍衣少女的武功，吃虧較大，功力不敵。

薄紗美婦放聲一陣格格大笑，道：「雪兒，妳不過和妳的大師姐，功力悉敵，半斤八兩，難道還能是爲師的敵手嗎？」

梅絳雪道：「咱們早已意盡情絕，師徒名分早已結束，論身分，咱們已成爲平輩論稱了。」

夜暗之中，無法看清楚那薄紗美婦的神色，但見她雙目中閃動著光芒，顯然，內心之中，甚爲激動。

梅絳雪冷笑一聲，又道：「妳不用覺得難過，妳這一生之中，不知已殺害過多少人了，哼！妳對待把妳撫養長大的師父，手段何等的殘酷，想己比人，就該不用難過了……」

那薄紗美婦，似是難再忍耐，怒叱一聲，揮手一掌，直劈過去。

梅絳雪早已有備，她掌勢一揚，立時縱身讓避開去，疾快地退到一丈開外，目光環掃石三公一眼，道：「你們快些亮出兵刃，準備對敵。」

只聽那薄紗美婦怒聲喝道：「賤婢找死。」

說完，縱身一躍，直撲過來。

隱身在石壁旁側暗影處的葛煒，突然揚手一記無影神拳，直劈過去。

要知這無影神拳，發時無聲無息，冥嶽嶽主，雖然武功高過葛煒甚多，但這等毫無聲息的拳法，又在突然施襲之下，哪裡能夠防得。

只覺一股潛力，突然撞在前胸之上，向前疾撲的身子，竟被撞得直落下來。

冥嶽嶽主一生之中，甚少受人暗算，哪裡吃過這等大虧，身子一落實地，立時揚手一掌，直向葛煒的停身之處拍去。

哪知葛煒靈巧無比，發出一記無影神拳之後，立時躍避開去。

只聽那藍衣少女嬌聲喝道：「快些燃起火把。」

只見火光一閃，片刻之間，亮起四、五支強烈的松油火把，火焰熊熊，照得三、四丈方圓內，盡都是一片通明。

火光耀射之下，只見梅絳雪等一群人，已到了兩、三丈外。

那藍衣少女翻腕拔出背上寶劍，左手一揮，高聲喝道：「快追上去。」

隨著那揮動的玉手，立時有幾十條人影，疾快地向前奔去。

那身披薄紗的美婦，突然放步疾行，當先追了上去。

那轉角之處，傳來梅絳雪的聲音道：「嶽主，念妳對我有一番傳技之情，我要鄭重告訴妳一件事，妳一共收傳了四個弟子，但現在妳身側，還有幾個人呢？首座弟子，被妳活活逼死，還有一個背叛了妳。」

薄紗美婦怒道：「妳不是一樣背叛了我？」

梅絳雪道：「自然是不同了，說得好聽，梅絳雪已被妳活活逼入火山之中，我能不死，那

是我命不該絕。咱們的師徒情份，早已斷絕，現在的梅絳雪，早已和妳不相干了……」

她微微一頓，又道：「如若說得難聽，我已是羅玄遺詔指定誅殺叛離他徒弟之人，哼！妳別認爲，羅玄遺詔已經被妳撕去，這個我早已有了準備，另有一份存著，一旦時機臨頭，我就要把這份遺詔展布於天下英雄之前。」

薄紗美婦氣得臉色鐵青，怒聲說道：「膽大的賤婢，只要妳被我捉到了，非把妳碎屍萬段不可！」

梅絳雪冷冷說道：「妳不用發狠，現在站在妳身側，滿口師父、師父的人，妳認爲她當真的對妳很忠心嗎？老實說，一旦機會來了，她也一樣會叛妳而去，只怕妳對待羅玄那種慘酷的手法，會在妳的身上重演。」

這幾句話，字字如鐵錘一般，擊打在那冥嶽嶽主的身上，不自禁地回頭望了那藍衣少女一眼。

一代梟雄的冥嶽嶽主，突然長長地嘆了口氣，道：「也許會被她不幸言中。」

藍衣少女急急垂下手中長劍，撲身跪倒在地上，道：「師父，弟子身受師父教養之恩，此生一世，絕不敢妄生二心……」

那藍衣少女突覺腕上一緊，脈穴已被那薄紗美婦扣住。

只見那薄紗美婦仰起臉來，格格一陣大笑道：「娟兒，妳當真不會生出二心嗎？」

藍衣少女粉臉汗水滾滾，顫聲說道：「弟子，弟子……這一生一世，也不會離開師父一步，況且弟子容色已爲師父用藥物控制，難道師父還不放心嗎……」

一側轉角處，傳過來梅絳雪冷冷的笑聲，道：「唐文娟，妳只要服下嶽主手中的藥物，立

時將變成了一個渾渾噩噩的人，不知生死，心神受制，和那些鬼形怪人一般。說不定嶽主還要替妳買上一副鬼形怪險，和那些心神受制的人一般模樣的，那當真是生不如死了。」

這幾句話，在此時此情中說出，映在唐文娟的心中，每字每句，都如鐵錘利劍般，敲打在她心上，一縷反抗的意念，油然而生。

但當她抬起頭時，目光和那薄紗美婦森冷目光相觸之後，那縷升起的反抗意念，立時極快地消失。

要知這冥嶽嶽主，乃異常驕橫之人，生平之中，從未受到過這等詞鋒相對的譏諷，何況那人又一度是她門下弟子。

往日在冥嶽之時，對她尊敬無比，此刻卻詞鋒爭抗，毫不相讓，一股激忿，化成熊熊怒火，在她胸中燃燒起來。

她探手入懷，從蟬翼般的薄紗之中取出了一個玉瓶，倒出一粒紅色的丹丸，冷冷地對唐文娟道：「娟兒，把這粒丹丸服下。」

唐文娟呆了一呆，兩行晶瑩的淚水，緩緩滾下玉頰，慢慢地張啓了櫻口。

只見那薄紗美婦右手一揮，一粒紅色的丹丸，落入了唐文娟的櫻口之中。

這是一幅師徒淒涼的畫面，但環守在周圍之人，卻沒有一個爲之動容。

原來這些人一個個都服過了迷亂神志的藥物，心神早受控制。

那薄紗美婦似是已忿怒至極，伸手由隨行大漢手中搶過一個火把，素腕一揮，投往那彎轉的甬道中。

火光熊熊，登時照亮那甬道中的暗影。

突見人影一閃，疾快地向火把衝去。

薄紗美婦冷笑一聲，揚手劈出了一掌。

一股強大的勁力，應手而出，直向那黑影撞了過去。

她內功深厚，發出掌力非同小可，何況這一掌又是蓄勢而出，那個奔向火把的黑影，剛剛到達火把跟前，薄紗美婦發出的掌力已到，向前奔衝的身子，突然向後倒飛過去。

薄紗美婦一掌擊退強敵，回顧唐文娟微微一笑道：「娟兒，快衝過去。」

唐文娟茫然一笑，舉劍護身，緩步向前衝去。

只聽掌風輕嘯，那燃燒的火把，突然熄去，轉彎處，又恢復了一片黑暗。

薄紗美婦緩步緊隨唐文娟身後而行。

暗影中寒光一閃，一道冷鋒直刺過來。

唐文娟右腕一伸，護胸長劍，平平推出，只聽噹的一聲金鐵交鳴，那暗影中掃擊過來的長劍，登時被格出一邊。

唐文娟一劍得手，立時大邁一步，直向前面衝出，一股強大的潛力，迎面直衝過來。

唐文娟左掌一揮，拍出一股掌風，疾向那擊來的暗勁之上迎去。

那緊隨在唐文娟身後的薄紗美婦，也隨著推出一掌，她功力深厚，掌力後發先至，當先迎撞在那擊來暗勁之上。

兩股潛力，撞擊在一起，激成一陣旋風。

只聽一聲嬌喘，和腳步移動之聲，混合傳了過來，顯然，那發掌之人，吃這薄紗美婦掌力一撞，站立不穩，不自主地向後退去。

這時，數十個冥嶽隨行高手，都已緊隨在薄紗美婦身後，轉過了彎道，火把耀射之下，只見四、五條人影疾快地向前奔去，四、五丈外，那甬道又向左面彎去。

薄紗美婦打量了甬道形勢，不禁一皺眉頭。

突然一個冷漠嬌脆的聲音，傳了過來，道：「妳們走完了這段甬道，就進入危險之境，天然的陰風烈焰，再加上羅玄精心布置的埋伏，步步殺機，咫尺死亡……」

聲音異常熟悉，那薄紗美婦一聽之下，立時辨出是梅絳雪的聲音。

只覺一股怒火直衝上來，厲聲接道：「賤婢爲什麼不敢和我照面？」

轉彎處，傳過來梅絳雪森冷的笑聲，道：「妳急什麼？咱們早晚總要有一場生死之搏，眼下還不到時候……」

薄紗美婦被她言詞一激，怒火更熾，飛身一躍當先追去。

她身法奇快，倏忽之間，已到甬道轉彎之處，身子還未停下，兩點寒芒，已然迎面襲到。

那薄紗美婦冷笑一聲，玉腕揮處，劈出了一股強厲的掌風，兩點寒芒被那掌風一撞，立時跌落在實地之上。

凝目向那枚暗器望去，只見那跌落在地上的暗器，形如竹葉，長約三寸，尖端兩面鋒刃，似刀非刀，似箭非箭。

那薄紗美婦見聞廣博，一看之下，立時認出那兩只暗器，乃江湖上極霸道的「竹葉鏢」。

冥嶽中人，連番受挫，激起那薄紗美婦的怒火，舉手一揮，低聲道：「走，過去。」

說完，當先向前奔去。

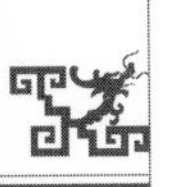

人剛到轉角之處，迎面湧撞來一股掌力，擊襲前胸。

冥嶽嶽主，內功深厚，目光犀利，雖在夜暗如漆的環境之中，仍能辨別出發掌之人，正是梅絳雪。

當下嬌叱一聲，右腕疾揚，猛力拍出一掌，反擊過去。

她功力深厚，掌勁雄渾，這一掌含怒反擊，威勢非同小可。

兩股潛力一撞之下，立時激起一陣輕嘯的旋風，梅絳雪白衣飄飄地向後退去。

冥嶽嶽主先是一怔，繼而冷笑道：「賤婢武功果然大有進境，竟然能閃開了我這一掌……」

餘音未絕，左側暗影之處，突然疾飛出一支長劍，寒芒閃動，幻起來三朵劍花，分指三處要穴。

這劍勢不但凌厲，而且忽然而來，大是難防。

薄紗美婦確實有過人的武功！左手一揮，推出一股潛力，逼住劍勢，右手疾快地拍出一掌。

但那施襲人亦非弱手，玉腕一挫，長劍突然收回，借黑暗掩護，疾快地向旁側讓去。

薄紗美婦拍擊出一股掌力，正擊在石壁上，砰然輕震中，回力反蕩，激旋成風。

這時，冥嶽嶽主，已然看出那向自己施襲之人，乃是一個身材矮小的黑衣人。

身法靈活，一閃之間讓開了襲來掌力，長劍立時橫裡掃來。

幽暗的甬道中，閃起了一道白芒。

薄紗美婦暗暗吃了一驚，忖道：「這山腹密洞之中，哪來的這麼多高手，需得先傷他們兩

個，以挫敵方銳氣。」

心念轉動，奇學突出，左手連發三掌，封住敵人退路，右手卻施展空手奪劍的奇奧招術，直向那黑衣人握劍右腕之上扣去。

她這武功十分詭奇，擒拿手法之中，混入了斬經截脈的手法，迫得對方手中劍法，施展不開。

不足十回合，那黑衣人被迫得節節後退。

那黑衣矮小之人，正是陳玄霜。

兩人的武功，雖是一脈相承，同出羅玄一門，但那薄紗美婦的功力，要比陳玄霜深厚甚多，手法亦較純熟，對敵經驗更較陳玄霜豐富甚多。

她哪裡知道陳玄霜早已把「生死玄關」打通，內力生生不息，不用運氣調息，亦有著驚人的耐戰之能。

再加上兩人所用的武功，同出一門，萬變不離其宗，手法或有小異，但大致卻不出羅玄一脈武學。

陳玄霜心神一定之後，極為自然地大增應變之能，那薄紗美婦的空手奪劍的手法，已難能威脅於她。

但那薄紗美婦卻是愈打愈覺不對，愈打愈是驚奇，只覺她劍勢變化路數，和自己完全相同，極似出於羅玄一門。

當下疾發兩掌，迫退了陳玄霜，喝道：「住手！」

陳玄霜橫劍當胸，冷冷喝道：「什麼事？」

薄紗美婦冷笑一聲，冷冷地問道：「妳的武功路數，雖和我同出一門，但功力和應變的經驗，都不足以和我爲敵，我如要出手傷害於妳，那只不過舉手之勞……」

她輕輕地咳了一聲，接道：「我讓妳在手下連撐了十餘招，還不傷亡，並非是我沒有傷妳之能，因爲我要留下活口，讓妳說出妳的師承門派……」

那薄紗美婦突然一反冷漠的口氣，和藹地說道：「妳姓什麼，叫什麼名字？」

陳玄霜脫口說道：「姓陳……」心中忽然一動，住口不言。

只覺項頸之上細索突然一緊，心知是那控制方兆南生死的紅衣少女，要她立時退回，於是趕快回身向前奔去。

薄紗美婦大怒道：「我看妳能逃到哪裡！」左手一揮擊出。

這一掌劈出的強猛勁力，並未擊向陳玄霜，卻是擊向她身前四、五尺處。

她掌握的時間，恰到好處，剛好陳玄霜奔到之時，她的掌力同時擊到。

這一擊用心惡毒，陳玄霜縱有封架之力，但卻有措手不及之感。

眼看要爲那掌力擊中，忽由旁側飛來一股暗勁，剛好把那股衝過來的勁力擋開，及時解了陳玄霜的危難。

陳玄霜凝目望去，看那發掌相救之人，正是梅絳雪，當下冷哼一聲，也不稱謝，急急地向前奔去。

那薄紗美婦掌力被人擋開，心中大是忿怒，冷哼一聲，疾衝而上。

梅絳雪不再逃避，橫擋去路。

冷冷說道：「再行十丈，就入了羅玄的埋伏之區，他費盡心機，布設下重重機關，就是爲

了對付妳……」

薄紗美婦怒聲叱道：「賤婢接我一掌。」

她生平之中，從未遇上今日這等挫折，滿腔盡是怒火，恨不得立時把梅絳雪擊斃掌下，哪還有耐心聽她說話。

梅絳雪右手疾掃而出，纖纖十指，橫指腕脈。

這一招看似平常，但那薄紗美婦卻似是知道厲害，嬌軀微揚，暴退數尺，道：「賤婢果然得了羅玄真傳。」

說罷，一退即上，雙手齊出，右掌左指，分襲兩處大穴。

梅絳雪道：「妳只要知道厲害就好。」兩手突然一分，指點薄紗美婦的兩臂肘間的「曲穴池」上。

這等近身相搏，掌指伸縮之間，就可傷及對方要害大穴，乃是極爲險惡的一種搏鬥，只見兩人招數連變，各盡幻奇。

激鬥之中，梅絳雪忽然振衣而起，身子懸空發招，拍出一掌。

薄紗美婦似是等到了一個極爲難得的機會，全力一掌，迎向梅絳雪掌勢之上拍去。

兩人推出的掌力接實，梅絳雪卻借著反彈之力，一仰嬌軀，如脫弦弩箭一般，直向後面射去，快迅絕倫，一閃而沒。

薄紗美婦似被連番輕侮，激起了怒火，手掌一揮，當先向前追去。

遙遙地傳過來梅絳雪的聲音，道：「目下已進入了陰風過道之中，在這段行程裡，羅玄布下了三道機關，妳如自信有能闖過，那就不妨一試。」

薄紗美婦怒道：「妳既敢過，爲師又有何不敢。」

說完，舉步向前行去。

行不過四、五尺遠，風勢忽然強烈，如置身萬馬奔騰之中。全身如受到了強烈的衝擊，綿綿如江海巨浪，一個接一個地撞擊過來，迫得她不得不運氣一周，穩住雙足，著地如樁。

她心中暗暗忖道：「梅絳雪功力雖然大有進境，但也難以和這等自然界的巨大力量抗拒，這丫頭竟然能安然通過，想來這段行程之中，定然有借力之處。」

她本是聰明絕倫之人，略一忖思，想出了這其間定有原因，當下向後退了兩步，向右側山壁之處走去，雖只是兩步之差，但風力卻是減退了甚多。

這時，唐文娟已帶著所有的冥嶽高手趕到。

那薄紗美婦，探手從兜胸中，摸出了一只金色哨子，吹出了一聲淒厲的長嘯。

兩個勁裝大漢立時邁開步子，向前行去。

緊接著一行長長的行列，相隨而來的冥嶽高手，一個個牽著手向前行去，冥嶽嶽主仗劍隨在那行列之後，唐文娟緊依著師父身後。

只覺那冰寒刺骨的陰風，有如巨浪撞打岩石一般，隆隆之聲不絕於耳，愈向前行，愈是強烈。

冥嶽嶽主不停吹出口中的金哨，發出尖厲的長嘯，催促那些相挽的勁裝大漢，冒險越渡這一段陰風過道。

終於，被她找出了越渡這陰風過道的隱密。

原來，這段陰風的過道上，有一道小指粗細的黑索，緊貼在地面上，不留心，很難查看得出來。

這發現，立時使冥嶽嶽主增強制勝的信心，冷笑一聲，自言自語地罵道：「我還道妳這個丫頭，當真得了羅玄什麼密傳，能夠安然越渡這陰風過道，原來竟然是這麼回事。」

一面指令那相挽而行的勁裝大漢們蹲下身子，爬越而過，以減少越渡阻力，一面挽索而行，以固抗拒之勁。

這段陰風過道，風勢雖然強猛驚人，但距離不過兩、三丈寬，借那貼地黑索之力，冥嶽嶽主、唐文娟和餘下的十二高手，除了一個被陰風捲走之外，十三人全都安全地渡過了這段陰風走廊。

凝目望去，只見兩側石壁宛然，又是一道丈餘寬窄的甬道，在那段陰風的走廊上，卻沒有石壁相阻。

一盞昏黃的燭火，映照著一顆明珠，珠光反射，照亮了丈許方圓，球光下有一個聳立的石碑，寫著：「叛徒聶小鳳埋骨之地」，九個大字，下面署名羅玄留示。

這九個鐵鉤銀書，字字如利劍鋼刀般刺入冥嶽嶽主的心中，也使她回憶十年前的一些往事，追隨羅玄身側，遨遊名山勝水，無憂無慮，歡度過童年的歲月……

唐文娟兩道茫然目光，凝落那聳立的石碑上，星目中突然暴閃起了稜芒，偷瞧師父一眼，只見她如醉如癡，平日那肅殺和冷漠交錯成的尊容，此刻卻突然消失不見。

這短短的一刻時光中，她似恢復了女人的嫻靜和溫婉。

可惜，那流現的嫻靜和溫婉，極快地消失不見，一股肅冷之氣，又從她眉梢泛起！只聽她

連聲冷笑一陣，舉劍向那石碑劈去。

這一擊，她似是用出了極大的內力，砰然大震聲中，那石碑應手碎裂。

就在冥嶽嶽主舉手劈碑的同時，唐文娟暴現於雙目的稜芒，也突然隱失不見，又恢復一片茫然的神情。

冷酷、殘忍的師父，狡猾、陰沉的徒弟，瞬息的變化，詭異難測，各逞心機，極盡險惡。

冥嶽嶽主聶小鳳，劈碎石碑之後，心中的餘怒，似是仍未平息，揚手一掌，又把輕紗掩遮的燭光劈得碎裂一地，火焰一閃而熄，舉手一招，疾急地向前衝去。

唐文娟目注聶小鳳的背影，冷峻一笑，張口噴出一顆藥丸，迅快地投入那呼嘯的陰風之中，放步而行追了上去。

原來聶小鳳強迫她服用迷神藥丸之時，她自知難以推脫，師父的冷酷心腸，絕不是哭求可以打動，一面運氣自閉幾處穴道，一面吞下藥丸，暗藏舌根下面。

唐文娟久在冥嶽，日久接觸之人，盡都服過迷神藥丸，對那等失去主宰的神色，早已熟悉異常，扮裝出來，維妙維肖，竟然瞞過了師父。

聶小鳳一直惦念著梅絳雪的警告之言，行動之間，十分小心，生怕被羅玄預伏的機關所傷。

只覺愈向前走愈是黑暗，如置身在大霧之中。

一陣陣細小的水珠，迎面撲來，不大工夫，幾人的衣服盡皆濕去。

聶小鳳突然停下身子，回手一把，抓住唐文娟的手腕，冷冷地喝道：「妳一直緊跟著我嗎？」

唐文娟輕輕的喔了一聲，含含糊糊地支吾過去，心中卻是大感緊張，暗中運氣戒備，如若聶小鳳發覺她是僞裝服下藥物，施下辣手，準備出手反抗。

但覺那濛濛水霧，愈來愈濃，簡直如下小雨一般，森冷寒氣，直透入人的心胸之中，使人煩惱……

忽然間，火光一閃，一道藍焰熊熊高燒，照亮了水霧瀰漫的甬道，景物隱隱可見。

只見一座平放的石台，攔住了去路，一個鳳目蠶眉，胸垂長髯，身著道袍，仙風飄飄的道人，端坐在石台之上。

聶小鳳驚呼一聲：「師父。」盈盈跪了下去。

唐文娟抬眼偷看，只見那盤坐的道人連同那座石台，緩緩向後退去，心中大感奇怪，暗道：「如若這人真是師祖羅玄，怎麼見到了背叛謀害他的徒弟，神情之間毫無一些表情，只怕是那精明難纏的三師妹搞的把戲。」

心念動轉，殺機陡生，暗從懷中摸出了一只五毒淬煉的七巧梭，運足腕勁，一抖手，打了出去。

梭光一閃，正中那人前胸，只聽沙的一聲輕響，那道人仍然端坐未動。

但她這發梭的舉動卻驚醒了拜伏在地上的聶小鳳，突然一個轉身，伸手抓了過來。

唐文娟右手一招，本待反擊，但又突然垂了下去。

聶小鳳一把扣住唐文娟的手腕，冷笑一聲道：「好啊！我幾乎被妳騙了過去……」

這是一段很遙長的黑暗行程，在唐文娟橫劍開路之下，聶小鳳似是恢復了鎮靜。

唐文娟加快了腳步，直向前衝去。

大約奔行有一盞熱茶之久，甬道已到了盡處，景物也為之一變。
只見一座廣敞的石室，室中滿綴著明珠。
一支高大的火炬，熊熊而燒，火光映著數十顆色澤不同的明珠，閃動著一片五彩的光華，搖顫不定，變幻無常，紅綠相襯，黑白雜映，把那座廣大的敞廳，照得絢爛艷麗，如彩如霞。
除了一座廣大的敞廳外，左右各有一道形如走廊的甬道，兩側處各有一扇石門，緊緊地關閉著。
除了這一座敞廳，和兩側關閉的石門外，這甬道再無出路。
梅絳雪等一干人，早已不知了去向，敞廳中光彩變幻，但卻寂無一人。
唐文娟停下了腳步，回頭說道：「師父，咱們可要進去敞廳瞧瞧嗎？」
聶小鳳略一沉吟，道：「進去。」
唐文娟一側身，橫劍護胸，當先而入。
聶小鳳暗運功力，凝神戒備，緩步入敞廳。
唐文娟回顧了師父一眼，高聲說道：「絳雪師妹，師父大駕親到，妳還不出來受縛，還等什麼？」
聶小鳳沿著敞廳的四壁，迅快地繞行了一周，仍然找不出可疑之處。
唐文娟揚了揚手中的長劍，道：「師父，如若咱們把所有火炬熄去，這敞廳中的光彩，必然會減消甚多……」
聶小鳳道：「話雖不錯，但妳那師祖羅玄，心細如髮，常在細微之處，布置下足以制人死命的機關，這火炬之中，定然暗藏著絕毒的機關。」
唐文娟心中暗道：「妳對我們頤指氣使，何等的威風，原來妳心中也有害怕之人。」
口中卻是微笑道：「師父請退到敞廳外面，待弟子斬斷這道火炬試試。」
縱橫江湖的聶小鳳，此時此情之中，似是亦沒了主意，當下微一點頭，緩步退出敞廳。
唐文娟暗運功力，長劍一揮，那高燒的火炬，應手而斷，只聽一陣疾風呼嘯之聲，那斷去的火炬中，突然噴射出一股強烈的藍焰。
聶小鳳急聲叫道：「娟兒快退回來，這火焰之下，暗引地火。」
唐文娟雖未被那噴射出來的藍焰燒中，但卻感到奇熱炙人，應聲而退。
只見那藍焰愈噴愈高，愈噴愈急。
倏忽之間，敞廳中已被那藍焰瀰漫，明珠、彩光，盡爲所掩。
在這等萬分緊急，生死危亡的情勢之下，反而看出來了聶小鳳果決堅毅，當機立斷，她淡淡的一笑，說道：「妳手中兵刃既可削斷那石炬，想必亦可斬裂石門，快去斬開右面那道石門。」
唐文娟應了一聲，提劍直奔過去，手中長劍連揮，一連向石門上劈擊數劍，然後一側左肩，撞在石門之上。
這辦法果是有效，只聽一陣軋軋之聲，石門應手而開。
這是一座狹長的石室，天然的環境，再加上一番人工修築，室中依壁處，並坐了四個長髯垂胸的黑袍道人。

唐文娟仔細看去，發覺這道人的形態，和適才甬道之中，所見的一般模樣，心中恍然大悟，暗道：「原來羅玄早已有備，故意雕塑出這多化身，使人無法找出他真正的遺體所在……」

聶小鳳呼地發出一掌，擊在一個人像之上，那人像登時應手而裂，碎成兩半，一張白箋，隨手飄出。

唐文娟伸手撿了起來，只見上面寫道：「小鳳吾徒，如余料中，這白箋，必落汝手，除汝之外，不論何人，均不致毀余化身法像……」

聶小鳳突然尖聲叫道：「上面寫的什麼？快拿過來！」

唐文娟恭恭敬敬地把白箋遞了過去。

聶小鳳凝目看去，只見白箋之上寫道：「……妳如涉身及此，已然身陷危境，每至子時，這石室之中，必然暴落出一種人力無法抗拒的災禍。

「不論武功何等高強之人，亦將死亡在這等災禍之下，余生平不說謊言，想汝必不致存疑，在我第四個法身之後，有一條通往這血池之外的密道。」

聶小鳳忽然嘆息一聲，仰面出起神來。

聶小鳳凝目沉思了片刻之後，突然說道：「妳師祖生平不說謊言，咱們必須要早些離開這裡。」

只見聶小鳳伸手移開了羅玄第四個化身像。

果然，在第四法像之後，有一個可容一人通過的穴洞。

那穴洞向地下行，黑暗如墨。

唐文娟低聲叫道：「師父，會不會是三師妹搞的鬼呢？」

聶小鳳道：「不會，妳師祖寫的筆跡，別人極難模仿。」

當先向下行去，一面回頭說道：「娟兒，咱們既然知道了這條密道，此後來往血池，易如反掌，諒那個叛徒難脫我手掌。」

唐文娟欲言又止，移過羅玄法像，掩了穴洞，急步跟隨而去。

且說梅絳雪和聶小鳳動手相搏之後，自知功力還難抗拒，而且眼前形勢複雜，二師姐志在羅玄遺物，勢難合力同心，共拒強敵。

只好借血池中陰風烈焰，各種機關，緩遲聶小鳳的追襲之勢，準備先設法救下方兆南之後再說。

她爲人冷靜沉著，自得羅玄真傳遺物之後，更是武功大進，帶著陳玄霜等直奔羅玄的法體停放之室。

這是布置雅致的書室，一張石桌上擺滿了書籍，靠後壁之處，有一座黃綾掩遮的靈堂，室中擺設了七、八座石墩。

梅絳雪伸手在壁間扭下一塊石罩，立時有一股熊熊的火焰，冒射出來。

火焰閃耀下，四壁處垂吊的明珠，反射出一片清澈的光耀，照得滿室通明。

梅絳雪回顧了那紅衣少女一眼，道：「靠右壁石桌上，都是羅玄的遺物，總共一十二本秘笈，由天文地理，到星卜醫丹，及各種奇異的武功，可算得無所不包，只要能會那秘笈上記事的一半，就足和天下武林高手一爭雄長了……」

那紅衣少女喜道：「當真嗎？我得瞧瞧。」大步奔向那書案處。
梅絳雪冷冷喝道：「住手！」
那紅衣少女道：「我先瞧瞧有何不可？」
梅絳雪尖聲叫道：「等一等，待我說完了妳再拿不遲！」
那紅衣少女疾快地縮回手來，說道：「什麼話，快些說呀！」
梅絳雪道：「那上面記載的武功，招招都是博大精奇之學，妳只一入目，立時將沉迷進去，那時縱然有人出手殺妳，也不知抗拒，糊糊塗塗地死了過去。」
紅衣少女道：「當真有這等事嗎？」
梅絳雪道：「我如存心要欺詐於妳，這血池之中，到處充滿了殺機凶險，爲什麼會帶你們進入羅玄遺骨存放之室？」
紅衣少女暗暗忖道：「這話倒是不錯。」
她輕輕咳了一聲，說道：「就算妳說得對吧，這些書也不能放置不動。」
梅絳雪道：「咱們事先談好的，我以羅玄的遺物交換方兆南的自由，妳只要解開方兆南被制的穴道，那案上書籍妳儘管取走。」
紅衣少女沉吟了一陣，道：「外有冥嶽嶽主，和那窮極變幻的陰風、烈焰，妳縱然不暗中算計於我，我想出這血池，也不是容易之事……」
梅絳雪道：「怎麼？妳可是悔約了嗎？」
紅衣少女搖頭說道：「沒有，我想到了一個兩全其美的辦法。」
梅絳雪道：「什麼辦法？」

紅衣少女道：「這書籍由妳包起，方兆南我暫時不放，妳久居此地，定然知道出路，只要妳送我到出口之處，我就解開方兆南的禁制，咱們一手交書，一手交人，彼此誰也不吃虧了。」

童叟耿震和石三公，雖然對那案上的存書有偷竊之心，但想到傷穴發作的痛苦，膽氣立時為之一餒，不敢妄動。

梅絳雪冷笑一聲，道：「咱們相約之時，並未有此一條……」

四九　師門決裂

那衣服襤褸，一直未發一言的青雲道長，突然大喝一聲，縱身一躍，落到那書案之旁，一把拖過案上存書，高聲說道：「哪一個如若妄自出手，我就先把此書毀去！」

紅衣少女怒道：「放手，你和我相約之言，難道忘記了嗎？」

青雲道長笑道：「在下和妳相約之言，只管送妳進入血池，而且言明平分羅玄遺物，眼下既然見到了羅玄遺物，那誓約自是該到此終止。」

紅衣少女突然一收手中繩索，青雲道長突然一側身軀，繩索竟然完全脫落了下來。

紅衣少女吃了一驚，道：「你幾時解開了身上的索縛了？」

青雲道長道：「貧道這段時日之中，無時無刻不在研究解除這索縛之法，初入血池，我已解開，只是還未見羅玄遺物，我不便自脫索縛而已。」

梅絳雪放聲大笑，道：「妳已是眾叛親離，陷身於山窮水盡之境，眼下只有一條路可以選擇。」

紅衣少女道：「我處境雖尚未至妳所說之境，但仍願聽聽妳的高論。」

梅絳雪說道：「一朝無二主，雙雄不並立，妳如願聽我之命，我願出手助妳……」

紅衣少女怒道：「如我不願呢？」

梅絳雪道：「那我只好坐山觀虎鬥，袖手看火燒。」

紅衣少女咬牙切齒地說道：「妳別忘了方兆南的性命還握在我的手中。」

梅絳雪先是一怔，繼而淡然一笑，道：「不要緊，妳縱然殺害了他，可是自己也難保活命。」

紅衣少女道：「妳可是寧為玉碎，不作瓦全之想嗎？」

梅絳雪笑道：「了不起我替他終生戴孝……」

陳玄霜突然冷哼一聲，接道：「妳是他什麼人，要替他終生戴孝？」

梅絳雪還未來得及開口，那紅衣少女卻搶先接道：「妳當真不知道嗎？我這風華絕代的三師妹，和你的令師兄，早已兩情相投……」

方兆南冷冷喝道：「霜師妹，不要聽她胡說！」

陳玄霜雙目中稜芒閃動，低聲對那紅衣少女說道：「妳放開我的方師兄，我就全心全意地助妳。」

紅衣少女凝目沉思了片刻，道：「放了他並非是什麼難事，但我如何能信得過妳？」

陳玄霜道：「我說過就算，難道還要起誓不成？」

狡詐的紅衣少女默察陳玄霜神情，微微一笑，道：「好吧！我信妳之言就是。」

緩步走到方兆南的身側，解開了他身上的索縛。

她索縛方兆南的手法，異常奇奧，都是人身的大穴關節，只要她一緊索縛，立時百脈俱縮。

是以，方兆南一路行來，全無掙扎之能，只有俯首聽人擺布。

方兆南數十日夜的束縛，一旦爲人解去，心神登時一暢，緩緩伸動兩臂，長長吁一口氣。

梅絳雪冷眼旁觀著這些人的舉動，也不出手攔阻，只是微微冷笑。

陳玄霜慢慢走到方兆南的身側，緩緩說道：「方師兄。」

方兆南微微一笑，道：「什麼事？」

忽聽青雲道長大聲喝道：「曹道兄，大愚禪師和天星道兄，來了沒有？」

曹燕飛仍然靜靜地站著不動，長長嘆了口氣，道：「兩人進入血池之後，和道兄門下張雁一齊失蹤，迄今生死不明。」

青雲道長一皺眉頭，道：「石、耿兩位老前輩亦不知他們下落嗎？」

石三公和耿震相互望了一眼，搖搖頭，默不作聲。

原來青雲道長心想自己陡然發難，搶得羅玄遺物，石三公、耿震等定將群起支持，哪知這三人竟是靜靜地站著不動。

要知三人對適才傷脈發作之苦仍留下深深畏懼，那痛苦當真是求生不能求死不成，已不敢妄生叛離之心。

雖然心知青雲道長用意在招呼幾人，合力保護羅玄的遺物秘笈，但卻不敢響應，只好裝做茫然不解。

梅絳雪目光緩緩由青雲道長臉上掃過，冷笑一聲說道：「這血池之中，有許多定期的災禍，不解其道之人，決難躲過，羅玄的存書之地，豈是輕易可犯的嗎？」

突然提高了聲音，對石三公等說道：「我要走了，你們願意留這裡，我也不管。」

轉身向外行去。

葛煒大邁一步，緊隨梅絳雪身後，出了室門，曹燕飛、耿震、石三公，相互望了一眼，魚貫相隨而去。

紅衣少女望著梅絳雪的背影，呆呆出神，她雖然機智絕倫，但對梅絳雪這等冷熱難測的神態，也有些猜測不透。

梅絳雪出了石室之後，頭也未回地一直向前走去，只見她身軀搖擺不定，似是身上揹負著千斤重物，舉動之間，不勝負荷。

葛煒急行一步，伸手抓住了她的肩膀，凝目望去，只見兩行清淚，正順著雙腮滾滾而落，吃了一驚，問道：「姑娘，妳怎麼啦？」

梅絳雪右肩一抛，尖聲叫道：「放開我！」放腿向前奔去。

葛煒呆了一呆，緊隨著追了上去。

石三公低聲說道：「耿兄，梅姑娘怎麼啦？」

耿震道：「不知道啊！如若她跑得蹤影全無，咱們傷脈發作，要找哪個施救？」

說話之間，三人一齊加快腳步追了上去。

梅絳雪迅快地奔過石廊，直向一座門戶洞開的石室之中奔去。

石三公等相隨，奔入石室。

只見那石室中，端放著三座一般模樣的道裝法像，另有一座法像，已然支離破碎，散亂地放在一側，左側靠石壁處，斜倚著兩個勁裝大漢，似已死去一般，閉著雙目，動也不動一下。

梅絳雪緩緩轉過身子，望了葛煒等一眼，又恢復冷若冰霜的神色，說道：「你們追著我幹什麼？」

葛煒怔了一怔，道：「我已經立過重誓，今生一世，確要追隨姑娘。」

梅絳雪叱道：「出去！這石室乃死亡之室，不論誰都無法在這室中活過一十二個時辰。」

葛煒奇道：「妳呢？」

梅絳雪道：「我還不是一樣。」

葛煒忽然微微一笑，道：「妳不怕，我也不怕。」

梅絳雪兩道清澈的目光，凝注葛煒臉上，緩緩地問道：「你當真不怕死嗎？」

葛煒一挺腰幹，肅容說道：「能得常伴姑娘，雖死何憾！」

忽聽一聲大呼，傳了過來，一個頭髮蓬亂，手握竹杖的瘋癲大漢，急急奔了進來。

葛煒一聲大喝：「站住！」右手一揮，發出一記無影神拳。

那蓬頭亂髮，亂鬍繞頰的大漢，吃葛煒一記無影神拳，打得悶哼一聲，身軀向後倒退了三步。

石三公伸手一把抓住了那亂髮大漢的右肩，提了起來。

梅絳雪急聲叫道：「別傷了他。」

石三公微微一怔，放開那蓬頭大漢。

梅絳雪緩步走了過去，伸手在他肩井穴上拍了一掌，嘆道：「可憐的老人，你一世行醫，以善療治各種疑症奇病，揚名於世，但自己卻是落得了瘋癲的下場。」

石三公自負見多識廣，無人不識，但卻偏偏不識此人，忍不住地問道：「梅姑娘，這個人是誰？」

梅絳雪道：「大名鼎鼎的知機子言陵甫。」

石三公吃了一驚，道：「一代神醫，無人不知，想不到竟然難以療治自己的瘋癲之症。」

忽覺一股奇異的暗勁，由雙足直沖而上，全身一麻，不禁駭了一跳。

轉眼望去，只見童叟耿震和曹燕飛兩人的神情之間，也泛現一片驚恐之色，顯然，這奇異的感受，並非他一人所有。

只聽梅絳雪柔和地說道：「這座石室即將降臨那人力無能抗拒的災禍，剛才那一瞬的感受，只不過是大難將臨的警訊而已，唉！沒有人能在這石室活得下去，你們都快些走吧！」

言陵甫瘋瘋癲癲，也聽不懂幾人談的什麼，獨自向一角走去。

石三公輕輕哼了一聲，道：「姑娘如若當真有放我等逃生之意，那就請先解開我們受傷的經脈。」

梅絳雪搖頭說道：「我也沒法子解開你們封閉的經脈……」

石三公吃了一驚，道：「什麼？」

梅絳雪似是突然恢復了女孩子的嫻靜和溫柔，長長嘆息一聲，道：「我不是騙你們，當今之世，沒有人能解開封閉的經脈了，即是那羅玄復生，也是不行。」

石三公、耿震、曹燕飛等面面相覷，想到那傷脈發作時的痛苦，個個面色如土。

梅絳雪兩道清澈的眼神，緩緩由三人臉上掃過，說道：「但並非無法可想。」

石三公精神一振，問道：「姑娘賜示。」

梅絳雪道：「不論何等武功，都要自己稟賦和夜以繼日的堅忍、耐心，才能夠達到上乘境

界！」

她凝目沉思了片刻，又道：「我可傳你們自解受傷經脈的口訣，你們自行打坐運氣，解去傷脈，但這至少需要十二時辰以上的時光。至於你們的內功，是否已到了自解受傷經脈之境，那就非我所能知道了。」

立時授了口訣，揮手說道：「你們走吧！那自然殺人的奇異之力，即將降臨，再晚了，恐怕你們就走不了啦！」

她一向冷若冰霜，說話神情，無不使人有著冷冰冰的感覺，此刻卻溫柔仁和，口吻親切。

石三公忽然抱拳一禮，道：「多謝姑娘相授口訣，在下等感激不盡。」

梅絳雪道：「不用謝啦，你們趕快走吧！」緩步轉身而行。

石三公道：「在下有一件事耿耿於懷，不說不快。」

梅絳雪停下腳步，回過頭道：「什麼事？」

石三公道：「姑娘既然知道這石室即將降下人力無能抗拒的災害，爲什麼卻不肯出這石室呢？」

梅絳雪微微一笑，道：「一個人生在世上若苦多於甜，苟活下去，也是沒有什麼味道，還不如死了得好。」

石三公楞了楞，道：「姑娘年紀輕輕，何以竟說出這等傷心之言，以姑娘這等年齡，這等武功，成名武林，指日可期……」

梅絳雪接道：「唉！名利二字，有什麼用？放眼當今武林，有幾個名傾四海之人，不是終生孤獨，落落寡歡？可是就有那麼多人爲名迷醉，終生爲名利奔走。」

石三公低頭望了望胸前白鬚，道：「姑娘之言發人猛省，妳執意要留在此室，在下等也不敢相勸。」

他似是忽然間一掃私利之心，對梅絳雪生出了無限關注之情。

梅絳雪道：「不用勸我了，你們去吧！」

她爲人外表冷漠，但在她心底深處，卻蘊藏著人世間最真摯的情意，她從小在充滿血腥屠殺，慘酷絕倫的冥嶽長大，但內心卻又受著母親貞德節烈的影響，適才眼看方兆南對自己冷漠之情，忽感萬念俱灰。

想自己這十幾年來，耳聞目睹，身歷心受，無一件可喜可慰之事，油然生了尋死之心。

石三公回過頭去，低聲對曹燕飛等說道：「咱們走吧！」

行至室門口處，突然想起葛煒和言陵甫還在石室之中，回身說道：「小兄弟，梅姑娘身負絕技，胸藏韜略，或有抗拒那自然災害之策，你留此室，豈不是白白送上一條性命，不如和我們一起走吧！」

葛煒拱手一笑，道：「多謝老前輩的關心，在下要留在這裡奉陪梅姑娘。」

石三公又是一怔，回頭望了耿震一眼，這兩個武林名宿，似是陡然間受到了什麼啓示，感慨叢生，無限霍然。

極惡反善，這些平日視人命如草芥的江湖高手，此時卻突然都變得十分仁慈起來，曹燕飛長嘆一聲，道：「咱們去把言陵甫拉出來吧！」

梅絳雪搖手說道：「不用啦！他人已經病了，縱然救他出去，也是一生渾渾噩噩，受盡活罪，還不如讓他死了得好。」

三人齊齊一抱拳，道：「姑娘保重！」轉身退出石室。

石室中，只餘下了葛煒和梅絳雪，以及那瘋瘋癲癲的言陵甫。

葛煒目送三人背影離去，緩步走到梅絳雪的身側，瞪著一雙眼睛，望著她勻紅的嫩臉，一語不發。

梅絳雪一顰秀眉，道：「瞧著我幹什麼？」

走到石室一角，盤膝坐了下去。

葛煒微微一笑，追了過去，說道：「這石室中，究竟有什麼災害，人在室中會非死不可呢？」

梅絳雪道：「那是一種異常神秘的力量，只怕當今之世，也沒有人能夠解得那神秘力量的來源，武功再高，也無法和這力量抗衡，你還是走了得好。」

葛煒道：「當真嗎？」

梅絳雪道：「我騙你做什麼？」

葛煒緩緩轉過身子，直向石門走去。

梅絳雪暗暗忖道：「古語說螞蟻尚且貪生，看來這道理真不錯，此人適才當著石三公等人之面，堅持要留在這石室之中，言詞間何等豪壯，此刻卻又自行離去！」

忖思之間，只見葛煒關好了兩扇石門，又緩步走了回來，盤膝在梅絳雪對面坐下。

梅絳雪忽然感覺到芳心中一陣跳動，慌忙閉上雙目，但是她波動的心神，卻無法立刻安定下來。

垂死的心情，使她想到了很多從未想到過的事情，她害怕葛煒當真地陪她等候那自然災害

帶給人的死亡。

少年男女，相對而坐，死於一室之中，這情景難免要出現閒言風語，但她又不願葛煒真的離去，她難耐從容待死前那份寂寞。

正當她心事紛至沓來之際，忽聽葛煒長長嘆一口氣，道：「可惜一個人一生之中，只能死去一次，無法把死亡的味道留諸後世，轉告他人。」

梅絳雪霍然睜開雙目，只見葛煒瞪著一雙圓大的眼睛，凝望著自己，當下冷笑一聲，道：「你害怕，快滾出去，誰要你留這裡了！」

葛煒看她嗔怒之間，別有一番嬌態，大爲神往，微微一笑道：「一個人長得好看，不論嬉笑怒罵，都別有一番動人的風韻。」

梅絳雪怒道：「你胡說什麼？惹得我火起來，先殺了你。」

葛煒嘆道：「我如怕死，也不會留在這石室中陪妳了，唉！只有兩樁心事，使我死得有些不安。」

梅絳雪道：「什麼心事？」

葛煒道：「第一樁心事，我在死亡之前，未能和我哥哥說幾句話，見上最後一面，有負做兄長的友愛之情。」

梅絳雪道：「第二樁呢？」

葛煒道：「第二樁心事，倒和姑娘有關，我看過妳的愁苦、怒罵，無不別具風韻，但卻沒有看過妳的笑容，死了未免有些可惜。」

梅絳雪怔了一怔，怒道：「你這人如此輕薄……」

她站起身子，走到另一處壁角盤膝坐下。
葛煒追了上去，說道：「妳不肯笑給我看，那也算了，何苦生這麼大的氣呢？」
梅絳雪反手一掌拍了出去，口中怒道：「滾開去，別走近我！」
只聽啪的一聲，一掌正打在葛煒的臉上，打得葛煒一連向後退了三步，半頰紅腫，指痕宛然。
梅絳雪原沒有料到他竟不肯閃避，硬受一掌，看掌勢打得如此厲害，想他定然惱怒，出手反擊。
哪知事情竟然大出了梅絳雪意料之外，葛煒不但不出手反擊，反而滿臉笑意，遠坐在數尺之外，說道：「姑娘如此厭惡於我，在下不再相擾就是。」
梅絳雪暗暗嘆息一聲道：「這人對我這般鍾情，真如同生共死，那是比方兆南對我好得多了，可惜我已和方兆南對月締盟，結做夫婦，今世生做方家人，死爲方家鬼，如何再能對他人生出惜憐情愛……」
她愈想愈覺心中紊亂，慌忙運氣調息，收攝心神。
不知過去了多少時候，突覺全身一麻，本能地一躍而起。
睜眼看去，只見葛煒也跳了起來。
那瘋瘋癲癲的言陵甫，似是被那地上衝出的神秘力量，燒得亂蹦亂跳，生似一個赤著雙足的人，行走在烙鐵之上，腳一著地，立時就跳了起來。
梅絳雪一沉真氣，落著實地，登時感覺到一股奇異的熱流，由地上傳達全身，痠麻難耐，但她死志已決，提聚真氣，凝立不動，任由地上沖出的神奇熱流，傳達全身。

葛煒似已被熱流燒得難再忍耐，飛身一躍，落在梅絳雪的身側，說道：「梅姑娘，咱們就要死了？」

梅絳雪冷冷地望他一眼，也不理他。

葛煒不自主地跳了幾下，道：「梅姑娘，妳笑一下給我瞧瞧，好嗎？」

那神奇的熱流，愈來愈強，感受之人，不自禁全身顫抖，這幾句說得十分艱苦，一字一頓。

只聽言陵甫痛苦的吼叫，響徹石室，震耳欲聾。

葛煒頭上汗水如珠，滾滾而下，臉色蒼白，氣喘如牛，但他雙目之中，卻流露出無限的渴望之情，凝注在梅絳雪的臉上。

一縷憐惜之情，泛上了梅絳雪的心頭，暗暗忖道：「再過上片刻工夫，我們都將被這地上泛起的奇異熱流，活活燒死，笑一下給他瞧瞧，有什麼打緊？」

當下強行運氣，展眉一笑。

她雖存必死之志，耐受痛苦之力，堅逾常人，但那地上傳出的神奇力量，十分怪異，傳入人體，奇痠奇麻。

全身各處，無不隨著那傳入的熱流顫抖，展眉微笑，全身抖動不息。

葛煒大聲喝道：「能得一睹姑娘笑容，死而無憾，活罪難受，我要先走一步了……」

舉起右掌，正待自擊要穴，忽覺強大之力，直撞身上，身不由己地向梅絳雪衝了過去。

原來言陵甫滿室亂蹦亂叫，一下撞在葛煒身上。

梅絳雪素腕揮動，輕輕一推葛煒的身子，希望能把他撞來之勢穩住。

卻不料她被那地上傳出的奇異力量，燒得全身痠痲，沒有了半點力氣，被葛煒一撞，竟也向一側滑撞過去。

砰的一聲，撞在山壁上。

葛煒借勢倒躍而退，一腳踏在一塊突出的石塊之上，那地上泛起的奇異力量，立時斷絕，但那石塊甚小，僅可容下一隻腳踏上一半。

低頭看去，只見右腳之下，竟然是一個裝滿丹藥的瓷瓶。

那石壁上的神奇力量，似是更爲強烈，梅絳雪一撞上石壁之後，立時香汗淋漓，秀眉緊皺，似是在強忍著無比的痛苦。

葛煒腳下微一加力，躍落到梅絳雪的身側，探手一把，把她抱了起來。

梅絳雪冷然喝道：「不要動我！」一掌拍了出去。

葛煒已挨了一記耳光，知她落掌奇重，趕忙鬆開了梅絳雪，倒躍而退，他已暗中算好那瓷瓶距離，起落之間，剛好一足落在瓶上。

抬頭看去，只見梅絳雪閉目而坐，滿臉汗水如雨，但她耐性堅強，仍然不躍起呼叫。

葛煒略一猶豫，看準她幾處暈穴，一躍而上，揮手點了她的穴道，再探手猛力一拉，抱入懷中，倒躍落在瓷瓶之上。

這時，瘋瘋癲癲的言陵甫，已然被那地上的奇異力量，燒得滿室亂跳，有如熱鍋上的螞蟻，處境甚是淒涼，慘不忍睹。

葛煒雖有救他之心，但那瓷瓶太小，僅可容一足踏立，懷抱梅絳雪，已經有些力不勝任，哪還有餘力救他，只好硬下心腸，視作無睹。

低頭看時，只見梅絳雪雙目微閉，汗水漸落，顯然，痛苦已經消去，只是她暈穴被點，昏昏如睡。

但聞言陵甫喝叫之聲，愈來愈高，滿室躍飛，汗落如雨。

葛煒一腿站得痠麻，縱身一跳，換一隻腿，哪知落足過重，瓷瓶碎裂，瓶中之丹丸，滿地亂滾。

言陵甫精力漸疲，跌倒地上，但他胸中難過，伸手到處亂抓，抓起了兩粒丹丸，隨手放入口中，吞了下去。

葛煒看他手腿揮動，愈來愈緩，似是已無力抗拒那神奇的力量，面臨死亡邊緣，心中大生不忍之感。

他心中暗忖道：「這瓷瓶破碎之後，站立反覺舒服甚多，我如把這瓷瓶碎片分開，或可容兩足站立，那時再救言陵甫，當非難事。」

心念一轉，一躍而起，右腳離地之時，故意用力一撥，果然把那碎裂的瓶片，撥出了幾片，分落雙足之上。

他右臂挾著梅絳雪，高聲喝道：「言老前輩，你還能動嗎？只要你能滾到我的身側，我就有辦法救你了。」

言陵甫抬頭打量了兩人一眼，突然縱身一躍而起，直向葛煒衝去。

葛煒淡然一笑，不退反進，伸手向言陵甫抓了過去，言陵甫跳衝過來，勢道看去猛惡，其實來勢毫無衝勁，竟被葛煒一把抓住。

他像是神智恢復，默望了葛煒一陣，又緩緩閉上雙目，動也不動一下。

絳雪玄霜

葛煒雙手平伸，就這般端著兩人，也不知過去了多少時光，只覺兩臂痠痛愈來愈是厲害，只好緩緩把言陵甫向地上放去。

言陵甫已似驚弓之鳥，大喝一聲，突然疾躍而起，直向那石門衝去，腳尖一點實地，隨著推出了一掌。

他準備一掌震開石門，借腳尖一點之力，穿出室外。

哪知言陵甫一著地，竟是毫無異樣之感，拍向室門的一掌，亦被石壁擋了回來。

原來那石門，只可由外向內推，外面卻是有堅壁所阻，推它不動。

只見言陵甫移動了兩下腳步，道：「奇怪呀！那神奇的力量，怎麼沒有了啊？」

葛煒忍不住提起右腳，也在地上一點，果然，那神奇的力量，已然消失不見，趕忙拍開了梅絳雪身上被點的暈穴。

梅絳雪緩緩睜開了一雙星目，掙脫了葛煒的懷抱，冷冷地說道：「你抱著我幹什麼？」

葛煒累得雙臂痠麻，救了她的性命，不但未得到她一句相謝之言，反遭冷語諷刺，不禁微微一怔。

只見言陵甫急急衝了過來，砰的一拳，直向梅絳雪迎面劈擊過去，口中大聲嚷道：「快還我的『血池圖』來！」

梅絳雪嬌軀疾閃，避開一擊，冷冷地說道：「你此刻已然身在血池之中，還要什麼血池圖

呢！」

言陵甫經過那一陣奇異力量的沖燒之後，神智忽然清醒過來，目光環掃了一周，突然對那三個長髯道人拜了下去。

葛煒輕輕咳了一聲，道：「言老前輩，這三座身著道裝的雕像是誰？」

言陵甫拜了三拜，站起身來，肅然說道：「乃在下師父羅玄遺像。」

葛煒仰臉大笑，道：「恭喜言老前輩，你那瘋癲之症，完全好了！」

言陵甫回身抱拳道：「小兄弟一番相救之恩，在下當深銘肺腑，終生不忘。」

顯然，他的神智已經恢復，對葛煒相救之事，記憶甚詳。

葛煒暗暗忖道：「如若不是你身上帶那裝滿丹丸的瓷瓶，使我有點立足之地，只怕我也早被這地下泛升而起的熱流，活活燒死了，世間事因果報應，循環輪轉，真不知是你救了我，還是我救了你……」

想到感慨之處，長嘆一聲，道：「你不用謝我了……」

言陵甫已然神智全復，不待葛煒說完，立時正容接道：「老夫爲人，一向恩怨分明，一絲不苟，救命大恩，豈可忘去……」

目光一轉，投注到梅絳雪的身上，接道：「此室之中，既有先師羅玄的雕像，血池之說，自是不假……」

言陵甫一伸手，道：「拿來，還了我的血池圖，咱們昔年結下的恩怨，就此一筆勾銷。」

梅絳雪秀眉一聳，冷冷說道：「你人已在血池之中，還要的什麼血池圖？」

言陵甫道：「老夫要依圖索物，尋找在下師父的遺物。」

梅絳雪搖頭嘆道：「你爲那失去的血池圖，急得了瘋癲之症，一世英名盡付流水，大病初癒，仍然念念不忘此物，唉！」

言陵甫縱聲大笑，道：「老夫如若能得了恩師遺物，不出十年，不但可盡復失去的英名，而且當今武林之上，再想找上一個敵手，只怕也不是容易的事了！」

梅絳雪冷哼一聲，道：「好吧，你也不用討還血池圖了，我帶你去羅玄老前輩遺物存放之處就是。」

拉開石門，大步向外行去。

只見石三公、曹燕飛和童叟耿震，盤膝坐在石道之中，閉目運息。原來三人正在依照梅絳雪傳授的口訣，療治傷脈。

石三公首先警覺，霍然睜開雙目，欠身而起，抱拳說道：「不出在下所料，梅姑娘果然無恙。」

梅絳雪道：「活著有什麼好！」大步走向前去。

曹燕飛、童叟耿震齊齊站起身來，三人相互望了一眼，隨在梅絳雪身後走去。

穿過了一條甬道，又回到羅玄存放遺物的石室。

放眼看去，只見青雲道長和那紅衣少女相對而立，平劍護胸，對峙不動。

兩人的身上，都已被鮮血浸濕，想見適才兩人搏鬥之凶險、猛惡，彼此都受了數處的劍傷。

陳玄霜卻坐在石室一角，伸出右拳，抵在方兆南的背心之上，滿臉汗水滾滾，有如不勝負荷之感。

梅絳雪一皺眉頭，伸手指著石室一側木案上的存書，說道：「羅仙師遺物，在那裡了，你去取吧！」

言陵甫回顧了石三公等一眼，大步衝入石室，直向那存書之處奔去。

他剛剛行近木案，那紅衣少女，突然一睜雙目，喝道：「住手！」

蕩腕一劍，疾刺過去。

言陵甫陡然倒躍而退，避開了一劍。

梅絳雪格格大笑一陣，回頭對葛煒、石三公等說道：「你們哪一個喜歡羅玄的遺物，儘管去取。」

她冷肅一笑，又道：「青雲道長和我二師姐，都已劇戰受傷，有如強弩之末，縱然有心護書，亦是心力不逮，言陵甫瘋病初癒，難耐久戰……」

目光緩緩由石三公、曹燕飛、耿震臉上掃過，道：「你們三人武功雖高，可惜傷脈未癒，雖經我傳了口訣，但時間尚短，如經劇戰，勢將發作。

「那位黑衣姑娘，正圖以內力打通她師兄的生死玄關，以解他被傷脈穴和腹中劇毒，自不量力，已然成騎虎難下之勢，最終的結局，必然是力盡而死，還害她師兄相偕而亡……」

目光一轉，凝注到葛煒的身上，道：「眼下之人，只有你是得那羅玄遺物之人。」

葛煒搖頭說道：「在下只望能終生相隨姑娘，心願已定……」

葛煒微微一笑，隨在梅絳雪身後而行。

石三公輕輕咳了一聲，道：「耿兄，咱們要怎麼辦？」

耿震正待答話，忽聽方兆南大聲叫道：「梅姑娘！」

梅絳雪如受人重重一擊般，嬌軀突然一顫，緩緩回過身來，說道：「你還記得我嗎？」

陳玄霜舉起左手，用衣袖擦汗，道：「方師兄，你不能說話。」

梅絳雪人已走回到石室門口，聽得陳玄霜的話後，突然又停了下來。

言陵甫避開一劍之後，立時凝立不動，暗中運氣相試，自覺出武功未失時，才飛身一躍，避開那紅衣少女，又向那書案之上飛去。

青雲道長忽然一睜雙目，揮臂一劍掃了出去。

言陵甫這次不再閃避，竹杖一揮，架開一劍。

青雲道長雖受劍傷，但他的功力，並未失去，言陵甫懸空接劍，先已吃虧，劍杖相觸，言陵甫前衝之勢頓然受阻，被震落實地。

言陵甫腳落實地，略一調息，立時揮杖向青雲道長攻去。

兩人劍來杖往，倏忽之間，已經相交了十、三四招，言陵甫一心求得羅玄遺書，不顧大病初癒後體力未復，竭盡所能，揮杖猛擊。

青雲道長接下他十幾杖後，身上劍傷受到了極劇的震動，傷口破裂，鮮血泉湧而出。

他似是自知已難再撐多久，不顧劍傷劇疼，全力揮劍反擊過去。

劍風似輪，寒芒點點，果然把言陵甫迫得疾向後面退去，借勢一收長劍，高聲說道：「曹道友，石、耿兩位老前輩，貧道全身連受了九處劍傷，心力已感不支，只怕十回合之內，要傷在這人竹杖之下……」

疾揚長劍，封開了言陵甫攻來的一杖，唰！唰！反擊兩劍，已把言陵甫迫退了兩步，接

道：「這羅玄遺書，關係著今後武林中正邪消長之機，如若所得非人，非同小可。這位紅衣姑娘和貧道硬拚，鬧得兩敗俱傷，三位不論哪個出手，都不難取得此室中的羅玄存書……」

言陵甫竹杖攻勢，突轉凌厲，迫斷了青雲道長之言。

梅絳雪呆呆地站了良久，不聞方兆南再說話，暗暗嘆息一聲，忖道：「這般人個個心貪羅玄遺書，妄想求得武功真訣，練成天下第一高手。

「那就讓他們自相殘殺，盡死於此算了，方郎對我毫無情意，又一直不肯相認我是他們方家之人，我何苦再多管這閒事……」

正待回身不顧而去，忽見方兆南重又睜開了微閉的雙目，高聲說道：「梅姑娘，我求你做一件事，好嗎？」

梅絳雪暗道：「哼！哪有這等沒有志氣的丈夫，對自己妻子說話，也是滿口請啊求啊的……」

但口中卻柔聲應道：「什麼事？」

她早生憐愛之心，這一句話柔媚悅耳，動聽至極。

陳玄霜突然尖聲叫道：「你不會好好地說話嗎？嬌聲嗲氣幹什麼？哼！賤骨頭！」

梅絳雪秀眉聳動，閃掠過一抹殺機，正待反唇相譏，忽聽方兆南長嘆一聲，接道：「梅姑娘，妳把羅玄的遺書燒了吧！」

梅絳雪略一沉忖，道：「好吧！」邁步走了過去。

石三公、耿震、曹燕飛都不禁爲之震動，齊齊舉步追了過去。

那長劍支地，閉目養息的紅衣少女，突然一睜雙目，道：「師妹，妳當真要聽他的話，燒去羅玄這些存書嗎？」
梅絳雪道：「自然是當真了。」
紅衣少女身子一搖，突然舉手一劍，刺了過去。
梅絳雪冷笑一聲，嬌軀一閃，避過長劍，巧快絕倫地欺身而上，素手一揮，啪的一掌，擊在那紅衣少女手腕之上。
長劍應聲而落，梅絳雪頭也不轉地向那存書走去，伸手從懷中取出火摺子，撿過一本紅絹封皮的書，燒了起來。
言陵甫突然大喝一聲，捨了青雲道長，疾向梅絳雪撲了過去。
葛煒右手一揚，打出一記無影神拳。
言陵甫驟不及防，被那無形勁力一撞，斜向一側退去。
他大病初癒，元氣未復，如何能擋得葛煒全力一擊，斜退了四、五步，仍然拿不住樁，終於一跤跌倒地上。
這時，石三公、耿震等，都已圍攏上來，眼看著梅絳雪燃火燒書，心中疼惜異常。
石三公忍了又忍，仍是忍耐不住，拱手說道：「姑娘，這羅玄存書雖可爲惡，但亦可爲善，全在得書的人心念之間，妳如把它燒去，豈不有負了羅玄一生的心血？」
梅絳雪一反冷漠的常態，微微一笑，說道：「你可是想要一本瞧瞧嗎？」
石三公微一沉吟，道：「在下倒無得書的雄心，只是覺得這等寶貴之物，如若一旦毀去，實在是太可惜了……」
梅絳雪接道：「只要你不想要，管它可不可惜！」

石三公楞了一楞，道：「好物人人見愛，何況絕學秘錄，在下想倒是想，只是……」

梅絳雪隨手抓了一本黃絹封皮的書，丟了過去，道：「你想要，你就留下一本瞧瞧吧！」

石三公接住拋來之書，又是一呆，暗道：「這丫頭的性格，當真叫人難以猜測……」

耿震眼看石三公得到一本秘笈，大是眼紅，重重咳了一聲，道：「姑娘，在下久聞羅玄之名，可惜無緣一面，甚想瞧瞧他手錄遺書，也可聊慰仰慕之心。」

梅絳雪道：「你也想要嗎？」

隨手抓了一本，投給耿震。

曹燕飛道：「姑娘，本座也想見識見識羅玄的筆跡……」

梅絳雪道：「好吧！也給你一本。」

言陵甫大喝一聲，站了起來，說道：「老夫也要一本。」

梅絳雪隨手抓了一本，投了過去。

那紅衣少女道：「師妹，咱們同門一場，無情有義……」

梅絳雪道：「不要說啦！妳也分一本吧！」

目光掃了四周一眼，道：「還有哪個想要？」

她一連喝問數聲，無人接口。

青雲道長目注那燃書的火焰，逐漸高漲，除了梅絳雪分出的五本之外，大部存書都將付之一炬。

他精神忽然一懈，長長嘆息一聲，道：「燒得好，雖然未能一起燒光，但總算去了大部分禍害……」打了幾個踉蹌，跌倒地上。

梅絳雪眼看存書盡燃，緩步對著方兆南走了過去。

只見陳玄霜頭上的汗水如雨，全身的衣履盡濕，方兆南面色慘白，身軀不停地抖顫，心知兩人已同時陷入了危險之境。

陳玄霜功力不夠，任性強行，妄圖打通方兆南的生死玄關，哪知竟然把他全身氣血一起逼入內腑，激發傷勢，造成危局。

本身也因力將盡，體能不支，岌岌可危。

梅絳雪看了一陣，突然出手一指，點了方兆南的「百匯」要穴，一掌拍在陳玄霜背心之上。

陳玄霜嬌軀一顫，內力反聚，氣血直沖而上，頭一暈眩，頓時昏了過去。

當她甦醒之後，景物已然大變。

只見自己斜靠在一堵石壁之上，方兆南仍然緊閉著雙目，似是沉睡未醒，聽他呼吸均勻，似已度過危境。

全身白衣的梅絳雪，肅然站在兩人身前，石三公、青雲道長等，都已蹤影不見，只有葛煒一人站在她的身後。

陳玄霜緩緩站起了身子，暗中運氣相試，覺出武功並未失去。

只聽梅絳雪長長吁了一口氣，道：「妳復原得這等神速，倒是出了我意料之外……」

微微一頓，指著方兆南接道：「他身上的劇毒已除，再經一陣調養，當可慢慢復原，血池中羅玄存物已毀，再無可留戀之物。

「右面一條甬道，是出這血池的密徑，逢彎右轉，即可安然而出，妳快些帶著他走吧！」

陳玄霜忽然泛升起一縷慚愧之色，說道：「妳對我一番情意，我會記在心中，日後自會報答於妳。」

梅絳雪也不理她，緩緩轉身對葛煒道：「這血池之中，已無可留戀之物、留戀之事，咱們也要走了。」

葛煒怔了一怔，道：「要到哪裡？」

梅絳雪道：「離開血池，找一個隱密的地方，去練武功。」

葛煒道：「練什麼武功？」

梅絳雪道：「羅玄遺下了甚多武功，我都沒有學會，要找一個清靜之處，把它練成，唉！他在遺囑之上，留下很多件事，要人去辦，誰學了他的武功，誰就要執行他的遺囑……」

葛煒奇道：「羅玄的遺書，不都已被妳焚毀了嗎？」

梅絳雪忽然回過頭來，微微一笑，道：「那些存書，雖也是羅玄手著，但都是些無關緊要之學，他一生中，真正體會出來的上乘武功，並未在那存書之中……」

葛煒看她笑容如花，婉艷動人，不由瞧得一呆。

梅絳雪似是已發覺葛煒對她相注之情，立時臉色一變，冷冷說道：「你這人心術不正……」

葛煒頓覺臉上一熱，急急垂下頭去。

語聲突然沉默下來，可聽到彼此間的步履之聲。

這時，葛煒似是已失去了主宰自己的能力，一切都聽憑梅絳雪的擺布，也不多問，緊隨在

梅絳雪身後行去。

梅絳雪回頭望了葛煒一眼，欲言又止，加快腳步向前行去，她似是深諳血池的出入之路，放腿而行，迅快異常。

葛煒緊隨梅絳雪身後，只覺她行速愈來愈快，穿行在伸手不見五指的狹窄甬道之中，一陣陣幽香，隨著她奔行帶起的風聲，飄了過來，撲鼻沁心。

奔行間，梅絳雪突然停了下來。

葛煒一個收勢不住，一下撞在她的身上，他對冷漠的梅絳雪已生敬畏之心，正待說幾句抱歉之言，忽然一隻柔軟滑膩的手掌，堵在自己嘴巴之上。

耳際間，響起了梅絳雪的聲音，道：「不要動，有人來了！」

凝神聽去，果聞得一陣輕微的步履之聲，傳了過來。

來人似是走得很慢，顯然對這甬道並不十分熟悉。

葛煒暗運功力，凝神戒備，只要一發覺來人，立時發出無影神拳。

但聞那步履聲逐漸接近，已然快到兩人身側，已隱隱可聞呼吸之聲。

梅絳雪忽然輕輕嘆息一聲，道：「這人受傷甚重，咱們過去瞧瞧吧！」

葛煒微微一怔，道：「姑娘怎麼知道？」

梅絳雪道：「我聽得出來。」

轉過了一個彎子，果然見一個人影，雙手扶著石壁，緩步向前走來，步履搖顫，似是雙臂已無法支撐沉重的身軀。

在幽暗的石道中，梅絳雪似是仍可看清楚那人的形貌，停下腳步，說道：「快些過去救他，這人是你的哥哥！」

聽得梅絳雪相告之言，葛煒立時奔了過來，仔細一看，果然不錯，那人正是他懸念不忘的哥哥葛煌。

手足深情，怎不關心，雙臂一展，抱起了葛煌，急急問道：「哥哥，你怎麼啦？」

只聽葛煌上氣不接下氣地說道：「我，我受了……重……傷……」

葛煒只覺一股熱血沖了上來，道：「什麼人傷了你，快告訴我？」

梅絳雪冷冷說道：「他此刻傷勢甚重，豈是你問話之時，快些點了他的暈穴，別再讓他多耗元氣，待出了這甬道之後，先行療治他的傷勢，再問他的話不遲。」

對梅絳雪的一言一字，葛煒無不奉若聖旨，最主要的，還是他已對嬌若春花的梅絳雪，生出了一縷由慕生愛之心，是以對她的每一句話，無不奉若神明，當下點了葛煌的暈穴，抱入懷中。

梅絳雪似是對這甬道十分熟悉，只見左彎右轉，不足一頓飯工夫，已然可見天日。

出口處，是一處懸崖峭壁，仰首上看，不下數十丈，而且壁面如削，滑不留足，除了施展壁虎功游上峭壁之外，再好的輕功，也是難以攀登。

下臨深淵，不下百丈，日正當中，光投谷底，看谷底怪石嶙峋，如刀如劍，人若摔下去，勢非粉身碎骨不可。

梅絳雪緩緩回過頭來，她的臉色，仍是一片冰冷，目光一掠葛煒懷抱的葛煌，道：「不要緊，他傷勢雖重，但還可有救，你在這谷口等我上了峭壁，再放下一道垂索來，接你們兄弟上去。」

也不待葛煒答話，一提真氣，探首洞外，背貼石壁，直向上面游去。

葛煒眼看她有如水中之魚，動作迅快異常，片刻之間人已游到峰頂，失去了蹤跡。

他心中忽然一凜，暗道：「此人對我一直冷若冰霜，如想擺脫我，借機遁去，把我和重傷的哥哥，丟在這洞口之處，怎生是好？」

正忖思間，忽見白影一閃，一條絹索垂了下來，飄蕩在洞口之處。

峰頂上傳來了梅絳雪的聲音，道：「你抓牢絹索，我拉你們上來，你哥哥傷勢很重，要小心一些。」

葛煒心頭一喜，大聲應道：「姑娘放心。」

左手緊抱著葛煌，右手抓住絹索。

但見絹索疾快地向上升起，剛剛升起丈許，突聽一陣海嘯山崩般的大震，一股強猛無比的陰風，由洞口湧了出來，風勢之大，直似拔山動地。

葛煒心頭一震，暗道：「好險，只要再晚上一會兒工夫，我們三人誰也別想活了。」

只覺絹索上升之勢，愈來愈快，片刻之間，已到了峰頂之上。

一上峰頂，即聞梅絳雪說道：「快放下你哥哥，瞧瞧他的傷勢如何？」

她外形之上，雖然冷若冰霜，但心地卻是十分善良。

葛煒緩緩放下懷抱中的葛煌，只見梅絳雪素手輕揮，推活了葛煌的穴道，問道：「你可是和人家硬拚掌力，受震而傷的嗎？」

葛煌慢慢地睜開了雙目，望了梅絳雪一眼，愕然問道：「妳是誰？我弟弟哪裡去了？」
葛煒急急接道：「我在此。」
葛煌轉臉望了葛煒一眼，道：「弟弟，這位姑娘是什麼人？」
葛煒急道：「這位是梅姑娘，咱們的性命，都是梅姑娘所救，快答覆她的問話！」
葛煌微微一愕，點點頭答道：「正是和人硬拚掌力，震傷了內腑……」
梅絳雪道：「夠啦！不用再說了，閉上眼睛，我推活你幾處穴道，再服一粒靈丹，就可以復原了。」
她的言詞之間，似是有一股不可抗拒的力量，叫人無法不聽，葛煌只好依言閉上雙目。
但覺一雙滑膩的手掌，在身上幾處移動，凡是她掌指所到之處，必然有一股熱流，攻入穴道之中，催迫行血。
葛煒偷眼瞧去，只見梅絳雪玉腕勝雪，纖纖十指，不停地在哥哥身上移動，心中大是羨慕，暗道：「如若能和她常在一起，我非要找個受傷之機不可……」
心念轉動之間，突聽幾聲冷笑傳了過來。
轉目望去，只見一個藍衣少女，背插寶劍，手中拿著形如鹿角、赤紅似火的怪兵刃，卓立在山峰一角。
那人正是那冥嶽嶽主門下的首座弟子唐文娟。
葛煒忙伸手撿起了兩塊山石，一躍而起，蓄勢戒備，因爲怕打擾了梅絳雪替哥哥療傷，也不敢出言喝叫。
唐文娟突然怒聲喝道：「梅絳雪，妳抬頭看看誰來了！」

梅絳雪雙手十指，疾快絕倫地又移推三處穴道，才緩緩抬頭打量了唐文娟一眼，道：「妳還沒有被那冥嶽嶽主殺掉嗎？」

重又低下頭去，迅快地取出一個玉瓶，倒出了一粒丹丸，放入葛煌口中。

過去同在冥嶽之時，唐文娟權威甚高，梅絳雪見她之時，不但要肅然行禮，而且有問必答，此刻她這般冷漠，大傷了唐文娟的尊嚴。

只聽她嬌叱一聲，急撲過來。

葛煒早已蓄勢戒備，看她急急撲來，立時大喝一聲，右手中握著的兩塊山石，一齊打出，左手一揚，同時發出了一記無影神拳。

唐文娟冷笑一聲，右手中那赤紅似火，形如鹿角的兵刃，隨手一揮，兩塊山石，盡被彈震開去，正待欺身而進，突覺一股暗勁，直襲而上，立時一側肩頭，施出了卸字訣，巧妙異常地把那一股勁力化去，緊接著欺身而上。

葛煒手中空無兵刃，但所學宏博，身子一轉，施展空手入白刃的武功，迎了上去。

只聽梅絳雪嬌脆冷漠的聲音，起自身後，道：「你退下來！」

葛煒的心神，似已爲梅絳雪所懾，聽得她喝叫之聲，想也未想，立時縱身而退。

唐文娟突然左手一翻，拔出了背上長劍，日光下，寒芒森森奪目。

梅絳雪冷笑一聲，道：「這是他的兵刃，快還給我！」

唐文娟冷漠一笑道：「他是誰呀？」

梅絳雪道：「方兆南。」說得自自然然，毫無羞怩之態。

唐文娟目光轉動，打量了葛煒、葛煌一眼，道：「這兩少年，又是誰呢？」

梅絳雪道：「妳管不著！」

唐文娟道：「可是妳移情別戀，不要那姓方的了？」

梅絳雪聳了聳秀眉，道：「妳胡說什麼？我已和他對月締盟，終身相許，豈能隨便移情？」

唐文娟格格大笑道：「好柔情的三師妹……」

聲音突轉冷漠，接道：「妳對他一片癡情，可是妳知道人家還要不要你？」

梅絳雪道：「我怎會知道他要不要我，這是他的事，與我何干，倒是妳小心了，我要替他奪劍！」

喝聲中，人影一閃，已到了唐文娟的身側，素手一揮，抓向她握劍左腕。

唐文娟料不到她來得這般神速，心頭大吃一驚，縱身一躍，向後退去。

梅絳雪冷冷喝道：「妳還能退得了嗎？」如影隨形般，疾追而上。

唐文娟左手一沉，右手那形如鹿角的奇形兵刃，橫裡擊了過來。

梅絳雪揚手一指，一縷尖厲的指風，指向唐文娟右臂上的「曲池穴」。

形勢迫得唐文娟不得不中止下擊之勢，又向後倒躍而退。

哪知她身子尚未躍起，左腕已被梅絳雪五指扣上，但覺左手一麻，手中的青龍寶劍，已到了梅絳雪的手中。

這一手奪劍手法，武林中罕聞罕見，一側觀戰的葛煒、葛煌，不禁看得一呆。

梅絳雪奪了唐文娟手中寶劍，寒鋒一轉，冷森森的劍芒，逼指到唐文娟的前胸之上，說道：「我此刻如若殺妳，只不過舉手之勞！」

五指一鬆，放開了唐文娟，道：「不過我不願殺妳，妳快些去吧！」

唐文娟呆了一呆，嘆道：「想不到半年時光，師妹的武功，竟有了這等進境，憶同在冥嶽之時，我似是還略高師妹一籌。」

梅絳雪道：「過去咱們姐妹相稱，但現在不行了，妳以後別再這般叫我，快些走吧！」

唐文娟從頭到腳地打量了梅絳雪一眼，道：「爲什麼？」

梅絳雪冷笑一聲，道：「自然是有原因了，冥嶽嶽主，從師羅玄學藝，咱們這一脈武功，都是羅玄的門下了，我被妳們逼入血池，得遇羅玄。他已把我收歸門下，遺詔上寫得明明白白，他一生中，雖然收過弟子，傳過武功，但這些人都已經被他逐出門牆，我是他最後收入門下的一個弟子，但也是他唯一的繼承弟子。

「他雖然未創立宗派，別立門戶，但出自羅玄門下之人，都應該奉我爲主，咱們今昔身分，已然大不相同，別說是妳，縱然是冥嶽嶽主，論師承道統，她也該讓我幾分……」

她微微一頓，又道：「念咱們相處過一段時間，今日我網開一面，不傷害妳，快些去吧！這柄劍既非妳之物，那就由我暫時保存，日後遇上原劍主人之時，我再代妳還他就是。」

唐文娟似是已被梅絳雪的武功、氣度所懾，不敢再出言反駁，轉過身子，急步而去。

梅絳雪真的不再理會唐文娟，手提寶劍，逕自下山而去。

葛煒低聲對葛煌說道：「咱們追上去，她要走了。」

葛煌奇道：「縱然要走，也該給咱們打個招呼再走不遲。」

葛煒道：「她生性異常冷漠，說一不二，出口之言，不論遇上何等險苦的事，也是不肯避讓，咱們得快些追上去了。」

葛煌應了一聲，遙遙相隨在梅絳雪身後而行。

梅絳雪也不迴避，生似不知兩人隨行一般，一口氣走出了七、八里路，才陡然停了下來，目光一掠兩人道：「你們兩個人跟著我幹什麼？」

葛煒先是一怔，繼而淡然一笑，道：「我們遠遠相隨，以便保護姑娘。」

梅絳雪道：「男女授受不親，你們兩個大男人，緊跟著我走，如何能行，世界這等遼闊，何處不可安身，日下你們危境已度，不用再跟我走啦！」

葛煒突然長長嘆息一聲，道：「姑娘認爲在下緊隨不捨，只是爲了想躲在姑娘的翼護之下嗎？」

梅絳雪道：「這我怎麼知道？」

葛煒道：「在下相隨姑娘，心懷兩大目的。」

梅絳雪道：「說來聽聽。」

葛煒道：「我和哥哥，學了這麼龐雜的武功，不解之處甚多，常和姑娘在一起，也好討教一、二，再者，常伴姑娘身側，聽候差遣，乃在下一大心願……」

說話時兩道眼神凝注在梅絳雪粉臉之上，眉宇間，流露出無限企求之情。

梅絳雪呆了一呆，道：「不行，年輕男女，如何能長久相處，日後傳到江湖之上，定然要惹出甚多閒話。」

轉過身子，急急向前奔去。

葛煒回頭望了哥哥一眼，放腿而追。

葛煌緊隨葛煒身後，三人風馳電掣一般，一口氣跑出了十幾里路。

翻越過兩座山嶺，到了山口處，只見一座大樹之下，坐著一男一女，正是方兆南和陳玄霜。

兩人似是極為疲倦，倚在樹上，熟睡了過去。

梅絳雪心頭微微一震，緩步走近大樹下面，只見兩人雙目緊閉，鼻息輕微，睡得似是甚為香甜。

陳玄霜的身側放著長劍，樹上血跡斑斑。

顯然不久之前，在這大樹之下，經過了一場劇烈的戰鬥，兩人雖把強敵擊退，但人也累得疲勞難支，倚樹熟睡了過去。

熟睡的陳玄霜，忽然睜開雙目，一躍而起，呼的一掌，直劈過來。

梅絳雪嬌身閃動，避開了一掌，順手把長劍投了過去，冷然說道：「妳赤手空拳，打我不過，還是用兵刃吧！」

陳玄霜接過寶劍，卻凝立不動，雙目暴射而出的忿怒，也緩緩消失了，說道：「妳來了多久了？」

梅絳雪道：「如若我要殺妳，妳就是有十條命，也早已被我殺光了！」

陳玄霜伏下身去，背起了方兆南，說道：「日後你犯在我的手中，我也會饒妳一次不死，補報今日之情。」轉身急急奔去。

梅絳雪嬌軀連閃，衣袖飄動，幾個飛躍，超越過了陳玄霜，回身攔住了去路，道：「不要

慌走。」

陳玄霜舉劍劈去，倏忽之間，連攻五招。

這五劍，劍劍如電光石火，迅快辛辣，幻起了一片森寒的劍芒。

梅絳雪卻未還一招，嬌軀閃動，穿行在森寒的劍光中，靈巧異常地避開了五劍，搖手喝道：「妳先別動手，我有話要說！」

陳玄霜道：「什麼話？快些說！」

梅絳雪道：「妳的劍術雖然詭異，變化莫可捉摸，但卻是源出羅玄一門，別人或可被妳詭奇的劍招所傷，但卻沒法傷害到我，如若咱們打起來，妳絕然打不過我。」

陳玄霜適才攻出的五劍，無一不是腦中所記的精奇之學，梅絳雪竟然能憑藉移形換位的身法，避了開去，不爲劍勢所傷，知她所言非虛，當下默然不語。

梅絳雪忽然長嘆一聲，接道：「咱們無怨無仇，妳心中卻恨我入骨，自然是爲了方兆南啦！其實，我早已是他的妻子，妳生生奪去了我的丈夫，反是我應該恨妳才對……」

陳玄霜怒道：「妳胡說什麼？我師兄幾時娶妳了，我怎麼沒有聽他說過？」

梅絳雪道：「我們指月對天締盟，有青天明月爲證，還能假得了嗎？」

陳玄霜道：「我不信妳的鬼話，如妳所言是真，我師兄早就會告訴我了。」

梅絳雪一皺眉頭，道：「妳不信的話，那也是沒有法子的事……」

她長長嘆息一聲，繼道：「不管妳信與不信，我今生已是方門中人，烈女不事二夫，我梅絳雪是何等人物……」

陳玄霜尖聲叫道：「我不要聽了，不要再說下去，妳說的盡都是騙人的鬼話！」

右手揮劍，幻起重重劍影，疾向前面衝去。

梅絳雪嬌軀一閃，讓開了一條去路，高聲說道：「等他清醒之時，妳不妨問問他，是真或是假。」

但見陳玄霜去勢如電，頭也不回，倏忽之間，已走得蹤影不見。

梅絳雪直待兩人的背影完全消失，才回過頭來。

只見葛煒、葛煌遠立在數丈之外，衣袖飄飄隨風擺舞，心頭一股怒火，不自禁地發在兩人身上，怒聲喝道：「你們兩個再跟著我，當心腦袋搬家！」

轉身向東而去。

這次她走得十分緩慢，走約三、四里，果然已不見葛煒、葛煌。

且說陳玄霜強忍了心頭急忿，放腿跑出了十幾里路，不見身後有人追來，才停下身子，找了一處僻靜所在，放下方兆南，推拿了他幾處穴道。

只聽方兆南長長嘆息一聲，緩緩睜開雙目，說道：「那些人都走了嗎？」

陳玄霜沒有好氣地說道：「都被我打跑了！如若我要是打不過那些人，咱們兩個都被他們殺死了，那還好些。」

方兆南怔了一怔，道：「師妹這話……」

兩人相對沉默了良久，陳玄霜終是忍耐不住，瞥了方兆南一眼，道：「你娶了妻子嗎？」

方兆南愕然應道：「沒有的事，此言從何說起？」

陳玄霜道：「哼！人家說得活龍活現，還會是假的不成？」

方兆南奇道：「什麼人說的？」

陳玄霜道：「梅絳雪！」

方兆南緩緩抬起頭來，望了陳玄霜一眼，暗暗忖道：「那一夜寒水潭對月締盟一事，原爲形勢所迫，但如不直說，只怕難以消師妹心中疑竇，倒不如把那日經過之事，對她說個明白才好。」

心念一轉，長嘆說道：「梅姑娘說是我的妻子，也非無因而起！」

陳玄霜道：「哼！那她說的全是實話了？」

方兆南道：「這其間一段曲折之情，說來甚是令人難信……」

方兆南略一沉吟，詳盡把那日對月締盟之事，說了一遍。

陳玄霜冷哼一聲，道：「終身大事豈能當做玩笑，那夜你就不該答應她！」

方兆南道：「一時通權應變，誰料她竟然當真。」

陳玄霜垂下頭去，沉思了片刻，突然抬起頭來，兩隻圓圓的大眼睛，凝注到方兆南的臉上，一字一句地問道：「我問你，你準備把我怎麼樣？」

方兆南怔了一怔，道：「師妹此言，好叫小兄費解？」

陳玄霜忽然流下淚來，說道：「我從小就孤苦伶仃，有娘生沒娘教，可憐我連母親什麼樣子，都想不起來，跟著我那性情古怪的爺爺長大。他對我雖然也很愛護，但他身患殘疾，生性孤僻，兩、三天中，也難和我說一句話……」

陳玄霜舉起衣袖，擦拭一下臉上的淚痕，道：「如今連我爺爺已經死了，這茫茫人世之上，我只有你一個親人了。」

方兆南道：「只要我能夠活在世上，定當善爲照顧師妹。」

陳玄霜長嘆一聲，道：「其實，你如死了，那還比活著好些。」

方兆南愕然問道：「爲什麼？」

陳玄霜道：「你死了，我誓難獨生人世，也不怕梅絳雪搶你去啦！」

方兆南心中大爲感動，正想說幾句慰藉之言，忽然又想起青梅竹馬，一起長大的周蕙瑛來，趕忙把欲待出口之言，重又嚥了下去。

心中暗暗忖道：「寒水潭對月締盟之事，梅絳雪竟然認起真來，到處自認已是我方門中人，如若再錯說一、兩句話，只怕又要找來一場麻煩。」

一硬心腸，轉頭望著遠天一朵飄移的雲彩，默然不語。

陳玄霜望著方兆南冷漠的背影，忍不住雙目中淚水如泉，神情激動，緩緩說道：「你心中早就嫌棄我了，只不過顧念我對你有救命之恩，不好說出口來罷了！」

方兆南如若回過頭來，看一看陳玄霜激動的神情，和她因失望泛起的殺機，必然感覺到事態嚴重。

偏偏他心有所思，裝出一副冷漠無情的模樣，連頭也不回一下。

陳玄霜久久不聽他回答之言，心中更是忿怒，冷冷地說道：「你還記得我講過的一句話嗎？」

方兆南道：「什麼話？」

陳玄霜道：「只要你活一天，就沒法子離得開我。」

方兆南聽得一愣，道：「師妹……」

陳玄霜冷漠一笑，道：「你慢慢就知道了！」

突然伸手一指，點了方兆南的暈穴。

五一 玄霜遇合

不知過了多少時間，方兆南忽覺穴道被解。

他睜眼瞧去，只見面前擺著一盤牛肉，兩個饅頭，和一碗清茶。

陳玄霜笑意盈盈地坐在他的身側。

方兆南腹中雖然饑餓，但他心中疑竇重重，哪裡能食用得下，抬起頭來，望著陳玄霜道：「師妹，這是怎麼回事？」

陳玄霜點頭笑道：「你快些吃啦！吃飽了咱們還要趕路。」

方兆南道：「咱們要到哪裡去？我必須要早些找個清靜地方，療養傷勢，還得要趕赴覺夢、覺非兩位大師之約。」

陳玄霜奇道：「這兩個名字似非普通之人？」

方兆南道：「他們是少林一派中僅餘的兩位前輩。」

陳玄霜仰起臉來，道：「你已經一天沒進飲食，有什麼話，吃完了再說不遲。」

方兆南暗裡觀察，發覺了陳玄霜性格大變，短短的時光中判若兩人，她似乎已有了堅強的獨立性格，不像以往那樣情意纏綿。

他心中暗暗歡喜，也就不再多問，狼吞虎嚥般，匆匆食畢。

陳玄霜微微一笑，道：「夠了嗎？」

方兆南道：「夠啦！」

陳玄霜伸手一指，又向方兆南暈穴上面點去，方兆南欲待喝問，話還沒有出口，穴道已經被點中。

就這般糊糊塗塗地一連數次，每次都有陳玄霜替他備好了食用之物，拍活他的穴道，催他快些食用，食用完畢，立時又點了他的暈穴。

他只覺每次清醒後進食之處，都不相同，問起陳玄霜此時行止何處，爲什麼要點他暈穴，陳玄霜總是支吾以對，不肯坦言相告。

這次，方兆南又被拍活了穴道，睜眼一看，不禁心頭大駭。

原來他的雙腿雙臂，都被鐵鍊鎖起，胸腰之間，也被一條牛筋捆著，那鐵鍊和牛筋的長度，剛好可讓他變換一下坐臥的姿勢。

除此之外，再難移動，陳玄霜的寶劍、衣物就放在身前不遠之處，但人卻跑得不知去向。

他意會到命運已把他帶入另一個新奇的境遇裡去，這境遇充滿著漫漫歲月的折磨。

他緩緩閉上雙目，運氣調息，勉強壓制下心中的忿怒激動。

大約過了一頓飯工夫之久，突然步履之聲，傳了過來。

睜眼看去，只見陳玄霜滿臉笑容，一身新裝，緩步走了進來，側臉望了方兆南一眼，笑道：「方師兄，你幾時醒來的？」

這時，方兆南已恢復了鎮靜。

他反覆思量眼下形勢，自己激動和惱怒，不但於事無補，反將使陳玄霜暗自得意，當下淡淡一笑，道：「我醒來很久了。」

陳玄霜慢慢蹲下身，嬌柔一笑，道：「你現在雙腿雙臂都已被鐵鍊鎖起，吃飯穿衣都得我幫助你了！」

方兆南極力使聲音保持著平靜，溫和地說道：「師妹把我重重鎖綁於此，不知是何用心？」

陳玄霜微微一笑，道：「這還用問嗎？是我怕你變了心，唉！我要和你常相廝守，永不分離，只有用這個法子了。」

方兆南心中暗暗忖道：「她一個涉世未深的少女，忽發奇想，做出了此等之事，如若言詞間咄咄逼迫於她，只怕要引起她更偏激的舉動，看來此事，急它不得，只有慢慢地設法勸解於她了。」

只聽陳玄霜柔聲說道：「我雖然沒有鎖鍊加身，但卻要日夜留在這裡陪你。」

方兆南搖搖頭嘆息道：「師妹，妳這是何苦呢？」

陳玄霜道：「你不要急，我已看好了另一處長住的地方，那裡風景宜人，草長花香，過兩天我備好了食用之物，咱們就去。」

方兆南道：「你把我的雙腿雙臂全都鎖了起來，再好的景物，我也難以欣賞，留在此地也是一樣。」

陳玄霜道：「不要緊，等我準備妥當之後，就解開你身的上的繩鎖，只用一條長長的鐵鍊，把你鎖起，你就可以自由行動了，不過距離只能限定於方圓百步之內。」

方兆南奇道：「妳還要準備什麼？」

只見陳玄霜秀眉聳了一聳，笑道：「為了不讓你逃走，當你身上的繩鎖鐵鍊解開時，你的武功都已被我廢去了。」

方兆南吃了一驚，道：「什麼？妳要廢去我的武功？」

陳玄霜道：「你不用再會武功了，吃飯穿衣，都有我照顧於你，你還要武功做什麼？」

方兆南暗暗忖道：「最狠婦人心，看來果是不錯。」

他垂下了頭，默然不語。

陳玄霜柔聲說：「方師兄，你心裡恨我嗎？」

方兆南緩緩抬起頭來，說道：「在下這條命乃姑娘所救，如果再傷在姑娘手中，那也是甚為公平之事。」

陳玄霜呆了一呆，道：「你想自絕嗎？」

方兆南淒苦的一笑，道：「妳如當真地廢了我全身武功，我縱然生在人世，也沒有什麼意義了。」

陳玄霜道：「爺爺死前，常對我說，如我想過一輩子快活生活，那就不要再學武功，隱身林泉，做一個漁村漁婦，棄離江湖生涯，不要再和武林中人物來往，現在想來，爺爺的話，一點不錯……」

方兆南道：「話雖不錯，可惜是為時已晚，咱們已經被捲入了江湖的是非之中，縱不找人，人亦將找妳，想跳出江湖是非，談何容易。」

陳玄霜笑道：「所以我要找一處僻靜的山野，以避人耳目，天下之大，何處不可以安身立命，等我們有了孩子……」

忽覺一陣羞意，泛上心頭，盈盈一笑，垂頭不言。

方兆南卻是愈聽愈是驚心，但四肢加鎖，傷勢未癒，縱有逃走之心，卻是無逃走之能。他輕輕嘆息一聲，緩緩別過頭去，暗道：「她的作為雖是離奇荒唐，但卻是心摯意誠，怎麼想個法兒，勸服於她才好。」

匆匆時光，方兆南在鎖鍊加身中，愁苦地度過了三日三夜。

在這三日夜中，陳玄霜對待他極盡溫柔，換衣吃飯，服侍得無微不至。夜晚間設榻身側，伴他相眠，除了那繫身的鐵鍊、索縛之外，幾對他任何的吩咐，無不悉心料理。

經過了數日夜的養息，方兆南自覺功力、體能都恢復甚多，心中暗自盤算道：「明日要想個法子，把她差遣出去，然後試試看能否震斷鎖鍊。」

次晨天亮，方兆南故作歡愉之容，一掃幾日來的愁眉苦臉，柔聲對陳玄霜道：「師妹，這裡是什麼地方？看來像是一座突岩之下。」

陳玄霜道：「不錯，這突岩在一座插天絕峰的山腰之間，下臨百丈懸崖。」

方兆南道：「師妹曾經提過，有一處風景絕佳之處，不知距此多遠？」

陳玄霜笑道：「近得很，就在咱們這座山峰後面一座峰頂之上。」

方兆南道：「不知師妹幾時要遷居後面峰頂之上？」

陳玄霜道：「我要在那山峰之上搭建一座木房，以供你宿住之用。」

方兆南心中暗喜，急急說道：「不知師妹幾時動手？」

陳玄霜長嘆一聲，道：「早想要去做了，但因你行動不便，我不忍離開。」

方兆南笑道：「妳快些去吧！早些做成了，咱們早搬過去。」

陳玄霜略一沉吟，道：「既是如此，我今天就去。」

方兆南怕激起她的疑心，不敢再催迫於她。

陳玄霜在方兆南身側，擺好了食用之物和水壺，帶了刀斧而去。

方兆南待她去遠之後，暗中提聚真氣，猛力一掙，想把身上的鐵鍊掙斷，哪知鐵鍊堅度甚深，方兆南用盡了氣力一掙，竟是掙它不斷。

他長長吁了一口氣，又再暗運功力，每覺氣力充沛之時，就用力一掙兩臂的鐵鍊，他堅信憑藉自己的功力，震斷鐵鍊，並非什麼難事。

哪知足足耗去了半日工夫，兩條鐵鍊，仍然是完好如初，心中大為奇怪，暗道：「是我功力未復，還是這鐵鍊打製得特別？」

凝目望去，只見那粗如小指的鐵環內，隱隱泛現出金黃之色，也不知加入了何物打成。

他雖然發覺鐵鍊有異，但仍然不肯死心，不停地調息內力，不停地用力掙扎。

當他又一次運功完畢，準備掙動鐵鍊時，目光掃處，忽見一個身著黑衣，背插長劍，臉長如馬，蒼白得沒有一點血色的人，站在突岩出口處。

方兆南不禁心頭一震，問道：「你是誰？」

那人像是未曾聽得方兆南喝問之言，緩步向前走了過來。

方兆南心頭大為焦急，暗暗忖道：「看他一身詭異的裝束，和那陰沉的臉色，定然是一個

心地險惡，手段毒辣之人，絕然不會放得過我，看來今日是死定了！」

一面忖思，一面暗中運氣戒備，雖然明知無能抗拒，但又不願坐以待斃，準備在對方出手傷害自己之時，全力出手反擊。

只見那黑衣怪人緩緩來到一處陰暗的角落之中，盤膝坐了下去，問道：「你是想死呢？還是想活？」

他說話時，目光望著突岩口外。

方兆南左顧右盼了一陣，瞧來瞧去，不見有人，忍不住說道：「你可是和在下說話嗎？」

那黑衣長臉之人冷冷一笑，道：「不是和你說話，難道老夫是自己問自己嗎？」

方兆南重重咳了一聲，道：「想死怎樣，想活又要如何？」

那黑衣人冷然一笑，道：「想死嘛！容易得很，老夫就以你做為靶子，演習一下我的御劍之術，想活嗎？那就老老實實答覆老夫的問話！」

方兆南暗暗忖道：「我雙腿雙臂，都被繩索捆起，雖有抗拒之心，但卻無抗拒之能，如若糊糊塗塗地被他殺死，未免太冤枉了。」

心念一轉，反唇問道：「那要看你問些什麼話，在下才能決定該死該活。」

黑衣人道：「老夫問話簡單得很，但你如答上一字虛言，那就別再想活了。」

方兆南道：「生死何足畏，你問吧！」

那黑衣人道：「這座山窟之中，可住有一位姑娘嗎？」

方兆南道：「你怎麼知道？」

黑衣人道：「我看到了她的人，又見到這室內存放著她的衣服，故而推論她住在此地。」

方兆南道：「你既然知道了，爲什麼還要問我呢？」

黑衣人雙目閃動起冷電一般的神光，凝注在方兆南的臉上，冷然說道：「如若在平常之時，你有十條命，也早傷亡在老夫的劍下了！」

方兆南道：「你今日又爲何不敢殺我了呢？」

黑衣人陰沉一笑，道：「有何不敢，只因老夫不願血染石窟罷了。」

隨手拾起一塊石子，投了過來。

方兆南看石子來向，正擊向自己的十二麻穴之一，但因手腳被綁，無能反抗，匆忙之間，一張口，咬住了石子。

石子雖然被他咬住，但卻覺得牙齒震動，幾乎被那石子把牙齒震落，心中吃了一驚，暗道：「這人好大的手勁！」

忖思之間，又有三塊石子，飛了過來。

方兆南再無法讓避，被一粒石塊擊在麻穴之上，登時全身痠軟，癱瘓在地上，但他的神志，仍然保持著清醒，只是身不能動，口不能言。

那黑衣人飛石擊中了方兆南之後，盤膝坐在石窟一角，閉上雙目，運氣調息。

時光在悄然中溜去，看岩口外的陽光，逐漸地移去，石窟中更顯得黑暗下來。

忽然，外面響起了一陣輕快的步履之聲。

石窟外傳入一個清脆的聲音，道：「方哥哥，我替你採了一束花兒。」

隨著那喝叫之聲，奔進來高捲袖管的陳玄霜。

方兆南心中雖想示警於她，但苦於身不能動，口不能言，只有心裡發急。

陳玄霜望了靜靜躺在石地上的方兆南一眼，忽然長長嘆息一聲，緩步走了過去，把手中那束野花，放在他的身側，輕揮素手，在他身上拍了兩下，道：「師兄，你睡著了嗎？」

方兆南中石倒臥之時，剛好把左臂鎖住的鐵鍊，帶在臉上，無巧不巧地把兩隻眼睛遮了起來，方兆南目光由鐵鍊下面空隙中透視出來，把陳玄霜的一舉一動，看得甚是清楚。

陳玄霜卻無法看到他睜著的一雙眼睛，還道他當真的睡熟了。

那盤膝坐在一角的黑衣長臉之人，突然站了起來，無聲無息地走了過來，悄然無聲地站在陳玄霜的身後。

只見那黑衣長臉之人，緩緩伸出枯瘦的手掌，向陳玄霜肩頭之上抓去。

陳玄霜卻仍然深情款款地蹲在方兆南的身側，不知大危之將至。

忽覺肩上一麻，肩井大穴已然被人扣住。

那人指力強猛，陳玄霜穴道被扣，立時不能動彈。

只聽一個森沉的冷笑，由身後傳了過來，說道：「這人是妳的什麼人？妳竟然對他這般的親熱？」

連番身歷大變，使這位涉世未深的女孩子，竟然也有了極深的城府，臨危不亂，暗中提聚真氣，準備猝然反擊。

表面之上，卻是絲毫不動聲色，冷冷地說道：「你是什麼人？」

那森冷的聲音接道：「老夫在問妳！」

陳玄霜答非所問的說道：「那一定是你點了我師兄的穴道了。」

心中卻暗自責道：「陳玄霜，陳玄霜！妳實在夠笨了，在這等情形之下，他如何還能夠睡得著?縱是真睡熟了，妳這般呼叫於他，還不早已把他吵醒了嗎?」

只聽那黑衣人一陣嘿嘿冷笑，道：「這人是妳的師兄了?」

陳玄霜覺得被扣的要穴之上，指力愈來愈重。

顯然對方已經發覺自己的功力深厚，恐怕突然反擊，眼下必須設法鬆懈他防備之心，再找出手之機。

陳玄霜當下答道：「不錯，他是我的師兄。」

黑衣人道：「這石窟之中，只有你們兩個人嗎?」

陳玄霜道：「除你之外，只有我們兩個人了。」

黑衣人聲音突轉冷厲道：「女孩子家言詞最好是溫柔一些，難道欺老夫寶劍不利嗎?」

陳玄霜道：「你這般暗中偷襲，一舉拿住了別人的穴道，舉止有欠光明，算得是什麼英雄人物?」

黑衣人哈哈一笑，道：「鬼丫頭口齒雖利，但老夫是何等人物，豈會爲妳言詞所激……」

微微一頓接道：「什麼人把妳師兄鎖在這石窟之中?」

陳玄霜暗暗忖道：「他這般嘮嘮叨叨追問，不理他只怕引起他的疑心。」

緩緩回道：「是我把他鎖在這裡的!」

她暗中運氣，突然一甩肩膀。

哪知黑衣人指力奇重驚人，陳玄霜不但未能甩開，反覺他指力又加重了甚多，「肩井」大穴上一陣痲疼，全身勁力頓消。

那森冷的聲音，又從身後傳了過來，道：「老夫是何等人物，豈會爲妳詭計所欺，再要企

圖掙逃，那可是自尋死路。」

陳玄霜心中一動，說道：「你放開我，咱們各以武功相搏，你如能勝了我，我就服你。」

黑衣人道：「想要我放開妳，並非難事，但需得事先把話說明，老夫不願施強迫和殘酷的手段迫妳就範，但如妳敗在了老夫的手中，必須答應老夫三個條件。」

陳玄霜急於脫身，當下說道：「你如能憑藉真實武功勝我，別說三個條件，就是三十件我也依你，甚麼條件，你說吧！」

黑衣人道：「這第一件，妳要拜我爲師。」

陳玄霜在這段時光之中，目睹江湖上的險惡，心機增長甚多，避重就輕地問道：「第二件呢？」

黑衣人道：「立刻殺死妳的師兄！」

陳玄霜呆了一呆，道：「第三件事呢？」

黑衣人道：「立下重誓，遵守我們幽冥一教的教規，本教第一條，乃一切奉獻師長，不論我要妳做什麼事，妳都不得質疑反抗。」

陳玄霜暗道：「這算什麼教規？」

黑衣人道：「不答應也得答應，老夫還可以免除一番手腳，不用和妳動手了。」

陳玄霜打了個寒顫，暗忖道：「在此等情形之下，我們無疑如待宰的羔羊，只有任人擺布了，倒不如暫時答應他，先獲得一戰之機再說。」

她略一沉吟，道：「除了第二條之外，我都答應。」

那黑衣人縱聲大笑，其聲尖厲，有如傷禽怒嘯，山壁回音，滿室盡都是大笑之聲，良久時

光，那笑聲才停了下來，說道：「妳可是捨不得殺了他嗎？」

陳玄霜道：「我們師兄妹長久相處，自是難免有些情意，有什麼好笑的？」

黑衣人道：「老夫急需尋一個衣缽傳人，妳的天賦容貌，都是上上之選，姑予破格優容，其實妳不肯親手殺他，他也是一樣難以逃得性命！」

緩緩鬆開了扣拿在陳玄霜「肩井」大穴上的五指。

陳玄霜周身穴脈一暢，立時飛起一腳，踢活了方兆南的穴道，霍然轉過身子。

那黑衣人輕功奇妙，動作如電，五指一離開陳玄霜肩井穴，立時向後疾躍而退，動作迅快，不帶一點風聲。

陳玄霜星波電閃，打量那黑衣人一眼，暗道：「這人好生難看！」

只聽那黑衣人冷厲的一笑，道：「老夫給妳個動手的機會，但妳如敗在我的手中，又該如何？」

陳玄霜沉吟了片刻，道：「我不善赤手和人相搏，你如自信能夠絕對勝我，咱們用兵刃動手如何？」

她在這些時日之中，連番和人動手相搏，對自己的劍術，已有了甚深的信心。

那黑衣人道：「不論拳腳兵刃，老夫都可以奉陪，但妳必得先答應老夫一件事，那就是妳敗在老夫手中之後，要拜在老夫的門下。」

陳玄霜道：「你如敗了呢？」

黑衣人道：「老夫回頭就走！」

陳玄霜道：「只怕到那時候，已經走不了啦！」

黑衣人雙眉一聳，怒道：「鬼丫頭出爾反爾，看來是難以用溫和之法，使妳就範了！」肩頭一晃，人已直欺過來，身法奇快，無與倫比。

陳玄霜長劍和衣物，存在石室一角，急於取劍拒敵，嬌軀一閃，從斜裡飛開五步，直向放劍之處衝去。

那黑衣人似是已智珠在握，並未飛身攔截，反而停下腳步，等她取劍。

陳玄霜取劍在手，精神一振，手按機簧，拔出長劍，冷笑一聲道：「你快亮兵刃吧！」

黑衣人哈哈一笑，道：「老夫如若用劍勝妳，如何還能爲妳之師？」

陳玄霜長劍一揮，閃起了一道銀虹，說道：「你自己不用兵刃，傷在我的劍下，那可是自找之禍！」

長劍一探，身隨劍進，一招「天女揮戈」，劍尖上暴閃三朵劍花，分刺那黑衣人三處大穴。

她出手一劍，顯然使那黑衣人心頭爲之震動，身子疾快地閃向一側。

陳玄霜疾衝而上，長劍左右揮掃，幻化起漫天的精芒，連攻七劍。

但那黑衣人身法飄忽，有如隨風柳絮，不論陳玄霜的劍勢如何的迅快，但他均能閃避過去。

陳玄霜收住劍勢，冷冷說道：「你爲什麼不敢還手？」

忽然發現那黑衣人蒼白的臉上，隱隱泛升起一層紫氣，籠罩於眉宇雙目之間。

黑衣人緩緩點頭，答非所問地接道：「妳的功力和劍招，都大出了我的意料之外……」

他森冷一笑，接道：「姿容秀麗，亦極少見。」

陳玄霜嬌聲叱道：「你在胡說些什麼？」

隨手一劍「鐵樹銀花」，疾斬過去。

黑衣人這次不閃避，反手一揮，疾向陳玄霜腕脈之上扣去，陳玄霜劍勢一沉，疾削五指。

那黑衣人動作奇快，疾如飄風，左臂一甩，飄閃一側，右指疾出如電，點向陳玄霜「神台」要穴。

陳玄霜覺出了情勢不對，這形貌醜怪，裝束詭異的黑衣人，不但功力深厚，身法奇異，而且舉手投足之間，似是深諳她武功路數，處處搶制先機，迫得她劍勢無法發揮。

雙方相搏二十回合後，黑衣人忽然反守為攻，掌指不離陳玄霜的兩腕腕脈要穴，迫得手中長劍剛剛掃出，立時得變招換位。

聽那黑衣人怪嘯一聲，陳玄霜但覺握劍的右腕一麻，長劍已然被人奪去，不禁大驚，飛起一腳，疾踢而去。

那黑衣人動作迅快，奪過陳玄霜長劍之後，左手同時已握住了陳玄霜的脈穴。

陳玄霜飛腿踢出一半，突然全身一麻，勁力頓失，踢出的力道隨之失去，一條腿緩緩地垂了下來。

那黑衣人隨手點了陳玄霜兩處穴道，放下長劍，微微一笑，溫和地說道：「妳的劍勢詭奇有餘，靈變不足，但就當今武林而論，已該是第一流的高手了。」

陳玄霜當下冷哼一聲，說道：「不用你誇獎，哼！我既然被你擒住，殺剮任憑於你，我雖是女孩子家，但也不把生死之事，放在心上！」

那黑衣人淡然一笑，道：「我如存心傷妳性命，哪還容妳在手下走過二十餘回合。」

他語聲微微一頓，又換成溫和的口氣說道：「老夫二度出世，有兩樁心願，一是洗雪昔年之恨，二則找一個承我衣缽之人，傳我一身絕技。只要妳能得我真傳十之七、八，當今武林霸業，乃指日可期之事，妳的天賦資質，都是上上之選，故而被老夫選中。」

陳玄霜心中忽然一動，暗道：「我的武功，似是比起梅絳雪遜上一籌，剛才和他動手，他能奪下我手中寶劍，這武功自是強我甚多，如果得他真傳，日後遇上梅絳雪之時，也好折辱她一番，舒出胸中一口悶氣……」

她心有所思，沉吟不語。

那黑衣人目光何等銳利，察顏觀色，已看出陳玄霜心中有了活動之意，當下接道：「當今之世，只有羅玄和少林寺中一位老僧，或可和老夫一戰。但我數十年潛研苦修，二度出世，諒那少林老僧，已難再是老夫敵手，羅玄又被他徒弟暗算重傷，想來定然已早棄人世了！」

陳玄霜暗暗想道：「梅絳雪留在血池之中甚久，又得羅玄收歸門下，想來已得羅玄真傳……」

心念轉動，不自禁地脫口問道：「怎麼，你也怕羅玄嗎？」

黑衣人臉色大變，沉吟了一陣，才道：「老夫潛居東海，窮數十年心血，練成了幾種武功，羅玄縱然還活在世上，也未必是老夫之敵……」

微一停頓，又道：「但老夫料他早已死去！」

陳玄霜被點幾處穴道甚是輕微，不但口中能言，而且頭手可微微轉動，目光瞥處，只見方兆南瞪著雙目，怔怔地向她望來。

她心神忽然一震，暗暗忖道：「我這等貪生畏死之情，只怕方師兄，要一生一世看我不起

了。」

念頭一轉，神態又變，冷笑一聲，對那黑衣人道：「你不用想籠絡我，你就是武功舉世第一，也別想我答應拜在你門下。」

黑衣人怒道：「老夫一生之中，從來沒對人說過這般和氣之言，哼！我不信妳真能夠忍受分筋錯骨之苦？」

陳玄霜道：「死尚不足畏，何況那分筋錯骨之苦。」

黑衣人道：「不知天高地厚的丫頭，讓妳先受點教訓也好！」

左手一揮，拂了陳玄霜的左膀。

只聽一聲微微輕響，陳玄霜登時出了一身大汗。

那黑衣人右手緊隨左手伸出，推過了陳玄霜幾處被點的穴道。

陳玄霜強忍左膀錯骨之疼，一躍而起。

她躍起之勢雖快，但那黑衣人動作比她更快，右手一轉之間，掃中了陳玄霜的右腿，胯骨登時被人錯開。

只聽她一聲尖叫，身子還未站起，又仰身跌了下去。

黑衣人冷森一笑，道：「老夫要錯開妳全身三百六十五處關節，分開全身筋脈。」

說話之間，雙手果然齊齊開始在陳玄霜身上移動起來。

只聽一陣輕微喳喳之聲，陳玄霜全身開始了急劇的顫動，汗下如泉，濕透了全身的衣服。

一聲聲嬌婉的呻吟，傳入了方兆南的耳際。

陳玄霜強咬著銀牙，忍受著抽筋之苦，轉動一下雙目，兩道痛苦的眼神，凝住在方兆南的

臉上。

方兆南看她滿臉汗水，有如水淋，兩眉聳動，淚水如珠，想那痛苦之情，絕非常人所能忍受，不禁黯然一嘆，道：「師妹，妳就答應拜在他門下吧！」

陳玄霜用盡了全身之力，掙扎著說道：「方師兄，你……快殺死我，我……受不了這痛苦了……」

方兆南目光轉注在黑衣人的身上，說道：「你快些接上她的關節，我勸她答應拜你門下就是了。」

黑衣人冷峻的一笑，道：「你縱然能勸她答應拜在我門下，但老夫也不能輕易放過你！」

方兆南道：「此乃兩件事情，不能混為一談，在下並未存借機求命之心。」

那黑衣人道：「很好，很好，就憑你這幾句話，老夫給你一個痛快就是。」

兩手齊出，極快地接上了陳玄霜的關節。

方兆南擔心陳玄霜不肯答應，再徒招痛苦，急急說道：「師妹上無師承，拜在這位老前輩的門下，又可得傳授絕技，何樂而不為？」

陳玄霜忽然長長嘆息一聲，道：「如若你手腳能動，咱們就可以逃走了。」

方兆南苦笑一下，道：「事已至此，多說無益，聽小兄相勸，師妹還是答應了吧！」

陳玄霜緩緩轉過頭去，目注那黑衣人，說道：「要我拜在你門下可以，但必須饒了我師兄之命。」

黑衣人冷冷說道：「老夫一生行事，說一是一，說二是二，從不和人討價還價！」

陳玄霜道：「你如不答應此事，殺了我，我也不答應！」

黑衣人冷笑一聲，道：「此事此情，妳已無自絕之能，只要妳自信能忍得下那分筋錯骨之苦，妳就不要應允！」

陳玄霜想到適才所受的痛苦，不禁嬌軀一顫，但剎那之間，神色又恢復鎮靜，道：「好吧！那就讓我們師兄妹死在一起，你只管動手就是！」

那黑衣人微微一怔，道：「好倔強的女娃兒！」

方兆南接口說道：「老前輩如若定要殺我，我師妹決不會答應，在下倒有一個兩全其美之策，不知老前輩能否見允？」

黑衣人道：「好啊！你說出老夫聽聽再說。」

方兆南道：「就目下情勢而論，老前輩取我之命，自是易如反掌，一則老前輩已存非殺我不可之心，二則在下亦不願向人求命！」

黑衣人道：「老夫說出之事，非得做到不可！」

方兆南突然住口不言，微微點頭接道：「老前輩請附耳過來。」

那黑衣人冷哼一聲，道：「老夫也不怕你暗算！」果然探首聽去。

只聽方兆南低聲說道：「老前輩不如答允她，先讓她拜過師父，再藉習武之機，殺死在下，這豈不兩全其美了？」

那黑衣人聽得頻頻點頭，道：「很好，很好，這辦法當真是不錯！」

陳玄霜一皺眉頭，道：「方師兄，你們說些什麼？」

只聽那黑衣人道：「老夫答應你了！」

陳玄霜怔了一怔，道：「當真嗎？」

方兆南接道：「自然是當真了，妳快行拜師大禮吧！」

陳玄霜忽然流下淚來，說道：「原望能與師兄長相廝守，效農夫村婦，度一生平淡歲月，卻不料上天不從人願，遇上了此等之事。」

陳玄霜緩緩站起身子，對那黑衣人拜了三拜，嬌呼一聲師父。

黑衣人哈哈一笑道：「既入我門，需遵守本門戒規。」

陳玄霜改口說道：「弟子遵命。」

只聞那黑衣人歡笑之聲不絕於耳，洋洋自得地說道：「今天我先傳妳本門中修習內功的初步功夫，明天就開始傳妳武功，盡一月之功，奠定初步基礎，然後隨為師離開此地。」

陳玄霜道：「你要弟子到哪裡去？」

黑衣人道：「找一個人。」

陳玄霜看他不願說出，也不再追問，扳轉話題說道：「弟子已行了拜師大禮，但還不知師父的姓名？」

黑衣人道：「當今之世，有一位和羅玄齊名之人，那就是為師了。」

陳玄霜皺起眉頭，沉吟了良久，道：「我甚少往江湖上走動，不知當今高人之名，還望師父賜示。」

黑衣人正待開口，忽聽一個宏亮的聲音，傳了上來，道：「妳看那山腰之間，有一座突岩，看去甚是隱密，咱們上去瞧瞧，如若可以宿住，就在那裡住些時日，練成幾種武功再走如何？」

一個女子的口音接了下去，但她聲音甚小，聽得不甚清楚，不知她說些什麼？

陳玄霜低聲說道：「師父，有人來了。」

黑衣人道：「很好，咱們看看來些什麼人物，老夫已有數十年不在江湖上走動，晚一輩的人物出了不少。」

只聽步履聲音，向突岩走了過來。

方兆南凝目望去，只見那男的竹簪椎髮，長髯垂胸，竟然是知機子言陵甫，此刻他亂髮已整，衣衫已換，全身上下，煥然一新，已不復昔日的狼狽神態。

那女的一身紅衣，風情萬種，正是冥嶽門下的二弟子。

紅衣少女目光轉動，迅速掃了那突岩一眼，看方兆南手足被捆，不能轉動，那黑衣人又素不相識，只有陳玄霜一個人是可畏之敵。

當下格格一笑，道：「好啊！當真是人生何處不相逢，想不到在這裡又遇上你們師兄妹了！」一低頭，走了進來。

言陵甫也緊隨而入。

方兆南微微頷首道：「言老前輩，別來無恙？」

陳玄霜緩緩伸手取出長劍，道：「這突岩已為我們所占，快退出去！」

紅衣少女忽然把目光投注那黑衣人的身上，只見他微閉雙目，盤膝而坐，恍似不知兩人進了這突岩一般，不禁膽氣一壯，伸手抽出肩上長劍，笑道：「妳當真要和我打一架嗎？」

陳玄霜道：「那還有假的不成！」

唰的一劍「長虹經天」，劈了過去，劍光劃起一道白芒。

紅衣少女長劍一起，身隨劍走，避開了一劍，玉腕一挫，「玉女投梭」，長劍分心刺去。

陳玄霜憋了一腔怨氣，盡發在那紅衣少女身上，橫裡一劍，直向劍上封去。

但那紅衣少女卻似不願和她硬拚內力，玉腕一沉，劍招疾變，一式「簾捲西風」，長劍斜裡一側攻到。

陳玄霜冷笑一聲，一招「玄鳥劃沙」，封住門戶，陳玄霜正待還擊，卻不料那紅衣少女突然一收長劍，疾躍而退。

原來她忽覺得方兆南被人捆綁並鎖在岩內一事，大爲不妙，陳玄霜對他情愛極深，決不致下此毒手，這中間，實在是大有文章。

她突然收劍而退，笑道：「是什麼人把令師兄鎖在此地？」

陳玄霜道：「告訴你有什麼要緊，反正你們今天，別再想生離此地了！」

紅衣少女又長劍一指黑衣人道：「這人是誰？」

陳玄霜緩緩答道：「是我師父。」

紅衣少女怔了一怔，道：「妳師父？」

陳玄霜道：「怎麼？妳不信……」

只見那黑衣人突然睜開眼來，兩道冷厲的眼神投注在那紅衣少女身上，道：「妳也不識老夫嗎？」

知機子言陵甫雙目轉動，不停地在那黑衣人身上打量，雙眉頻頻聳動，似是忽然間想起了那黑衣老人是誰，但又似不能確定。

言陵甫輕咳一聲，道：「老前輩可是人稱鬼仙的萬天成嗎？」

黑衣人突然放聲大笑一陣，道：「好啊！這世上終還有知道老夫姓名之人，念你能知老夫

的名號，饒你一場活罪！」

言陵甫臉色大變，神態突然轉變得十分恭謹，抱拳說道：「弟子言陵甫乃羅玄門下，拜見萬老前輩。」

萬天成道：「羅玄還活在世上嗎？」

言陵甫道：「恩師已然仙去了。」

萬天成突然站了起來，厲聲問道：「此話當真嗎？」

言陵甫道：「弟子如何敢騙老前輩？」

萬天成突然縱聲大笑起來，聲如梟鳴，震盪耳際嗡嗡作響，四壁回音，滿室中盡都是淒厲的大笑之聲。

言陵甫突然回顧了突岩出口一眼，大有逃走之意。

萬天成收住了大笑之聲，說道：「在老夫手下，從未有過逃走之人，除非老夫願意放他一條生路。」

言陵甫呆了一呆，默然不語。

方兆南看那鬼仙萬天成，擊敗陳玄霜的武功，知他如一出手，這兩人決非敵手，此情此景之中，倒是應該暫拋恩怨，共度難關。

當下暗提真氣，避過那黑衣人的視線，施展傳音入密之術，說道：「霜師妹，言陵甫為人雖然固執一些，但卻沒有大惡，目下只有妳可救他性命。」

陳玄霜輕輕咳嗽一聲，暗示已聽到方兆南囑託之言，緩緩垂下手中長劍，回顧了萬天成一眼，道：「師父。」

萬天成神色冷峻地望了陳玄霜一眼，道：「什麼事？」

陳玄霜道：「這兩個人雖然冒犯師父，罪該萬死，但如把他們一劍殺了，那未免太便宜兩人了。」

她這些時日之中，連經大變，心計增長甚多，已知投人所好。

「好啊！妳有什麼好法子折磨他們，那就快說出來？」

陳玄霜道：「咱們師徒二人，他們一男一女，弟子之意，不如點了他們的穴道，讓他們終身爲奴。」

萬天成略一沉思，說道：「能得爲老夫之奴，那也是一件大大榮耀之事，你去問他們答不答應？」

陳玄霜星目轉動，掃掠了兩人一眼，道：「我師父格外施恩，放你們一條生路，收你們終身爲奴，我瞧你們還是答應了吧！也免得自找死路。」

言詞之間，隱隱暗示兩人，不要他們反抗。

那紅衣少女不知鬼仙萬天成的厲害，冷笑一聲，道：「就憑你……」

話剛出口，忽聽鬼仙冷哼一聲，揚手一指點了過去。

紅衣少女早已運氣戒備，見鬼仙手指一揚，立時向旁側閃去。

萬天成冷笑一聲，道：「妳還能避得開嗎？」

左手一揮間，五縷指風，齊齊襲去。

那紅衣少女避開了第一指，卻無法避開齊齊襲來的五縷指風，但覺身上一麻，竟有三處穴道，被指風襲中。

內功深厚，隔空打穴，並非什麼難事，但在舉手一揮間，同時打出了五縷指風，卻是罕聞罕見之事。

只見那紅衣少女嬌軀搖了幾搖，手中長劍突然跌落在地上，緩緩坐了下去。

言陵甫自知非敵，趁那鬼仙指襲那紅衣少女時，翻身一躍，人已到了突岩外面。

哪知鬼仙萬天成，武功已入化境，言陵甫身子一轉，他已警覺，長袖一拂，疾躍而起。

言陵甫雙足剛落突岩外面，忽覺身後兩處要穴一麻，倒跌回來，摔個仰面朝天。

看鬼仙萬天成出手的迅速，陳玄霜亦不禁暗暗驚心，忖道：「此人的武功，果然是世所罕見，想那羅玄在世之日，也不過如此而已。」

只見那萬天成緩步走了過來，盤膝坐下去，閉上雙目。

陳玄霜揚了揚柳眉，溜了方兆南一眼，只見他目瞪口呆。

顯然亦為鬼仙萬天成快速的身法，和隔空打穴的絕技所驚。

陳玄霜緩緩走到了鬼仙身側，低聲說道：「師父，這兩人要怎麼辦？」

萬天成頭不轉，目不睜地冷冷說道：「不用管他們，半個時辰之後，他們受傷的脈穴，將開始發作，所受的痛苦，不低於分筋錯骨。哼！讓妳見識一下為師的手法，妳就知道，妳能得拜在我門下，是何等難得之事。」

陳玄霜默然不言，心中卻為他言詞所動，暗自忖道：「如若他的武功，當真有這般高強，我拜他為師，也不算冤枉了，能得絕世武功，稱霸江湖，位尊武林，再也沒有人能夠搶走我的方師兄了。」

忖思之間，忽聽那紅衣少女格格兩聲嬌笑。

轉眼望去，只見那紅衣少女的臉上，不停地向下滾著汗水，顯然是正在強忍著無比的痛苦，不知何以卻要發出笑聲？

忽聽一聲低嚎，傳了過來，就像一個人突然受到了致命的打擊，但卻沒有死去，全力哭了一聲。

嚎聲甫落，笑聲復起，一陣格格嬌笑，響徹石室。

這一次笑聲悠長，足足有一盞熱茶工夫，才停了下來。

雖然那紅衣少女的笑聲，清脆悅耳，但因她的神情充滿著痛苦，奇形怪狀，看上去恐怖異常。

剎那間笑聲復起，格格之聲，不絕於耳。

一陣低沉的哭嚎之聲，混入了嬌笑聲中，哭笑交作，譜成了一曲動人心魄的樂章。

只聽那哭笑交作的聲音，愈來愈大，兩人的形態，也愈來愈是難看，汗水透濕了衣服，滴在石地上。

突然間，傳過來一聲長笑，混入了那哭笑交作聲中。

萬天成霍然睜開雙目，雙手齊揚，隔空向兩人點了過去。

那哭笑之聲，倏然停了下來，言陵甫和那紅衣少女似已經哭笑得精疲力竭，萎伏地上，動也不動一下。

萬天成回顧了陳玄霜一眼，道：「妳去把他們拖入壁角，又有武林人物來了，爲師的再次履足江湖，世人大都不知，多傷幾個人，也好讓他們宣揚一下！」

陳玄霜依言而起，把言陵甫和那紅衣少女拖到一處壁角放好。

五二　霜雪爭鋒

方兆南暗暗嘆息一聲，目光環繞打量了突岩四周一眼，他覺得快要死了，希望多看一些世間的景物。

正忖思間，瞥見突岩口處緩緩升起了一顆人頭。

方兆南一和那人頭的目光接觸，不禁心頭一震。

那人竟也呆在那兒，忘記再縮回頭去。

原來，那冒起的人頭，竟然是青梅竹馬，一起長大的師妹周蕙瑛。

方兆南略一怔神，神志立時清醒，急急搖頭，示意周蕙瑛早些離去。

哪知他這表情，反而招致了周蕙瑛的誤解，只見她身子一長，突然冒了上來，緩步向突岩之中走了進來。

方兆南大為焦急，急急喝道：「師妹快走，不要進來！」

周蕙瑛微微一笑，道：「為什麼？」

陳玄霜突然一躍而起，橫劍攔住了去路，道：「站住！妳是誰？」

周蕙瑛淡淡一笑，道：「我叫周蕙瑛。」

陳玄霜臉色由紅轉白，緩緩垂下長劍，道：「妳認識他？」

周蕙瑛微微一笑，道：「我們從小一起長大，自然認識他了。」

陳玄霜施展「傳音入密」之術說道：「妳是無能救他的，就是當今武林之世，也沒有幾人能夠救得了他，我雖然也沒有把握救他，但我將盡力而行，妳快些逃走吧……」

突然提高了聲音說道：「妳給我滾出去！」

周蕙瑛目光轉動，四下瞧了一眼，只見一角石壁之處，蜷伏著一男一女，一個臉長如馬的黑衣人，卻盤膝坐在一側。

當下淡淡一笑，道：「一個人最大的事情，就是死亡，死有什麼可怕呢？」

身子一側，避過了陳玄霜，大步向方兆南走了過去。

陳玄霜長劍斜斜推出，橫向周蕙瑛腰間斬去。

周蕙瑛反手一掌，拍向陳玄霜握劍右腕之上。

陳玄霜原想把周蕙瑛勸退出去，使她離開這一片死亡之地，卻不料她全然不把生死之事，放在心上，只有用劍術，硬把她逼出石岩了。

心念一轉，劍勢突變，右腕一沉，避開掌勢，唰唰地刺出兩劍。

這兩招詭奇辛辣，兼而有之，果然把周蕙瑛逼得向後退了兩步。

陳玄霜正待再施出幾劍毒辣之學，把周蕙瑛迫退出去，卻不料那黑衣人突然睜開眼來，喝道：「不要擋她，讓她進來！」

陳玄霜呆了一呆，只好收了長劍，向後退去。

周蕙瑛望也未望那黑衣人一眼，直走到方兆南的身側，蹲了下去，伸出纖纖玉指，抓起方兆南左臂上捆綁的繩索，暗中運氣。

只聽一個冷漠的聲音，傳了過來，道：「放開繩索！」

周蕙瑛回目望去，看那發話之人，正是那黑衣人，淡然一笑，反問道：「爲什麼？」

黑衣人道：「妳是他的什麼人？」

周蕙瑛道：「我是他的師妹，怎麼，你是誰？」

黑衣人道：「老夫乃鬼仙萬天成。」

周蕙瑛略一沉思道：「我聽人說過，你的武功很高，和羅玄是極要好的朋友。」

萬天成哈哈大笑了一陣，道：「好啊！晚一輩的人物中，竟然也有知道老夫名號之人！」

周蕙瑛道：「你對羅玄面和心仇，時時刻刻，都想把羅玄殺死……」

萬天成雙目中神光閃了兩閃，道：「妳聽誰說的這些事？」

周蕙瑛道：「玉骨妖姬俞罌花……」

萬天成突然一躍而起，道：「玉骨妖姬，她在什麼地方？」

周蕙瑛搖搖頭，道：「我知道是知道，就是不告訴你！」

萬天成怔了一怔，問道：「妳爲什麼不告訴我俞罌花的住處？」

周蕙瑛笑道：「我要告訴你，我就當真不能活了。」

萬天成道：「老夫饒妳不死，妳說吧！」

周蕙瑛道：「你先放開了我的師兄再說！」

萬天成無可奈何地伸出手去，抓住捆綁方兆南的繩索，暗運內力一抖，繩索立時寸寸斷落，接道：「妳現在可以說了吧？」

周蕙瑛搖搖頭道：「不成，現在又不能說了！」

萬天成怒聲喝道：「爲什麼？」

周蕙瑛道：「剛才我如說出口來，你不過殺我一個，現在我如說了，連我的師兄只怕也不能活了！」

萬天成道：「妳這般聰明，可都是俞罌花教妳的嗎？」

周蕙瑛道：「不錯啊！除她之外，別人如何能夠教出這等防人的心機來？」

萬天成道：「那妳要怎樣才說？」

周蕙瑛道：「你先送我們離開這突岩，我再告訴你不遲。」

萬天成道：「好吧！」

一伸手提起了方兆南，縱身躍出突岩。

陳玄霜萬沒料到，周蕙瑛竟然這等輕而易舉地把方兆南救了出去，眼看方兆南被師父提出突岩，說不出心中是一股什麼滋味。

只覺氣血沸騰，一股酸意，直沖而上，提起長劍，緊隨在周蕙瑛的身後，疾衝而出。

這突岩在一座山腰之間，距地不下百丈，中間雖有突出的小石、矮松，可以借力著足，但攀登之間，也並非容易之事。

但鬼仙萬天成，確有著過人之能，只見他一手提著方兆南，仍然縱躍如飛地疾奔而下，周蕙瑛空手急追，仍然趕他不上。

陳玄霜目睹周蕙瑛的輕身飛躍之術，似不在自己之下，要想在這一段下山之路上，追趕上她，乃大是爲難之事。

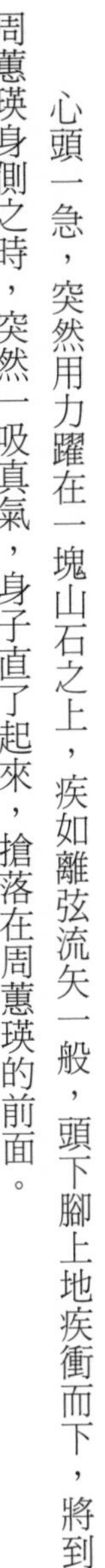

心頭一急，突然用力躍在一塊山石之上，疾如離弦流矢一般，頭下腳上地疾衝而下，將到周蕙瑛身側之時，突然一吸真氣，身子直了起來，搶落在周蕙瑛的前面。

周蕙瑛長長吸了口氣，陡然收住向前衝奔之勢，說道：「妳要幹什麼？」

陳玄霜疾快地轉過身子，和周蕙瑛並肩而立，道：「咱們一面趕路，一面說話，我有幾件重要之事問妳。」

周蕙瑛道：「什麼事？」說著，舉步向前奔去。

陳玄霜控制著速度，保持和周蕙瑛並肩而行，輕輕嘆息一聲，說道：「妳要把方兆南帶到哪裡去？」

周蕙瑛道：「不知道，只怕我也走不了啦！」

陳玄霜道：「妳當真知道那玉骨妖姬的住處嗎？」

周蕙瑛道：「自然是當真的知道了！」

陳玄霜道：「唉！我如不拜他爲師，你方師兄的性命，只怕早已沒有了。」

周蕙瑛淡然一笑道：「他死了也不關我的事，但我看到他，就忍不住要救他！」

兩人說話之間，已然到了山下。

萬天成早已停下腳步，等待著兩人。

周蕙瑛兩道清澈的眼神，凝注在萬天成臉上瞧了一陣，道：「你如暗中點了他身上的經脈穴道……」

鬼仙萬天成怒聲接道：「老夫是何等身分之人，豈可這等言而無信，我既答應了放他，哪裡還會暗算於他！」

周蕙瑛微微一笑，道：「青梅竹馬，從小在一起長大的人，都靠不住，咱們初次見面，要我如何能信得過你呢？」

萬天成忽然放聲大笑，道：「好啊！玉骨妖姬調教出來的弟子，果然是與眾不同，老夫解開他身上的穴道就是！」

掌指揮動，連拍了方兆南身上數處大穴，然後一鬆手，放下了方兆南，回頭對周蕙瑛道：「妳現在可以說了吧？」

周蕙瑛搖搖頭，道：「還不能說。」

周蕙瑛道：「咱們四人之中，只有我一人知道玉骨妖姬的下落，是不是？」

萬天成冷冷說道：「不錯，如若有第二個人知道，老夫也不會對妳這般客氣了。」

周蕙瑛笑道：「那你留下我也就是了，放我師兄走吧！」

萬天成回顧了方兆南一眼，道：「放他不難，但妳得先說出玉骨妖姬的下落，讓老夫信得過妳，再放他不遲。」

周蕙瑛道：「我和玉骨妖姬雖無師徒的名份，但卻有師徒之實，我離開她時，她曾告訴我，不論什麼事，都不能相信別人，劍把要握在自己手裡。」

萬天成笑道：「她愈來愈是狡猾了！」

揮手對方兆南道：「你快些走！別待老夫改變了心意，再殺死你！」

方兆南真情激蕩，淚水盈睫，望著周蕙瑛道：「師妹，我曾苦心地找過你，霜師妹全知，我本想……」

周蕙瑛急急揮手說道：「你快快走啦！」

方兆南道：「這人心狠手辣，我走了，他決然不會放過妳的。」

周蕙瑛笑道：「不要緊，我還要帶他去找玉骨妖姬，還有得一段時間好活。」

方兆南發覺嬌憨天真的周蕙瑛，完全變了，她變得鎮定、冷靜，不論什麼重大之事，似是都不放在心上。

方兆南黯然而嘆，道：「兩位師妹，多多珍重！」抱拳一揖，大步行去。

陳玄霜望著方兆南的背影，流下兩行清淚，黯然說道：「師父，我送師兄一程，好嗎？」

萬天成搖頭說道：「不行！」

突然運指如風，直向陳玄霜右腿關節之上點去。

陳玄霜只覺右腿一麻，身不由己地坐了下去。

周蕙瑛回顧了萬天成一眼，嬌聲說道：「我帶你去找玉骨妖姬。」

萬天成道：「她在什麼地方？」

周蕙瑛道：「百里之內，不足半日工夫，你就可以見到她了。」

奔行之勢，突然加快，疾行如箭。

萬天成一把抓起陳玄霜來，疾行而追。

且說方兆南奔行一陣之後，忽然覺得雙膝關節之處，隱隱作痛，心知萬天成仍在自己身上動了手腳。

連番的艱苦折磨，使他的意志更爲堅強，忍痛走了半日一夜的工夫，才出了山區，爲了掩密行蹤，雇了一輛馬車，放下車篷，一面運氣治療腿傷，一面考慮自己的行蹤。

他開始覺得江湖上的凶險，當真詭計百出，隨時有死亡的可能。

師父的滅門之仇，責無旁貸地要報，師妹捨卻性命，欺騙了鬼仙萬天成，救了自己，但卻把自身送入虎口。

玉骨妖姬已死，自是無法尋得此人，騙局揭穿，手辣心狠的萬天成，必將以慘絕人寰的方法，折磨死周蕙瑛。

這一重恩仇，豈能夠坐視不管，但這些事，又都非武功不可……

但覺思緒如潮，紛至沓來，盤旋腦際，不知如何是好。

忽然間，響起一陣得得蹄聲，一匹快馬，掠篷車疾馳而過。

正忖思間，響起一陣喝叱之聲。

一個粗大的聲音傳入耳際道：「馬兒踏死人了！」

剎那間人聲雜亂、一片呼喝之聲。

馬車陡然停了下來。

方兆南忍不住好奇之心，偷偷揭開篷布一角，向外望去。

只見一個身著勁裝的漢子，端坐在馬背之上，但卻勒馬不動，前面一片人潮，攔住了他的去路。

一個三旬左右的婦人，抱著一個滿身鮮血的孩子，一面放聲大哭，一面喝叫道：「賠我的孩子來！賠我的孩子來……」

聲聲慈母淚，婉轉動人心。

那大漢似是被吵得不耐，忽然冷笑一聲，說道：「妳那兒子自己闖了上來，被馬兒踏死，

與我何干，我不願再傷妳一個婦道人家，但身有要事，必須要急急趕路，我賠妳一點銀錢也就是了。」

那婦人哭聲愈來愈大，一面大叫道：「我要你替他償命……」

方兆南搖搖頭，暗暗嘆道：「殺人固然是要償命，但這人似是無心之失，也要償命，那就未免太潑辣了……」

忖思之間，忽覺眼前一亮，一陣微風，拂動衣著。

轉臉看時，只見一個身著藍色長衫的少年，無聲無息地進入了篷車之中。

方兆南一面提聚功力戒備，一面暗中留心著他的舉動，只見他放下篷車四周掩遮的黑布，閉上雙目，倚在車欄上，連看也不看方兆南一眼。

方兆南雖然看出他身手不凡，但自忖近來武功大進，只要不是遇上了像冥嶽嶽主那等第一流的高手，大概可以對付。

且現在人潮愈來愈多，如強迫他下車，勢非鬧了起來不可，索性給他個不聞不問。

隱隱之間，似是聽得一聲斷喝，但那喝聲短促異常，似是一出口立時停了下來。

片刻間車輪轉動，馬車又向前面行去，想是事情已有了結果，擁擠的人群散去，車得復行。

那藍衣少年突然睜開了雙目，望了方兆南一眼，說道：「多謝救命之恩！」

方兆南道：「好說，好說。」

那人一抱拳道：「在下就此別過。」作勢欲行。

方兆南道：「兄台慢行一步，在下有事請教。」

藍衣少年停了下來，拱手說道：「有何見教，在下洗耳恭聽！」
方兆南道：「在下如何救了大駕，甚覺不解，不知可否見告？」
那藍衣少年輕輕嘆息一聲，道：「在下被人追趕甚急，一時情急，隱入兄台車中，尚望兄台見諒。」
他說得簡短異常，顯然有不願告人之秘。
方兆南道：「在下不送了。」
那藍衣人打開車簾，一躍而下，轉身行了幾步，突然又轉了回來，望著方兆南腫大的雙膝，說道：「兄台的腿傷很重嗎？」
方兆南低頭看去，只覺雙膝之處粗腫逾平時一倍，當下點頭應道：「在下的腿傷不輕。」
藍衣人道：「念你對我有一場救命之恩，告訴你一個療傷之處……」
他微微一頓，又道：「而且那療傷之處，距此甚近，他的醫道，可算得當今第一，除了那人之外，只怕兄台這兩腿，難再復原了！」
方兆南亦覺傷處疼痛日增，如不早爲治療，只怕難以撐到嵩山，當下應道：「在下洗耳恭聽。」
那藍衣人道：「那人距此不過十餘里路，由此折向正東行約十里，有一座殘破的小廟，在大殿上，住有一位瞎去雙目的道長，只要兄台能夠求他答應，別說你這點腿傷，就是再重一些，也不難治好。」
方兆南道：「怎麼？他不肯爲人治疾嗎？」
那藍衣少年道：「這要看你的造化和耐性了，他如高興之時，不論什麼人求他治病，無不

答應，如是心中不樂，說不定要讓你等上三天。」

說完之後，也不待方兆南再答話，立時轉身急奔而去。

方兆南隨即放下車簾，暗暗忖道：「此人之言，雖然未可全信，但那地方，既然距此不遠，姑且一試也好……」

正自忖思，遙遙傳來了那藍衣少年的聲音，道：「如那道人問起你，如何得知他的，千萬不要說是我告訴你的，那不但腿傷難治，說不定還要丟了性命。」

方兆南打開車簾，抬頭望去，只見那藍衣少年的背影，已遠在里許之外。

當下吩咐那趕車之人，折向正東行去。

依照那藍衣少年相囑之言而行，果然在不足十里路程中，看到了一座殘破的小廟。

這麼一座荒涼的廟宇，四周不見人家，縱是在初建之時，這廟亦不龐大，除了一座門樓之外，只有一座大殿。

方兆南讓車夫趕了馬車，就近找了幾根松枝，勉強做成竹杖，自行緩步進入破廟。

廟門上的匾額，痕跡全無，也看不出是什麼廟宇。

進了大門，有一座三丈見方的空院，院中長滿著長可及腰的荒草，連一條通往大殿的小徑，也被掩遮去。

方兆南穿過荒草庭院，直入大殿。

果然見一個鶉衣百結，木簪髻髮的道人，仰臥在神案前面，身下鋪著一片乾草，身旁別無長物，鼻息微聞，似是睡得好夢正甜。

方兆南輕輕咳了一聲，低聲說道：「老前輩……」

他一連呼喚數聲，那道人連動也未動一下。

足足等待了一頓飯工夫，那道人才似由熟睡中醒了過來，伸了一個懶腰，道：「什麼人？」

方兆南急急應道：「晚輩方兆南。」

那道人一個翻身，轉了過去，背對著方兆南，道：「你來做什麼？」

方兆南答道：「晚輩求醫來的。」

那道人又道：「我自己就快要死了，哪裡會代人醫病？快些走吧！不要打擾我睡覺。」

方兆南道：「晚輩在一側等候，待老前輩睡好之後，再說不遲。」

那道人突然哈哈大笑起來，道：「你病得很重嗎？」

方兆南道：「如若在下的傷勢不重，也不敢來打擾道長了。」

瞎眼道人突然一挺身坐了起來，收住了大笑之聲，冷冷說道：「什麼人告訴你我會醫病的？」

方兆南正待說出那藍衣少年的形貌，忽然憶起那少年臨去之言，立時沉吟不語。

那道長雙目雖盲，難以視物，但感應卻是靈敏絕倫，冷笑一聲，說道：「老夫生平之中，最恨人欺騙於我，你如想謊言相欺，那就別想生離此地！」

他的聲音低沉嚴肅，使人聞而生出敬畏之心。

方兆南沉吟了一陣，道：「那位告訴在下之人，曾經再三相囑，不能說出他的形貌，晚輩已經答允在先，老前輩這般苦苦相逼，實叫晚輩作難得很。」

那瞎眼道人冷冷說道：「那人可是一個中等身材，面皮白淨，五官俊秀端正，年約二十二、三的年輕人嗎？」

方兆南仔細一想，他說的一點不錯，心中暗暗奇道：「他雙目已瞎，不知何以竟然把那人的年貌、膚色，都說得如此清楚。」

心中驚疑不定，口中卻是默不作聲。

那瞎眼道人道：「你不肯說，那是證明我猜的不錯了？」

方兆南道：「在下就此別過。」

抱拳一禮，抓起竹杖，架在肋下行去。

那瞎眼道人，似是未料方兆南竟然要告別而去，不禁微微一怔，喝道：「站住！」

方兆南停了下來，回頭說道：「老前輩有何指教？」

那瞎眼道人道：「你用竹杖代腿而行，想來那腿傷定然十分嚴重了？」

方兆南道：「晚輩的雙腿腫脹，氣血已有多日不通，自膝以下有如廢了一般，已然難以用做行路之用了。」

那瞎眼道人沉吟了一陣，道：「聽你的口氣，腿傷十分嚴重，但初用竹杖代步，能夠行進自如，非有上乘的內功莫辦。」

方兆南道：「不敢相欺老前輩，晚輩的武功，雖然不能名列當今武林第一流高手，但也自信不是一般武師可望項背。」

那瞎眼道人道：「這麼說來，以你的武功，要打通受傷的關節穴道，並非什麼困難之事了，來找老夫作甚？」

方兆南淡淡一笑，道：「不瞞老前輩說，晚輩兼通數家宗流的點穴之法，對於一般點穴手法，自信能夠解得，但晚輩膝上之傷，我已運用數種手法，都未能推活被點的穴道。」

那瞎眼道人道：「世上點穴之術，各宗各派，雖然不盡相同，但大體分來，不外震穴、封脈、斬經、點穴四種，但這四種手法，小異大同。只要受傷經脈不重，不難以自身內功打通，用一般推宮過穴手法，大都可以奏效，但有一種封穴斬脈的手法，卻非一般人推宮過穴的手法能夠解得。」

方兆南道：「不知是哪種手法？」

那瞎眼道人道：「鎖脈手……」

方兆南低聲誦道：「鎖脈手？這手法，晚輩從未聽人談過。」

那瞎眼道人道：「鎖脈手，雖然還未絕傳，但如今會此手法之人，絕然不多，一則這種手法，認位特難，二則必須內功精深，方可運用。」

瞎眼道人舉手一招，說道：「過來，讓我摸摸你的傷勢。」

方兆南依言行了過去，坐在地上。

那道人雙目雖盲，但舉動得宜，有如未盲之人一般，雙手齊出，已按在方兆南的雙膝之上。

只見他臉色逐漸嚴肅起來，雙手在方兆南兩膝之上，按摩了一陣，說道：「果然是鎖穴手法所傷，而且那人下手很重，勢必要使你雙腿廢去。

「幸得你及時找來此地，只要再延誤上兩、三天，連我也無能為力，那時除了斷去雙腿，尚可保得性命之外，那受傷經脈逐漸潰爛，遍傳全身而死。」

「不過，你雙膝關節上經脈，已經開始潰爛，已非三、兩天能夠療治得好了。」

方兆南呆了一呆，道：「老前輩賜伸援手，爲晚輩療治傷勢，晚輩感激不盡，但不知要多長時間？」

那瞎眼道人沉吟良久，道：「如若藥膏齊全，大約要半月時光，再加上尋找藥物的時間，總得需一月之久。」

方兆南吃了一驚，道：「要一月之久嗎？」

瞎眼道人道：「一月時光，老夫還說得少了，如若採藥遇上意外，怕還得延長一些時日……」

他微微一頓，肅容說道：「老夫答應爲你療治膝傷，老夫也不願強人所難，你如不能在此留住一月，儘管請便，老夫不願療傷一半，盡棄前功……」

方兆南暗暗忖道：「我如廢去雙腿，很多絕技，只怕難再練成，周師妹、陳玄霜雙雙遇險，亟待援救，恩師血債，仍未討還，件件都需要保留下有用之身，練成絕世之技，以完成未竟之志……」

他心中千迴百轉，也就不過是眨眼間的工夫，說道：「晚輩決意留此，接受老前輩的療治……」

那瞎眼道人突然搖手阻止了方兆南再說下去，凝神靜聽。

方兆南怔了一怔，傾耳聽去，果然聽得一陣輕微的嗡嗡之聲，傳了過來。

方兆南一皺眉頭，道：「老前輩，這是蜜蜂的聲音，有什麼不對嗎？」

那瞎眼道人道：「蜜蜂的聲音，哪有如此之大？」

探手從神案之旁，取過一個鴿蛋大小的石頭，握在手中。

方兆南目光一轉，只見那神案旁邊，堆集了一堆石子，不下數百之多，心中暗暗忖道：「原來他也早有準備，堆集了這多卵石，以做克敵之用。」

忽聽那嗡嗡之聲，愈來愈覺響亮，進入了大殿之中。

方兆南不自禁回頭望去，忍不住失聲叫道：「好大的蜜蜂啊！」

只見瞎眼道人手腕一揚，掌中卵石脫手飛出。

他雙目雖盲，但憑耳聞之力，辨別那蜜蜂飛行的方位，出手一擊，意然是奇準無比，只聽啪的一聲輕響，一隻飛至大殿的巨蜂，應手而落。

方兆南不自禁地高聲讚道：「好準的手法！」

那瞎眼道人，忽然聳動了兩下眉頭，道：「你看那巨蜂，可有異於常蜂之處嗎？」

方兆南道：「身體要較常蜂大上三倍。」

那瞎眼道人突然站了起來，說道：「你來得很巧，如是再晚上一天半日，也許我已離開此地了。」

這時，那瞎眼道人，從神案下，取出一個布袋子，掛在肩上，抓起兩把石子，裝入垂著的布袋中。

他又往神案之下取出一截木杖，說道：「你坐過來，我替你解開雙膝關節上被鎖的經脈。」

方兆南依言坐下，背倚神案，那瞎眼道人這時伸出雙手，在方兆南雙膝之上，推擊了一陣，探手從布袋中取出一瓶丹丸說道：「這玉瓶中的丹丸，共有三十粒，你可在每日太陽出山

之時，服下一粒，再取出兩粒捏碎，分塗於雙膝之上。

「這可供你十日之用，先行穩住傷勢，不要使它惡化，我要去替你採取一種主藥，至多十日，少則七天，定可趕回此地。」

方兆南接過玉瓶道：「老前輩放心前去，晚輩恭候大駕回來。」

那瞎眼道人突然輕輕嘆息一聲，道：「我已替你解開了被鎖的經脈，大約一個時辰之後，你雙膝的傷處，即將開始覺得疼痛，而且這痛苦愈來愈烈，日漸加重。

「每日之中，大約有四個時辰在刺心割膽的傷痛之中度過，極是難以忍受，在傷痛發作之時，最好不要運功抗拒，免得弄巧成拙。」

方兆南道：「晚輩記下了，老前輩儘管放心前去。」

那瞎眼道人口齒啓動，欲言又止，緩緩轉過身子，向前行去，走到大殿門口之時，突然又回過身來，說道：「有一件重要之事，我忘記告訴你了。」

方兆南道：「老前輩有何教言？」

那瞎眼道人道：「在我離開這一段時間之中，如若有人找上門來，切記不可和他動手，無論來人如何羞辱於你，你都要忍耐下去。」

也不待方兆南回答，木杖一頓，突然飛躍而起，一閃即失。

方兆南正在大感奇怪，但那瞎眼道人已然走得蹤影不見，心中雖然疑竇重重，卻是無可奈何，只好閉上雙目，運氣調息。

五三　鬼仙入世

破落的古廟，荒涼的庭院，山風拂動著野草，不時發出輕微的沙沙之聲，點綴著周圍的死寂。

不知過去多少時間，方兆南突然覺得雙膝之處，開始劇烈的疼痛。

那瞎眼道人說得一點不錯，這一種實難忍受的痛苦，有如燒紅的利劍，刺人雙膝之上，當真是碎心割膽，難過無比。

他勉強忍著那傷勢之疼，睜開眼來，四周打量了一陣，暗暗忖道：「那老人離開之際，再三叫我不要強行運氣，和傷疼抗拒，恐非虛言相駭，不如試他一試。」

當下散去全身功力，使身體輕鬆起來，果然雙膝上的疼痛，減少了甚多。

一日易過，天色匆匆入夜。

這一夜過得十分淒涼，除了那山風吹拂著的野草之外，聽不見一點聲息。

流光匆匆，不知不覺已過了三日時光。

果然每十二個時辰之內，雙膝的傷勢，就有四個時辰以上的痛苦，而發作時的痛苦，一次重過一次，當真是如刀錐心，如火灼肌。

每當傷勢發作之時，他就鬆懈開全身功力，傷疼雖可稍減，但仍然極難忍受。

第四日天將黃昏之時，忽聽一陣嗡嗡之聲傳了進來，十幾隻寸餘長短的巨蜂，飛入了大殿之中。

方兆南腿疼剛過，眼看巨蜂進來，不禁大吃一驚，心中暗暗忖道：「這等巨蜂，世所罕見，必然腹藏巨毒，如若被牠刺了一下，只怕不易忍受。」

心念一轉，伸手抓起竹杖，目注巨蜂，一旦巨蜂近身，立時就揮杖擊去。

哪知事情竟然大出了他的意料之外，那十幾隻巨蜂，在殿內飛繞了一周之後，突然又振翅而去。

方兆南鬆了一口氣，放下竹杖，正自慶幸，忽然心中一動，一個不祥的念頭，閃電般掠過腦際，暗暗地忖道：「此地一無花草，二無蜂巢，這巨蜂不知從何而來？」

忖思之間，忽聽嗡嗡之聲大作，數十隻巨蜂，重又飛入大殿中來。

這一次數量大增，超過剛才數倍之多，縱然雙目雙腿無傷，也難在片刻之間，把這群巨蜂盡皆擊斃。

方兆南暗暗嘆道：「完了，想不到方兆南要傷在這小小動物毒刺之下。」

感嘆之間，忽見人影一閃，一個身軀修長之人，出現在大殿門口之處。

此人裝束詭異，短衫短褲，露著雪白的雙臂雙腿，手中提著一個兩尺見方的木籠，原來那巨蜂，就從那木籠之中飛了出來。

方兆南抬頭望了一眼，只覺他目光之中暴露著仇恨的火焰，不禁心頭一震。

只聽他嘿嘿一聲冷笑，道：「你是什麼人？」

方兆南忽然憶起那瞎眼道人離開時相囑之言，說道：「晚輩方兆南。」

那人目光轉動，打量了方兆南一陣，道：「你雙膝腫大，可是受了傷嗎？」

方兆南道：「不錯。」

那人臉色突然一變，道：「那牛鼻子哪裡去了，快說！」

木籠一抖，一群巨蜂疾飛而出。

只聽一陣嗡嗡之聲，那木籠中疾飛而出的巨蜂，迅快地向方兆南停身處飛了過來。

方兆南本能地揮動了一下竹杖，但又迅快地放了下來，他在這一瞬之間，突然決定放棄了擊打這毒蜂的念頭。

一則憶起了那老人之言，二則這巨蜂不下數百隻，自己雙膝腫疼，寸步難移，但憑兩支竹杖之力，決難盡斃毒蜂。

只聽那身軀修長之人，口中發出一種奇異的低嘯之聲，疾湧而至的毒蜂，突然開始在他的四周環繞而飛，貼臉掠耳，恐怖至極。

千百隻巨蜂，嗡聲如雷，震得耳際間嗡嗡作響。

方兆南暗暗嘆息一聲，閉上雙目。

他自知已無能拒蜂，只有等待著讓這巨蜂刺斃了。

在這生死存亡之間，他盡量想使自己震動的心情平復下來，依照覺非傳授的少林正宗吐納之術，開始運氣調息起來。

佛門禪功，果然是妙用無窮，既經入定，萬念俱寂，竟把繞飛在四周的巨蜂忘去，但覺真氣運轉，由丹田直沖而上，逼上了十二重樓。

不知過去了多少時辰，突然耳際間響起了一陣呵呵大笑之聲。

睜眼望去，只見那繞身而飛的巨蜂，早已散去。

但那短衫短褲瘦長之人，卻已坐在他的對面。

一支紅燭，熊熊高燒，燃亮了這荒涼的大殿，不知何時，天已入夜。

那瘦長之人，收住了大笑之聲，說道：「娃兒，你的膽子很大！」

方兆南自得覺夢、覺非兩人傳授了少林正宗的吐納之術，雖然經常練習，總覺不出有什麼進境。

但這一次，卻是大異往常，但覺通體舒泰，精神充沛，傷膝之處，也似輕了不少，當下淡淡一笑，道：「老前輩過獎了！」

那瘦長之人微微一笑，道：「娃兒，這大殿之中，住了一個瞎眼道人，哪裡去了？」

方兆南一皺眉頭，道：「老前輩問他作甚？」

那瘦長之人道：「我和他訂有終生約會，不見不死。」

方兆南道：「老前輩尊姓啊？」

瘦長之人吃下一口蜂蜜，笑道：「老夫久已不在江湖走動，你們後生一代，難怪不知，老夫楊孤，善於飼蜂，昔年武林道上，曾以蜂王相稱。」

方兆南微笑說道：「原來是楊老前輩。」

蜂王楊孤點頭說道：「數十年來，沒有人這樣稱呼我了……」

臉色突然一整，接道：「你尚未回答老夫相詢之言，那瞎眼老道哪裡去了？」

方兆南道：「他爲晚輩膝傷採藥去了。」

話鋒一轉，方兆南突道：「老前輩可是他故友嗎？」

楊孤道：「是友是敵，很難分得清楚，你不用多管閒事……你今年幾歲了？」

方兆南道：「晚輩二十一歲了。」

楊孤突然長嘆一聲，道：「老夫九十三歲了，唉！我死之後，只怕這飼養蜂之術，就此要絕傳於世。」

楊孤雙目眨動了兩下，道：「你這娃兒的膽氣很夠，資質亦屬上乘，可惜卻被那瞎老道收到門下了！」

方兆南道：「晚輩另有師承，並未列入道長門牆。」

蜂王楊孤喜道：「瞎老道有眼無珠，自是看不出你的資質來。」

方兆南道：「那位道長雖然雙目失明，但他鑒人之術，卻勝過有眼之人十倍。」

蜂王楊孤冷哼一聲，道：「胡說！」

方兆南微微一怔，道：「晚輩哪裡不對了？」

蜂王楊孤滿臉怒意地閉上雙目，不再答理。

方兆南這一段時日中連經凶險，心知江湖高人生性怪僻，一言失錯，即將招致他的忿怒，當下默然不語。

一宵過去，楊孤似是餘怒未息，方兆南連叫了數聲楊老前輩，他連眼皮也未睜過一下，一日之間，兩人也未交談一句。

兩人就這樣，對面而坐，相持了兩日兩夜，各行其事，未再交談過一言。

第八日中午時分，忽聽大殿外面響起了一陣波波之聲，一個沙啞的聲音傳了進來，道：

隨著那喝問之聲，走進鶉衣百結，手握木杖的瞎眼老道。

楊孤一躍而起，道：「好啊！我還道今生找不到你了，想不到仍然被我找尋到。」

那瞎眼老道手中竹杖一頓，啪的一聲，大殿上一塊方磚，應手而碎。

楊孤一拍手中木籠，高聲說道：「我費了整整一十五年的工夫，試用三十六種毒蜂，交配成了一種絕毒的奇蜂，雖是天下所有的各形各類毒蜂中最毒的一種，但牠釀製的蜂蜜，卻是世間最為香甜之蜜。」

那瞎眼老道冷笑一聲，道：「你那蜂蜜縱然香甜，和我瞎子何干……」

蜂王楊孤道：「哼！你拿一塊去嘗嘗，看看世間是否還有此等美味？」

瞎眼道人哈哈一笑，道：「即使味道雖再好，可惜你已經吃不了多久了！」

蜂王楊孤怒道：「為什麼？」

瞎眼道人道：「因為再過一陣工夫，你就要死了。」

蜂王楊孤怒道：「瞎眼的老雜毛，口氣倒是很大，先試試我這毒蜂的滋味如何？」

瞎眼道人道：「慢來，慢來，我有話要說！」

蜂王楊孤道：「什麼事，快些說呀！我已找了你數十年，此刻已忍耐不下了！」

瞎眼道人冷冷說道：「等我替那娃兒療好了膝傷之後，咱們再好好地打上一架不遲。」

那瞎眼道人大步地向方兆南走了過去。

方兆南輕輕嘆息一聲，道：「老前輩辛苦了。」

瞎眼道人蹲了下來，伸出雙手，按在方兆南雙膝之上，推拿了一陣，然後從懷中取出一束

「養蜂的，你來很久了嗎？」

青草，仔細望去，只見三、四種不同的草色，混在一起，說道：「本該把這一叢草藥，煎成藥水服下，可惜時間上來不及了，你只好把這叢青草吃下去吧！」

那瞎眼道人又從懷中摸出一叢草來，雙手一陣互搓，把那青草揉成一片，敷在方兆南的雙膝傷勢之上。

瞎眼道人說道：「內服、外敷的兩味主藥，竟已找齊，你的傷勢四日內當可開始消腫，五日紅腫盡退，七日可以行動，十日復原。」

瞎眼道人重重地咳了一聲，道：「那內服主藥，味道既酸又苦，甚是難吃……」

突然住口不言。

方兆南聰明絕倫，心知他有話難以出口，當下說道：「老前輩可有什麼話要說？」

瞎眼道人輕輕嘆息一聲，道：「老夫生平之中，從未求人相助過，今日不得不求人一次了。」

方兆南道：「老前輩儘管吩咐，晚輩力所能及，無不全力以赴。」

瞎眼道人道：「再過一刻工夫，我就要和那玩蜂的老兒，展開一場生死之搏，那老兒武功高強，不在我之下，這一戰勝敗甚難預料。我已年登古稀，死而無憾，但尚有一樁心願未了，使我死難瞑目。」

方兆南道：「老前輩只管吩咐，只要晚輩不死，定當為老前輩完成心願。」

那瞎眼道人緩緩從懷中摸出一柄尺許長短的玉匣，和半截銀光燦爛的斷梭，說道：「這樁心願說易不易，說難不難，唉！只不知要到哪年那月才能完成而已。」

方兆南目光一掠他手中斷梭，心頭忽然一動，想起那滿身傷疼的陳姓老人，臨死之際，諄

諄告誡陳玄霜，要她每屆中秋，到泰山絕頂黑龍潭畔，憑半截斷梭取回一柄寶劍……」

只聽那瞎眼道人說道：「老夫也是受人之托，在中秋之夜，要趕往黑龍潭畔等一個人，憑他手中一半斷梭，和我這半截斷梭，恰合後取這玉匣。

「不論那人是誰，也不要管他是男是女，來自何處，只要能合上這半截斷梭，就把這玉匣交付於他，老夫已等了數十年了，始終不見那取劍之人。

「如今我生死難卜，縱然是不死，也必將落個重傷殘廢，這玉匣、斷梭移交給你，代我保管了……」

他微微一頓，又道：「不過，你每屆於中秋之夜，必須要趕往黑龍潭，待天色過午，仍不見有人攜帶那一半斷梭而來，你就可以離開那地方了。」

方兆南本想告訴他心中所知，但生恐言有不慎，反而招致甚多麻煩，索性忍了下去，伸手接過斷梭玉匣。

那瞎眼道人突然施展「傳音入密」之術，說道：「老夫也不會白白讓你爲我暫時保管斷梭、玉匣，現在把我兩招掌法傳你，雖然兩招，卻是我生平絕學。

「可惜的是，那玩蜂的老兒在一側監視，我無法一招一式地傳授於你，只好把兩招的口訣傳與你，至於你能否領悟，那就要看你的造化了。」

也不管方兆甫是否已用心聽，立時用「傳音入密」之法，講解起那兩招口訣來。

方兆南只好凝神靜聽，字字默記。

瞎眼道人說完口訣，突然挺身而起，一掄手中木杖，道：「玩蜂的老兒，咱們比劃去吧！」

雙足微一用力，人已穿出大殿。

他雙目雖盲，但身法迅快、靈活，落足之處，正好是那殿外庭院的中心之區。

蜂王楊孤哈哈一陣大笑，道：「好啊！咱們幾十年不見了，你這瞎老兒倒不失昔年的豪壯之氣。」

瞎眼道人冷冷答道：「姓楊的，咱們未動手之前，我有一事相求。」

楊孤提起木籠，追蹤而出，口中應道：「你說吧！」

那瞎眼道人道：「這娃兒和我素不相識，只是求醫雙腿而來，咱們結下的仇恨，最好是不要牽扯到別人身上。」

蜂王楊孤冷笑一聲，道：「只要他不出手打擾，我就答應你，如若他妄自出手，橫加干擾，那可是自尋死路，和我無干！」

瞎眼道人道：「這話倒也公平……」

忽提高了聲音，對方兆南道：「小娃兒用心聽著，我已爲你採集了足夠你療好傷勢的藥物，只要你按我教的法子服用，自是可在預期之內，完全復原。

「我和這玩蜂的楊老兒，結仇極深，他處心積慮，下了數十年的工夫，配養了巨大奇毒之蜂，目的就是要找我清結一筆舊恨，因此，不論我們動手時誰勝誰敗，都不許你出手相助。」

那瞎眼道人大聲喝道：「你必須得答應老夫之言，我才能放得下心。」

蜂王楊孤忽然轉頭，雙目暴射出兩道凶光，凝注在方兆南的臉上，道：「你如一定想幫助他，那就此刻加入，如待我傷了他之後，你再出手相救，那時，無疑以卵和巨石相撞。」

方兆南道：「那道長對我療傷有恩，受人點滴，當湧泉以報，依據武林間的規矩，在下是不能袖手旁觀……」

瞎眼道人大怒道：「哪個要你報答我了，哼！不識時務！」

方兆南不理會那瞎眼道人之言，接道：「但兩位老前輩卻是要清結昔年積下的一筆舊恨，往事前塵，晚輩既不知兩位老前輩的結怨經過，更無法妄論誰是誰非，因此，一時倒無法決定，是否該出手相助。」

方兆南長嘆一聲，接道：「最好兩位老前輩能夠放棄昔日一段恩怨，免得讓晚輩又目睹一次上代武林前輩們，又一次殘忍的仇殺。」

他這兩句話，似是發生了巨大的力量，兩人的臉上，同時泛現出黯然之色。

蜂王楊孤兩目中暴射出的凶光，也緩緩收斂起來。

那瞎眼道長，卻緩緩垂下了頭。

方兆南道：「兩位老前輩既然已是古稀之年，想必知道南北二怪了……」

蜂王楊孤突然抬起頭來，雙眉聳動，目中神光閃閃地厲聲喝道：「住口！老夫積存於胸中數十年的怨恨之氣，豈可被你一陣花言巧語掩過，在說，我這數十年的工夫，豈能白費了嗎？」

那瞎眼道人突然從懷中摸出一個一尺多長，金光燦燦，形如竹節之物，冷冷說道：「姓楊的，我雖然瞎了兩眼，但也未必就會敗在你的手中。你既然不願罷手，那就早些動手，分個生死出來，反正不是你死，就是我亡！」

蜂王楊孤一陣哈哈大笑，道：「這話不錯！」

一拍木籠，登時有數十隻巨蜂飛了過去。

只聽那瞎眼道人大喝一聲，手中木杖急掄而出，一股勁風，掃了過去。

那一線飛去的巨蜂，被那木杖勁風一逼，立時散成一片，上下左右，分向那瞎眼道人衝去。

蜂王楊孤縱聲長笑，道：「瞎老道，只怕你今日連我這籠毒蜂之威，也是難以逃過了！」

那瞎眼道人冷笑一聲，手中那形如竹節的金筒突然一掄，一道火光，由那金筒中噴射出來，火焰爆出數尺方圓大小，十餘隻毒蜂，盡被烈焰燒死。

蜂王楊孤看得呆了一呆，道：「好啊！你倒是早已有備了！」

只聽那瞎眼道人高聲說道：「你費了數十年工夫，集天下群蜂配養巨形毒蜂，在下豈能後人，自然該想出個對付你那巨毒之蜂的法子了！」

蜂王楊孤似是對那辛辛苦苦配養出來的巨蜂大力愛惜，眼看巨蜂攻襲無效，竟是不肯再讓牠們白白送死。

他放下木籠，怒聲喝道：「看看你那噴火金筒能否傷得老夫？」

大喝一聲，衝了上去。

那瞎眼道人迅快地把金筒藏入懷中，說道：「老夫雖然雙目盡盲，但還不願憑藉噴火金筒傷人……」

木杖橫掄，掃了過去。

蜂王楊孤動作奇快，縱身欺攻之時，雙手已然從懷中摸出了一對鋼環，只聽一陣叮叮咚咚，左手之鋼環疾向木杖上擊去，右手鋼環卻疾向前胸點去。

瞎眼道人雖難見物，但他舉動，卻似和有眼之人一般靈活，疾如飄風地向後閃退三步，手腕一振，木杖當胸點去。

蜂王楊孤大喝一聲，雙環施展開快速的攻勢，但聞環聲叮咚，白光閃飛，一招接一招的盡都是疾攻招術。

那瞎眼道人卻是嚴持守勢，木杖配合著閃避的身法，封架還擊，從容不忙。

但見兩人身形愈轉愈快，手中兵刃的變化更奇詭，百回合後，人影雜沓，但聞杖聲呼呼，鋼環叮咚，周圍一丈之內，斷草沙土，滾滾飛揚，已無法看清兩人的身影。

方兆南正自看得入神，忽覺雙腿傷處，一陣劇疼攻心，知道又至傷勢發作時辰，趕忙放鬆肌肉，閉上雙目，盡量使心情平靜下來。

不知過去了多少時間，膝間痛苦大減。

耳際間已不聞鋼環叮咚和木杖的嘯風之聲，不禁心中一動，暗道：「難道這兩位老人已經拚出個生死了嗎？」

方兆南緩緩啓目望去，眼前的景象，並非他想像的一般，那瞎眼道人和蜂王楊孤，都仍然完好無恙，兩人仍然正做著捨死忘生的惡鬥。

只是兩人此刻已由招術兵刃的相搏，轉變成各以內功相拚了。

只見兩人各自凝神而立，那瞎眼道人舉起木杖，手橫胸前，側耳靜聽，蜂王楊孤卻瞪著一雙眼睛，凝注著那瞎眼道人，靜站不動，但雙方頭頂上都滾著汗水。

看兩人頭上滾落的汗水，想來兩人早已拚過數招，但仍是個不勝不敗之局。

只聽蜂王楊孤沉聲喝道：「瞎老道，想不到這幾十年來，你的武功精進了很多啊！」

瞎眼道人道：「好說，好說，楊兄的武功，也是越來越高強了！」
蜂王楊孤道：「看來咱們今日這一戰，又是難以分出高下了！」
瞎眼道人微微一笑，道：「大概是兩敗俱傷之局……」
餘音未絕，楊孤突然一抖手中鋼環，掃了過去。
那瞎眼老人似是早已料到蜂王楊孤會突然施襲，說話之中，仍是暗中戒備，楊孤鋼環一動，他已驚覺，一吸小腹，陡然後退了三步，木杖疾向環上掃去。
蜂王楊孤好不容易搶得一著先機，如何肯甘心再讓那瞎眼道人扳回，手腕一沉，鋼環脫手飛出，擊向那瞎眼道人丹田穴。
那瞎眼道人萬沒料到，蜂王楊孤竟然會把兵刃當做暗器，打了出去，只覺小腹丹田要穴一疼，身不由己地向後退了兩步。
蜂王楊孤一側身子，借機向前衝去，斜裡一掌拍了出去。
那瞎眼道人「丹田」要穴被傷，神志已經有些不清了，哪裡還能躲避開蜂王楊孤這迅快的一擊，只聽砰然一聲，掌勢正擊在肩頭之上，身子搖了兩搖，一跤摔倒地上。
但聞方兆南高聲喝道：「住手！暗施鬼謀算計一個雙目盡盲之人，算得了什麼英雄人物！」
蜂王楊孤轉過身來，冷冷說道：「老夫和他仇深如海，哪裡還顧得什麼暗算不暗算？哼！識時務的少管閒事，或可留下命在，再要多口……」
忽見方兆南臉色大變。
原來那瞎眼道人借蜂王楊孤和方兆南談話之機，悄然爬起，拚耗最後一口真氣，摸過木杖，潛運內力，無聲無息地掃出一杖。

蜂王楊孤驚覺之時，木杖已然擊在胯上，砰然輕震聲中，胯骨應聲而斷，整個的身軀也被那木杖蓄蘊內力，彈震得飛了起來，摔倒在七、八尺外。

那瞎眼道人一杖擊中蜂王楊孤，縱聲大笑，但陡然身子搖了兩搖，木杖脫手落地，一跤坐在地上。

方兆南眼看兩個武林中絕代高手，力拚數百招後，仍是半斤八兩，只道這場殺劫可以免去，卻不料兩人卻都傷在彼此的暗算之中。

方兆南忽覺一股悲痛之氣，由心底直泛上來，不自禁地滴下來兩點熱淚，暗暗嘆道：「瓦罐不離井口破，將軍難免陣上亡，這兩句通俗之言，不知用了多少人生死的堆積，體驗出來！」

他緩緩撿起身側竹杖，架在兩肋之間，躍出室外，飛落到蜂王楊孤的身前，低聲問道：「老前輩傷得很重嗎？」

楊孤只道他有意加害，停了掙扎爬動之勢，冷冷說道：「你可是想傷害老夫嗎？」

方兆南輕輕一嘆，緩緩坐了下去，說道：「老前輩不要誤會，在下並無加害之心，唉！兩位都已是年登古稀之人，身歷了半生恩怨，這等年紀了爲什麼還看不開呢？」

蜂王楊孤輕輕地咳了一聲，吐出兩口鮮血，說道：「可惜你說得太晚了！」

突聽那瞎眼道人說道：「楊老兒，你報了仇啦！我內腑被你震裂，丹田要穴亦受重傷，決難再活過一個時辰了！」

蜂王楊孤重重地喘息幾聲，說道：「你那一杖震得我心臟碎裂，只怕我連一個時辰也活不

過啦！」

方兆南長長嘆息一聲，道：「兩位老前輩現在後悔了嗎？」

蜂王楊孤重重喘息一聲，又吐了一大口鮮血，接道：「瞎老道，你還有什麼要說，快些說吧！我已經快要不能聽了！」

只聽那瞎眼道人道：「我不能再說什麼話給你聽了，我要留些力氣，把我一點武功，傳給那姓方的少年。」

蜂王楊孤道：「對！咱們人死了，總該留一點武功在人間才對，不過，讓我先來吧！我傷勢較重，自然是要比你死得早了。」

暗中提聚了一口真氣，控制著最後一點元氣，不讓它散去。

蜂王楊孤抬起頭來，望了方兆南一眼，道：「孩子，快過來！」

方兆南雙手用力一撐，飛躍過去，說道：「老前輩有什麼吩咐？」

蜂王楊孤道：「現在，我已是將要斷氣之人，因此，你要仔細地聽我的話，我首先傳你使喚這巨蜂之法，並把這世上絕無僅有的一籠巨蜂送你。」

接著傳授御蜂之術，取蜜之法，以及養蜂之竅，單攻、群攻，保命護身的口訣、方法。

他已是面臨死亡之人，隨時有氣絕的可能，方兆南不願再讓他臨死之前，多點遺憾，盡可能地記下相傳的口訣。

蜂王楊孤說完那御蜂的秘訣之後，還未來得及傳授他的武功，突覺眼前一黑，一腔熱血，盡皆浮動，閉目死去。

方兆南長長嘆息一聲，抱拳拜道：「老前輩安息吧！這巨蜂是你獨門特徵，晚輩當盡我所能地爲你奉養……」

只聽那久未說話的瞎眼道人，說道：「怎麼，那蜂王楊孤死了嗎？」

方兆南道：「死了。」

瞎眼道人道：「那你快過來吧！我還有一招武功傳你。」

方兆南急急躍飛過去，落在那道人身側，道：「老前輩當真就沒有收過一個弟子嗎？」

瞎眼道人道：「收雖收過一個，但他心地太壞，已被我逐出門牆了。」

方兆南啊了一聲，忽然想起車上那偷入車內的少年人來。

只聽瞎眼道人接道：「我不是傳你兩招掌勢嗎？」

方兆南道：「不錯啊！」

瞎眼道人道：「我藏私，留下一招沒有傳你，這三招本是一氣呵成之學，循環變化，威力無窮，我留下一招後，使這一式整個的絕學，漏缺了一個環節，現在我要把這一招傳你……」

立時講述口訣，而且不計重傷之軀，拚盡最後力氣，不停地用手比劃。

方兆南一面默記口訣，一面舉掌練習。

他習練了幾遍之後，果然體會到奧妙之處，不自覺心神專注。

當他停息下來，回頭看時，那瞎眼道人早已僵挺而臥，氣絕而死。

方兆南眼看著兩個武林前輩高手，動手相搏，互受重傷而死，不禁黯然落淚，把兩具屍體，移置到庭院一角，掘了一個土坑，把兩具屍體，並放在一起。

一坏黃土，掩埋了兩個武功絕強的高手，荒涼的古剎，平添一座新墳，更增了幾分陰森荒涼。

方兆南呆呆地坐在荒草地上，凝目沉思，想到近年來身歷目睹的淒慘之事，不禁黯然魂斷。

方兆南一面遵守那瞎眼道人囑咐之法服藥療傷，一面打坐調息，和演練御蜂之術，那一籠巨蜂，似較常蜂靈巧甚多。

又過數日，那瞎眼道人留給他的藥物服完，膝傷也剛好全復，半月時光的寧靜生活，竟使他動了息隱林泉之心。

但轉念又想到陳玄霜和周慧瑛陷身危境，急待相救，恩師大仇未報，只好重振雄心，提了木籠，離開了荒廟，趕往少林寺去。

方兆南自遇得鬼仙萬天成後，才知自己這段時光中的連番奇遇，武功仍是微不足道，決心趕往嵩山，以求絕學。

且說梅絳雪茫茫然地行了一陣，到了一座尼庵面前，忽覺腹中有些饑餓，信步走了進去。

這是一座很小的尼庵，但卻打掃得纖塵不染，大殿上高燒著兩支火燭，一個身著灰袍的尼姑，正在誦讀經文。

梅絳雪緩步走了進去，低聲叫道：「師父，我腹中饑餓，想討一頓齋飯食用。」

那尼姑緩緩轉過臉來，打量了梅絳雪一陣，道：「姑娘想是餓暈了，隨我來吧！」站起身來，向外行去。

梅絳雪隨在那尼姑身後，走入一座廂房，只見一張木桌之上，放著現成飯菜，當下說道：「不敢有勞師父動手。」取過筷子，自行吃了起來。

那尼姑看了片刻，悄然退了出去。

梅絳雪一口氣吃了兩大碗，才放下碗筷，倚在壁上，睡了過去。

她連番經歷惡戰，真氣消耗甚多，再加上心中的憂苦，不覺睡熟。

不知過去了多少時間，忽覺身軀被人搖了幾下，睜開眼一看，只見一個滿臉皺紋堆疊的老尼，站在身前，慈愛地說道：「老尼已爲姑娘掃好臥榻，請到床上睡吧！」

梅絳雪怔了一怔，道：「打擾師父了。」隨在那老尼身後行去。

夜深人靜，一月如鉤，那老尼邁動著蒼老的腳步，緩慢地穿過了一座幽靜的庭院，到了一座緊閉雙門的廂房前面。

那老尼緩緩伸出手去，推開兩扇木門，回頭對梅絳雪說道：「姑娘，這是妳的住處了。」跨進門去，摸起火鐮火石，敲燃紙捲，燃起一支紅燭。

燭光熊熊，照得滿室通明，梅絳雪借著高燒的燭光望去，只見白壁黃榻，連那張木案上也鋪了黃色桌布，全室中只有黃、白兩色。

那老尼指指木榻說道：「被褥都已備齊，妳揭開那黃色的床單，就可安睡了。」

梅絳雪忽然由心底泛升起一縷溫暖的感覺，長長嘆息一聲，道：「老師父也該安歇了。」

那老尼皺紋堆疊的臉上，泛現出一絲笑容，道：「妳快睡吧！」緩步退出，慢步而去。

梅絳雪關上房門，和衣倒臥在榻上，但卻毫無睡意，心中思緒如潮，紛至沓來。

她想到了方兆南、陳玄霜、以及葛煒、葛煌……冥嶽學藝、血池歷險的諸般經過，一幕幕

地展現在腦際……

她長長嘆息一聲，自言自語地說道：「我經歷了無數的風險，無數的惡鬥，但我得到什麼？倒不如學那老尼，一心拜佛，倒還可落個心神寧靜……」

忽聽一個男人的聲音，接道：「姑娘身懷絕技，今世武林人物，有幾人能是姑娘之敵……」

梅絳雪怒聲接道：「什麼人？」

窗外應聲答道：「我！」

吱的一聲，木窗大開，一個全身勁裝的少年，一躍而入。

梅絳雪目光一轉，冷峻地掃掠來人一眼，道：「這乃清靜佛門之地，你來作甚？」

原來這勁裝少年，竟然是窮追梅絳雪的葛煒。

葛煒怔了一怔，道：「我們兄弟，學得了甚多武功，但因才智所限，不解之處甚多，想請姑娘指點。」

他換穿新裝之後，容光煥發，劍眉星目，看去甚是英俊。

梅絳雪冷冷地說道：「我已看破世間的險惡，紅塵的煩惱，要化身方外，托佑佛門，不再涉足江湖了，從此刻起，你們兄弟不許再苦苦糾纏於我，不聽我良言忠告，可別怪我翻臉無情，出手傷人了！」

葛煒輕輕咳了一聲，接道：「羅玄托付姑娘之事，想來定然是極爲困難之事，姑娘尚未辦妥，如何能削髮爲尼，跳出紅塵？」

梅絳雪沉吟不語，顯然，葛煒之言，觸動了她的心事，暗暗忖道：「羅玄遺言囑我之事，我已經答應了，是非要替他辦到不可，唉！如著能有人替我辦理他遺囑之事，我就可以常留佛門，永伴青燈，過半生寧靜的歲月了……」

目光凝注在葛煒臉上良久，才道：「不知你們兄弟兩人，可否答應我一件事情？」

葛煒道：「姑娘但有差遣，我等萬死不辭。」

梅絳雪道：「我要你們兩兄弟代我去完成那羅玄的遺志。」

葛煒道：「可惜我們兄弟武功難以勝任。」

梅絳雪道：「我把羅玄傳我的武功，轉授你們兄弟就是！」

葛煒喜道：「姑娘果肯如此，我們兄弟自當全力以赴。」

梅絳雪道：「這尼庵甚是清靜，我決定暫時留居此地，白天要禮佛唸經，懺悔我已往的罪孽，晚間找一個清靜的所在，傳授你們兄弟的武功。」

葛煒道：「就此一言爲定，我立刻在這附近勘查一處清靜之地，明夜再來相請姑娘。」

也不待梅絳雪答話，轉身一躍，飛出室外不見。

次日清晨，梅絳雪一早起來，直向大殿行去。

只見大殿中燭火高燒，那老尼和另一個年紀較輕的尼姑，已開始燃香拜佛，準備早課。

梅絳雪隨在兩人身後，拜過佛像，端坐在神案蒲團之上。

二尼拜過佛像之後，開始誦讀經文。

一時間梵音飄揚，繚繞耳際。

那老尼隨手在神案上取過一本經書，遞了過來，低聲說道：「苦海無邊，回頭是岸。」

梅絳雪接過經書展開一瞧，正是兩人誦讀的經文，當下隨著兩尼，朗朗高誦起來。

做完早課，天色已經大亮，那老尼收了經書，低聲對梅絳雪道：「佛門廣大，慈航普渡，妳如覺得這尼庵尚可暫做棲身之地，儘管留居下來。」

梅絳雪輕輕嘆息一聲，道：「弟子內心之中，實在羨慕兩位師父的寧靜生活，不過弟子滿身罪孽，結仇無數，常留此地，只怕要為兩位招來災禍！」

那老尼微微一笑，道：「佛門廣大，無所不容，但慈航不渡無緣之人，來亦是去，去亦是來，留此與否，悉聽尊便。」

說完緩緩向殿外走去。

梅絳雪輕輕嘆息一聲，步出大殿。

她內心充滿著矛盾，既覺佛門清靜，托佑於此，可忘去無數煩惱，但又覺此身積孽無數，難登慈航之舟。

一日匆匆，天又入夜，二更時分，葛煒、葛煌聯袂而來。

葛煒恭恭敬敬地對著梅絳雪抱拳一禮，道：「我兄弟心念父仇，願追隨姑娘學習武功。」

葛煌接道：「在這尼庵之後，十里之處，有一座廣大的森林，林中有一片水塘，大約有畝許大小，那地方人跡罕至，倒是一處極好的習武所在。」

梅絳雪道：「你們帶我去瞧瞧吧！」站起身來，向外行去。

這三人都有著絕佳的輕功，十里行程，轉眼即屆。

月光下，果見一片廣大的森林。

只聽葛煌低聲說道：「在下帶路。」身子一側，鑽入那茂密的林木之中。
梅絳雪隨在兩人身後，在那茂密的樹林中，行約半個更次之久，忽見眼前一亮，一鉤銀月，蕩漾於水波之中。
果然，在這片茂密的林木之中，竟然有著一片畝許大小的水塘，水塘四周，另有一片空闊的草地，實是一處習練武功的好地方。
梅絳雪打量了四周一眼，點頭說道：「這地方很隱密！」
葛煒道：「我們兄弟，想在這水塘之畔，爲姑娘搭上一座茅屋，也好免姑娘奔走之苦。」
梅絳雪沉吟一陣，道：「好吧！不過兩幢茅屋，要各據水塘一邊，一幢做爲你們兄弟安居之處，除了傳授武功時之外，不得我的召喚，不許進入我住房五丈之內。」
葛煌道：「姑娘傳授我們武功，有如師長之尊，一切但憑吩咐，我等無不遵從。」
三日之後，梅絳雪果然遷入了這隱密的森林之中，葛氏兄弟在她那一座簡陋的茅屋之中，布置得甚是華麗，應用之物，無一不全。
梅絳雪仍然是一副冷若冰霜的神情，除了傳授兩人的武功之外，從不假以詞色，每隔上兒幾日，她必要到那尼庵中相伴兩個老尼，做上一次佛課，誦讀經文。
就在梅絳雪傳葛氏兄弟武功之時，方兆南也正在覺夢、覺非兩位高僧的細心傳授下，苦練少林上乘武功。

五四　妖姬潛蹤

原來，方兆南到了嵩山之後，並未再驚動少林寺中僧人，滿山行走，費了大半天的工夫，找到了那日跌下懸崖的地方。

他並採集了甚多山籐，銜接起來，一端拴在一株松樹之上，提著木籠，攀籐而下。

他此時的武功，較跌入懸崖之日，又有甚多進境，借這垂籐之力，自然是輕而易舉地落入谷中。

谷中的景物依舊，方兆南一辨別方向，沿著山壁行去。

行約兩、三丈遠，果然有一座敞開的石洞。

方兆南提聚真氣，沉聲問道：「弟子方兆南，求見兩位老前輩。」

只聽那洞中傳出來一個蒼老的聲音，應道：「你來得很好，進來吧！」

方兆南把手中木籠放在洞外，整了整衣衫，緩步向前行去。

深入約十丈左右，形勢突然開闊。

只見鬢髮如雪，長垂數尺的覺夢大師，盤膝閉目而坐，禿頂無髮，顎下長垂黑髯的覺非大師，卻是斜斜地倚在破壁之上，一副萎靡不振之態。

方兆南急急拜伏地上，道：「兩位老前輩別來無恙。」

覺夢緩緩睜開雙目，道：「唉！你再晚來數日，只怕就難見到我覺非師弟了。」

方兆南吃了一驚，道：「怎麼？」

覺非突然一挺而起，道：「我被那丫頭劍傷肺腑要害，已難久於人世了。」

方兆南道：「老前輩能度過這樣長久的時日，險期早過，難道傷勢還會惡化不成？」

覺非道：「我憑藉深厚的內功，和那傷勢相抗，但卻無法使斷脈重續，傷肺重合，孩子，快把我們少林寺中的情景，告訴我，唉！要不然老僧死難瞑目。」

方兆南看他說話情景，甚爲吃力，心知生死只是旦夕間，不禁一陣黯然，當下把生放南北二怪，和冥嶽嶽主決戰之事，極詳盡地說了一遍。

覺非大師長長吁一口氣，道：「少林一派數百年的威名，竟然傷於一旦，老衲還有何顏面面對歷代祖師的英靈……」

只覺一陣熱血沸騰，創口迸裂，鮮血急噴而出……

方兆南急急站起，撕了一片衣服，去包紮覺非的傷勢。

覺非重重地咳了一聲，說道：「師兄請答應我一樁事，小弟才能死得瞑目。」

覺夢白眉聳動，全身微微顫抖，顯然，他內心也有著無比的激動，但他的聲音，仍然是異常平靜，慈和地說道：「什麼事？」

覺非道：「我要師兄答應我，把你一身所學，盡皆傳給這個娃兒，也好替咱們少林一派，出一口氣。」

覺夢道：「爲兄的答應你……」

覺非突然放聲大笑道：「能得師兄一諾，小弟死而無憾了。」

方兆南見他全身都在巨烈的震顫，傷口熱血泉湧而出，心中大感驚駭，急急對覺夢說道：「老前輩，老前輩……」

只聽覺非那大笑聲中，夾著斷斷續續的聲音，道：「你們不用管我了，我已經不行啦……孩子，我還道你不會來了。」

方兆南道：「晚輩慚愧萬分，有辱兩位之命。」

只聽覺非的大笑之聲，愈來愈是響亮，突然中斷，身軀一陣抖動，閉目逝去。

方兆南眼看一代高人，閉關數十年，參悟了佛家上乘大法，竟然這樣死去，回憶年來所聞、所睹，盡都是悲慘之事，不禁悲從中來，撫屍大慟，放聲哭了起來。

覺夢大師沉重地嘆息一聲，道：「小施主不用哭了，這一段時日，他已受盡了肉體之苦，能得早日圓寂，歸化我佛，西上靈山，對他和老衲而言，都是一件值得高興的事。」

慈和的聲音突轉莊嚴，接道：「從此刻，老衲要傳授你少林一門的上乘心法，老衲雖不敢說，你得真傳之後，將成舉世無敵之人，但如有十年苦修，當可和羅玄一較勝負。」

方兆南正想說出羅玄已然死去之事，忽然心中一動，倏然又住口不言。

覺夢大師緩緩伸出手來，拂在方兆南頂門之上，說道：「孩子，修爲佛門的上乘心法，最忌分心，我將以數十年閉關禪坐的無上大力，助你速成……」

方兆南唯唯受教，連連應道：「晚輩記下了……」

只覺覺夢大師拂動天靈穴的手掌之中，湧出了一股強烈的熱力，攻入天靈穴中，循脈而下，緩緩向內腑四肢分布開去。

熱流初注，只覺全身舒泰，但那熱力逐漸增加，登時起了強烈的反應，有如火焰觸身，筋

膚經脈上，痛苦異常。

方兆南不覺運集了全身功力，向那熱力抗去。

方兆南運氣和那熱力相抗，初時尚可勉強支持，但半個時辰之後，他已經用盡了全身的內力，只覺筋疲力盡，再也無法和那攻入天靈要穴的熱力抗拒。

幻覺中，似是自己正被投擲於大火之中，肌膚筋骨，都像是被那大火燃燒著。

不知過去了多少時間，方兆南從似睡似幻的境遇中醒了過來，睜眼望去，只見覺夢大師雙掌端放在雙膝之上，頭倚山壁，沉沉地熟睡了過去。

方兆南心頭隱隱覺得，覺夢大師這等萎靡的神態，必然和自己有關，一種恐懼的憂意泛上了心頭，擔心這老僧會像覺非一樣地突然死去。

只聽覺夢大師微弱的聲音，傳了過來，道：「孩子快些運氣調息，不要辜負了老衲一片苦心。」

方兆南凜然一驚，趕忙依照覺夢相囑之言，專心運氣調息。

每當他一次坐息醒來，就覺得丹田之中有一股熱氣，直向上面沖去，整個的身軀，都似要被那上沖的熱氣帶得騰空而起。

這是他修習內功以來從未有的現象，心中大感不安起來，幾度他想開口問問覺夢大師，但均自強行忍了下去。

好不容易熬過一十二個時辰，覺夢大師果然悠悠清醒過來，他的雙目射出了懾人的寒光，萎靡的神態也爲之一振。

覺夢大師緩緩沉聲說道：「孩子，去撿些山石回來，老衲要把這座山洞封閉起來。」

方兆南心中雖然疑竇叢生，但他卻不敢多問，依言去撿了小石，兩人一齊動手，把那山洞封了起來。

覺夢長長吁一口氣，道：「孩子，咱們走吧！」

方兆南呆了一呆，暗道：「要到哪裡去呢？難道他要帶我出此絕谷？……」

覺夢大師似是已看出方兆南心中的憂慮之情，淡淡一笑道：「咱們到南北二怪被囚之處，那裡有可資食用之物。唉！老衲閉關之時，曾經帶了萬粒花生，三十年來，就藉那萬顆花生，延續生命，但你此刻尚未參悟佛門上乘打坐之法，不進食物，決難保持身體不起變化。」

在覺夢大師引導之下，方兆南安置了那一籠巨蜂後，重回到南北二怪被囚之處。

這一處天然的石窟，有一道泉水，自山頂瀑流而下，每隔上三天時間，總有一只竹籃由上垂了下來，籃中有飯。

方兆南看得大是奇怪，忍不住問道：「這些東西，是從何處送來，可是少林寺中僧侶送的麼？」

覺夢大師搖頭道：「昔年我那師兄囚禁南北二怪之時，對此已預作安排，寺中弟子卻是不知此事。」

匆匆時光，流轉歲月，方兆南和覺夢大師整整在石室中住了半年之久，方兆南夜以繼日地用心習練，覺夢也傾盡所能地細心傳授。

半年時光，方兆南已盡得覺夢絕技。

這日，太陽下山的時分，覺夢大師把方兆南喚到身前，說道：「你可計算過，咱們在這石

室中，住有多長時間？」

方兆南道：「晚輩記不得了。」

原來他這半年中，全神貫注在習練武功之上，浸沉其間，如醉如狂，哪裡還記得日夜輪轉，歲月幾何？

覺夢大師輕輕嘆息一聲，道：「半個年頭了，你也該走啦！」

方兆南怔了一怔，舉手拍了拍腦袋，道：「有這麼久了麼？」

覺夢道：「你已得了我十之七、八的真傳，數百年身集少林武功如你者，絕無僅有，此後只要能依我傳授於你的佛門禪定之法，自行修爲，功力自然隨時間增進，至於武功訣竅，你已大都通曉，日後的成就如何，那要看你的天賦了。

「孩子，你目下已經是武林高手中的頂尖人物了，能和你頡頏的高手，只不過武林三、二名宿，何況，我也不能再教你……」

說至此倏然住口，長長嘆息一聲，又道：「你也該好好休息一下，天黑之後，你仍從通往藏經閣的密道出去吧！」

方兆南想到陳玄霜和周蕙瑛的生死，亦急欲早日離此，當下不再多言。

天約初更，覺夢大師喚醒方兆南，低聲說道：「孩子，你該走了。」

方兆南黯然淚下，對覺夢大師拜了三拜，道：「晚輩去了，老前輩請多多保重。」

微微一頓又道：「晚輩尚有一籠巨蜂，留在那幽谷之中，不知牠們是否能安然無恙，唉！那也是一位老前輩遺贈之物，我答應過，要盡我所能，爲他保養。」

覺夢點點頭道：「一諾千金，自不可言而無信，你去吧！」

方兆南道：「今日一別，不知要哪年哪月，才能重睹老前輩慈顏。」

只見覺夢大師緩緩閉上雙目，倚壁睡去，不再答理方兆南詢問之言。

方兆南不敢再多驚擾，慢步退出石室，想起半年相處之情，不禁唏噓淚下，一步一拜地退了出去。

他並未重行密道，卻依照原路退了出去，重到怪石嶙峋的山谷之中。

只見那一籠巨蜂，嗡嗡之聲，繞諸耳際，半年小別，仍然無恙。

方兆南提起木籠，走回那垂籐之處，用手一拉，似是仍有著甚強的韌性，深山幽谷，人跡罕至，老籐依舊無恙，堅韌猶存。

方兆南這段時日之中，輕功又進境甚多，當下攀籐而上，一口氣登上峰頂。

抬頭看去，只見滿天星辰，半被雲掩，忽隱忽現，忽然激發起豪壯之氣，仰天一聲長嘯，聲如龍吟，直沖雲霄，四山回鳴，聲聞十里，嘯聲中大步向前行去。

往事淒涼，回憶黯然，方兆南已無心再修自己的儀容，褸衣一襲，蓬髮垢面，一支竹杖，挑著黑布重遮的一籠巨蜂，就這樣奔行於江湖之上。

他雖然惦念著周蕙瑛和陳玄霜的生死，但天涯茫茫，芳蹤何處，一時間哪裡去找，他爲自己的何去何從憂苦。

方兆南經過一陣深長的思慮後，決定先趕往冥嶽，在那裡埋了無數的武林高手，而且仍有著數不清的武林人物，被冥嶽嶽主奴役著。

爲了避人耳目，他選擇了荒僻小徑，晝夜兼程。

這日，到了山東省境內的兗州，這是一個商旅雲集的重鎮。

夕陽西下，晚霞絢爛，黃昏將臨時，方兆南趕進了兗州城。

他歷經了無數凶險，往事在他心靈裡留下深刻創傷，但也使他對江湖的險惡，產生出敏銳的觀察力。

當他踏進了兗州城時，就覺得這地方有些異樣，不少華衣高馬，佩刀掛劍的武林人物，出現在兗州城中。

他意識到這座環山的重鎮裡，正面臨著一場風暴。

他開始留心起周圍的人物。

忽然間，一輛疾快的馬車，馳過了他的身側，四周低垂著黑色的布篷，以方兆南的目力，也無法看清那馬車中的景物。

趕車人也似有意地掩遮去自己的面目，頭上一頂白絹色邊的草帽，低垂眉際，遮去了大半個臉。

緊接著馬車後面，是一匹風馳電掣的快馬，掠過方兆南身側奔過，帶起一陣急風，飄飛起他襤褸的衣袂。

馬上坐一個華衣少年，但他的上半身幾乎是俯臥在馬背上，一瞥間，方兆南留下了一個模糊的印象，那是個英俊的少年，隱隱間似曾相識。

他邁著緩慢的步子，神態十分悠閒，但他的內心中，卻是思潮洶湧，考慮著眼下的形勢。

這地方相距冥嶽不遠，這些武林人物的出現，應該和冥嶽有些關連。

忖思之間，忽覺一根竹杖，伸了過來，耳際間響起了一聲暴喝：「站開去！」

方兆南疾快地向後退了一步，轉頭看去，只見四個大漢，手中各自橫著一根竹杖，推趕著道上行人。

一個全身白紗的少女，端坐在兩人抬著的滑竿上，全身披著一層綠綾，在風中飄飛。

那是個很美麗的少女，長髮垂肩，眉目如畫，膚色如雪，瞪著兩隻圓圓的大眼睛，一瞬不瞬的。

她似是有著無比的鎮靜，對兩側投注到她身上的目光，渾似不覺。

方兆南皺了皺眉頭，暗暗忖道：「這人似是有意展現她的美麗，引得路人側目。」不禁仔細地看了兩眼。

哪知這留神一看，登時心頭大震，暗暗一聲嘆息。

原來，他發覺那端坐的滑竿上，身披綠綾的少女，竟然早已死去。

一股憤怒由心底直沖上來，激動了他豪俠之氣，冷哼一聲，正待暗中出手懲戒那四個手持竹杖推趕路人的大漢，心中突然一動，硬把一股憤怒之氣忍了下去。

方兆南心中暗暗忖道：「如若一個人的內功到了爐火純青之境，息脈閉氣，並非什麼難事，且不可莽撞從事，先看看情勢再說。」

心念一轉，突然加快了腳步，緊隨那滑竿之後行去。

只見那四個執竹杖的大漢，在一所大客棧前停下來，四條竹杖銜接成兩道竹籬，擋住了隨行的觀眾。

兩個抬滑竿的大漢，緩緩放下，解開長竿，連那身披綠綾少女的座椅抬了起來，直向客棧

中走去。

隨行圍觀的群豪，又有不少人發出了讚嘆之聲，道：「好標緻的姑娘。」

方兆南擠過人群，直向那客棧中走去。

四個手執竹杖的大漢，已改成並肩而立，橫杖擋住了店門，阻止觀眾入店。

方兆南大步衝去，立時被一支平伸的竹杖擋住，道：「討飯的，還沒有瞧夠麼？」

方兆南不願和幾人衝突，淡淡一笑，說道：「在下是要住店，兄台請行個方便，讓開去路。」

左側一個大漢，打量了方兆南一眼，看他那身襤褸衣著，冷笑一聲道：「就憑你那副窮相，也配住這全盛客棧麼？」

方兆南舉手一拂滿頭蓬髮，笑道：「看人豈可只重衣冠，在下這身衣服雖破，但是腰纏卻豐，住店付費，有何不可，再說兄台也不是客棧中人，不覺得管事太多了麼？」

那大漢呆了一呆，怒道：「窮要飯的毛病很大，老子就是不讓你住在這家客棧，你想怎麼樣？」

方兆南眉頭一聳，正待發作，但卻突然又忍了下去，說道：「在下已和朋友約定，今夜在這全盛客棧之中會面，有勞兄台高抬貴手了。」

說著身子一側，滑溜無比地從兩個手握竹杖大漢中間擠了進來。

左側大漢怒喝一聲：「臭要飯的可是找打麼？」說著伸手抓了過去。

哪知手臂剛剛探出，方兆南人已進了店門老遠，那大漢仍未覺出怪異，冷冷喝道：「臭要飯的給我站住。」

正待衝入店去，忽聽一聲輕叱道：「閃開路！」

那大漢腳步尚未抬起，媽呀一聲，蹲了下去。

抬頭望去，只見一個身著藍色長衫的少年，大步進入店中。

此人衣著華貴，腰懸寶劍，昂首挺胸而入，對那蹲在地上的大漢，望也不望一眼。

方兆南回顧了那華衣少年一眼，急急地別過臉去，緩步走到一個角落上坐了下來。

原來，這華衣佩劍少年，竟然是葛氏兄弟之中的老大葛煌。

方兆南雖然蓬首垢面，衣著襤褸，但葛煌的目光，何等銳利，只要他稍一留心，非被他看出來不可。

此時此情，他不願立刻暴露身分。

只見葛煌大步向後面行去，顯然，他早已在這全盛客棧中訂有房間。

只見蹲在地上的大漢，緩緩站了起來，和另外三人嘀咕了一陣，放下竹杖，魚貫向客棧之中走來。

方兆南怕被幾人瞧到，又要招惹一場麻煩，立時曲下身子，隱在桌面之下，躲過那四個大漢的目光。

只見四人直入後院而去，想來也是住在這全盛客棧之中。

這時，大廳中不過坐了三、四成的客人，但方兆南坐了半天，始終無人過來問他一聲，好像這客棧中主人，早已離去。

方兆南暗中打量了四周的客人一眼，只見他們個個默不作聲，有的坐著出神，有的飲著悶酒。

這些人，都似有著極沉重的心事。

方兆南偷眼向後望去，但見一道圓門之後，庭院廣大，似是有著甚多跨院。

他緩緩站起身子，正待進入後面瞧瞧，忽見一個店小二走了過來，無精打采地說道：「你可要吃東西麼？」

方兆南低頭望了望身上襤褸的衣服，笑道：「給我來壺好酒，隨便配四樣下酒的菜。」

那店小二打量了方兆南一眼，慢慢地轉過身子，舉步行去。

方兆南不得不重新坐了下來，暗暗忖道：「這樣也好，這裡既可看到客棧中出入人物，亦可監視著新來之人。」

他耐心地等著，足足過了半個時辰之久，那店小二要死不活地捧著酒菜走來。

忽然聽得一陣嗡嗡之聲，傳入耳際，回顧了方兆南墨布蒙遮的木籠一眼，道：「什麼東西嗡嗡嗡地叫不絕口？」

他隨口問了一聲，也不待方兆南回答，就轉身而去。

原來蜂王楊孤這巨蜂，久經他訓練，只要在木籠外遮上一層黑布，那巨蜂就不再向外飛動，此刻突然嗡嗡嗡叫了起來，想是黑布蒙遮得太久之故。

方兆南轉面拍了那木籠一掌，嗡嗡之聲，立時停了下來。

就這一剎間，一個手執竹杖、白鬚如銀的老叟，大步行了進來。

方兆南心頭一震，暗道：「這不是言陵甫麼?此老被鬼仙萬天成點了穴道，和那紅衣少女一併棄在山洞之後，何以此刻忽然在此現身？」

方兆南隨手抓了一把灰土，一低頭，塗在臉上。

言陵甫目光四外掃掠一眼，沉聲喝道：「伙計，給老夫來上一壺。」

一個店小二應聲而去，片刻工夫，送上了酒菜。

方兆南暗自一笑道：「車，船，店，腳，衙，當真是勢利得很。」

言陵甫端起酒杯，喝了一口，突然把兩道銳利的目光，投注到方兆南身上，不住地上下打量。

方兆南暗自警惕道：「不要慌，一慌就露出馬腳了。」

在這當兒，突然聽到一個清亮冷笑的聲音，傳了過來，說道：「言老前輩也來了麼？」

方兆南目光一轉，只見那人一身藍綢疾服勁裝，背插長劍，玉面朱唇，竟是葛氏兄弟中的老二葛煒。

言陵甫緩緩放下酒杯，淡淡一笑道：「你能來，老夫就不能來麼？」

葛煒緩步走到言陵甫對面，自動地坐了下來，道：「老前輩一個人來的麼？」

言陵甫老而彌辣，冷哼一聲道：「你可是在盤問老夫麼？」

葛煒劍眉聳動，雙目放光，冷冷地說道：「晚輩是好意相問，老前輩不識抬舉，那也是沒有法子。」

說完轉過身子，慢步而去。

言陵甫突然一仰臉，咕嘟一聲乾了一杯酒，從懷中摸出了一塊散碎銀子，陡然起身，匆匆走去。

方兆南愈看愈覺奇怪，暗道：「眼下情勢雜亂，當真是罕見的局面，葛氏兄弟，似是自成一派，言陵甫卻又似是別屬一門，剛才那四個抬著綠衣少女，又不知是何等人物？是死是活，目下也無法確定，最怪的是，那四個黑衣大漢，明明被葛煌所傷，竟然忍了下去，這些人又都似是住在這全盛客棧之中……」

忖思之間，突聽一陣哈哈大笑之聲，傳入耳際，兩個長髮披垂，白髯及膝的怪老者，並肩走了進來。

方兆南一見兩人，幾乎要失叫出聲，但他終於強自忍了下來。

原來，來人竟是南北二怪。

但聞北怪黃煉冷冷說道：「你笑什麼？」

南怪辛奇停下笑聲，說道：「想不到隱居多年的鬼仙萬天成，竟然也出了世，羅玄也要趕來參加這場大會，這場好戲，當真熱鬧得很。」

黃煉長嘆一聲，答非所問地說道：「咱們幾乎走遍南七北六一十三省，仍然找不到方兄弟，如若此地再找他不著，定然是凶多吉少了。」

辛奇微微一笑，說道：「你只管放心，方兄弟生非早夭之相，我拿腦袋給你打賭，他決死不了。」

兩人說話之間，選了一處桌位坐下。

方兆南聽這兩個孤傲冷僻，聞名於世的老人，竟對自己懷念至此，心中大受感動，真情激蕩，熱淚盈眶，趕忙別過臉，偷偷拭去。

北怪黃煉一捶桌子，召來店小二，點了酒菜，道：「我不信羅玄還活在世上，只怕傳言未必可靠。」

辛奇道：「世上盡有許多事，出於人意料之外，江湖早傳說那鬼仙萬天成老兒已死，但他

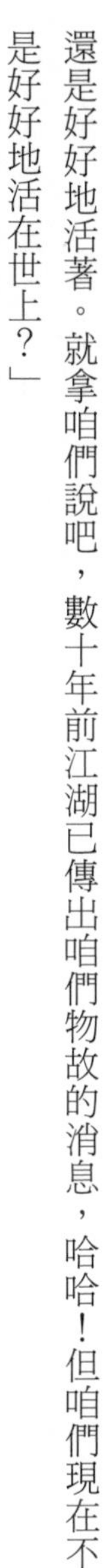

還是好好地活著。就拿咱們說吧，數十年前江湖已傳出咱們物故的消息，哈哈！但咱們現在不是好好地活在世上？」

一陣急促的步履聲，打斷辛奇的話，言陵甫帶著兩個少女，急急衝了進來。

方兆南目光一轉，看了那兩個少女一眼，心頭一震，趕忙一側過身子，避開了來人的視線，原來，來的兩個少女，竟是冥嶽妖婦門下的兩大弟子，唐文娟和那紅衣少女。

忖思之間，忽聽南怪辛奇哈哈大笑之聲，傳了過來，道：「黃老怪，你瞧來了什麼人？這些鬼子鬼女們既然在此時趕到，想那冥嶽嶽主，定然也趕來了！」

黃煉道：「如若那羅玄當真還活在世上，這老兒見了那加害於他的女弟子，不知是一副什麼奇怪樣子。」

唐文娟正待發作，突然又忍了下去，回顧那紅衣少女和言陵甫一眼，也選了一張桌位坐了下來。

方兆南凝神看去，只見唐文娟不停地點頭，生似在領受父母之命一般，不禁心頭一動，暗道：「看來這些人，早似已成竹在胸，個個都是有爲而來。」

他凝神望去，除了這些現身之人以外，再也找不出一個可疑之人，再看唐文娟時，仍然不停地點頭，神態畢恭畢敬。

方兆南迅快地下了一個判斷，暗自想道：「當今武林之世，只有冥嶽嶽主，能使唐文娟這般服貼……」

忖思之間，忽見唐文娟站了起來，直行過來，坐在方兆南的對面。

方兆南暗皺眉頭，想道：「糟了，此女機智絕倫，我一直留神打量她的舉動，只怕已被她瞧出破綻了。」

只見唐文娟舉起素手，輕輕一掠鬢邊散髮，低聲說道：「你可想救你那兩位師妹麼？」

方兆南呆了一呆，道：「姑娘和哪一個說話？」

唐文娟冷漠一笑，道：「不用裝蒜了，你如要保得你那兩位寶貝師妹之命，就乖乖地聽我吩咐。」

方兆南想到陳玄霜和周蕙瑛的安危，心中不安，急急問道：「她們現在何處？」

唐文娟移動了一下嬌軀，接道：「從此刻起，你必須聽我之命行事，不得暗中搗鬼，如若妄圖施展『傳音入密』之術，招呼你同來人手，那可是自討苦吃，你那兩位師妹，一個也別想活。」

方兆南略一沉吟，道：「如若在下肯聽姑娘之命呢？」

唐文娟道：「可保你那兩位師妹無恙。」

方兆南道：「姑娘雖然手握我兩位師妹之命，但姑娘別忘了，在下只要一開口，立可召來南北二怪兩位老前輩，以我們三人之力，生擒活捉妳，都非什麼難事……」

說至此微微一頓，接著又道：「不過在下不願和妳做兩敗俱傷的打法，但望姑娘必需要知道一件事，那就是此時此情之下，方兆南並非是貪生怕死！」

唐文娟微微一笑，道：「咱們立時就走，如何？」

方兆南點頭道：「好吧！」

唐文娟雖然極力在掩飾自己的舉動，但她的言語神態，如何能逃得過南北二怪的雙目，南怪辛奇冷笑一聲，罵道：「哼！鬼鬼祟祟地不做好事！」

北怪卻伸手一搖，不讓辛奇再說下去。

唐文娟雖然聽得字字入耳，但自知難以鬥得過這兩個人，因此故意裝作不曾入耳，緩步出門而去。

方兆南略加猶豫，就提起了木籠，隨在唐文娟身後而去。

只見唐文娟沿著廊簷，急步而行，不時還回頭張望。

方兆南心惦兩人安危，雖然明知此去凶多吉少，仍然大步而行。

街道上行人來往，但大都是佩帶刀劍的武林人物。

方兆南愈看愈奇怪，暗自忖道：「這麼多武林中人，集會於這座山道的重鎮，自非無因而起……」

忖思之間，忽見一群黑袍道人，由對面行了過來。

一個銀白長髯，身佩雙劍的道人，走在最前，四個中年道人緊隨身後，看那些道人一個個精華內蘊，分明都是內家好手。

那當先而行的老道人，兩道凌厲的目光一掠唐文娟，突然停下了腳步。

四個緊隨而行的中年道長，也隨著停了下來，十道目光，一齊投注在唐文娟的身上。

唐文娟側過身軀，避開群道的目光，疾向前面行去。

沿途上，方兆南遇上了很多的人，有僧有道，也有佩刀掛劍的武林人物。

這些人的臉色，大都是一片莊嚴，生似有著很沉重的心事。

唐文娟步履逐漸地加快，不大工夫，已出了城門。

五五　同歸於盡

方兆南抬頭看那山勢連綿，呈現於夕陽反照中。

唐文娟帶著方兆南來到一所古木參天的墳地中，陡然停下了腳步，回頭笑道：「你兩位師妹，就在這古墓之中！」

方兆南四外看了一眼，但見青塚壘壘，不見一所房屋，心中納悶，暗暗忖道：「難道她們都藏身在這青塚之內不成？」

心中疑竇叢生，忍不住開口問道：「咱們有言在先，在下不招呼幫手相助，姑娘亦必力行承諾之言，先讓在下見上兩位師妹一面……」

唐文娟格格一笑，道：「半年不見，你倒老練多了！」

方兆南淡淡說道：「武林中人物，最重視承諾，妳如存心謊言相欺，誘我至此，妳將後悔莫及！」

唐文娟道：「你本就不應該答應我的。」

方兆南怒道：「冥嶽中人，當真險惡狡詐，不可信任！」

唐文娟原想逗使方兆南心神浮動，哪知他竟然變得異常鎮靜起來，不禁心中大急，暗道：「此人實是不可輕視，這半年不見，不知他又學得什麼新奇之學。」

唐文娟沉吟一陣，正容說道：「我帶你來此，原存有相害之心，誘你入伏……」

方兆南微微一笑，接道：「難道妳此刻已改變心意了麼？」

唐文娟點點頭，道：「因此我勸你還是先回去的好，眼下相距大會之期，只不過還有三日時光，三日時間，彈指即過，屆時你那兩位師妹，都將親身臨敵，你何苦此刻要孤身涉險，深入埋伏……」

方兆南茫然說道：「什麼大會？」

唐文娟奇道：「你是當真不知道呢，還是明知故問？」

方兆南道：「在下自然當真不知，哪有故問之理。」

唐文娟道：「那你趕來此地做什麼？」

方兆南道：「我要找鬼仙萬天成和令師冥嶽嶽主。」

唐文娟道：「你找的地方不錯，他們兩個人，都將於三天後大會之上現身。」

方兆南微一沉吟，道：「是啦！想是那冥嶽嶽主，又出了什麼花樣，函邀天下英雄在此聚會。」

唐文娟對方兆南的神態，忽然變得異常溫柔起來，盈盈一笑道：「鬼仙萬天成和我師父攜手合作，促成了這次鵲橋大會，天下各大門派中人，全都趕來參與……」

突然間吹過來了一陣山風，飄飛起二人的衣袂，方兆南抬頭看天色已然不早，心中霍然驚覺，當下一整臉色，說道：「姑娘答應帶在下見我兩位師妹之事，不知還算是不算？」

唐文娟道：「她們停身之處，險惡異常，聽我良言相勸，還是不去得好。」

方兆南道：「不論刀山油鍋，我也得趕去瞧瞧！」

唐文娟嘆息一聲，道：「你可是當真的想找死麼？」

方兆南道：「在下身歷無數險劫，現在不是仍然好好地活著？」

唐文娟一揚眉兒，道：「你一定要去，遇上了什麼凶險，可是不能怪我！」

方兆南道，「死而無悔！」

唐文娟道：「既然如此，那就跟我來吧！」說完轉過身子，舉步向前行去。

方兆南看亂墳壘壘而起，古柏參天，那墳頭之上，長滿及膝青草，擔心唐文娟隱逸而去，立時放步而行，緊追在唐文娟的身後。

只見唐文娟在突起青塚之中，繞來轉去，曲曲彎彎似有意地擾人耳目，引起了好奇之心，暗中留神看去，忽然發覺她折轉繞行，都似是有著預定的距離，不禁心中一動，暗道：「難道這一片亂墳之中，還有什麼奇怪的布設不成？」

忖思之間，忽見唐文娟停了下來。

方兆南抬頭看去，只見八個高大的青塚，環布成一周，中間空出了三丈見方的一片空地。空地上青草如毯，還雜開著幾株野花。

唐文娟臉色忽變得一片嚴肅，冷冷說道：「就在這裡了。」

方兆南目光環掃，打量了一陣，除了那八座大墳之外別無他物，心中大感不解地問道：「在哪裡？」

唐文娟指著兩丈外一座高大的古柏，道：「你躲在那株高大的柏樹上，就可以見到她們了……」

說著仰起臉來，望了望天色，接道：「她們快要來了。」

方兆南看她說話的神情，嚴肅虔誠，不似謊言，但聽來卻又似不大可能，不禁一皺眉頭，道：「此話當真麼？」

唐文娟道：「自然是當真了。」

方兆南道：「她們到這荒涼的墓地做甚？」

唐文娟道：「比武鬥劍……」

忽然臉色一變，低聲接道：「我要走了，你快些躲到樹上去吧！」

她不待方兆南答話，急急飛奔而去。

方兆南環顧了一下四周的形勢，迅快地奔到那棵巨柏之下，仰首略加打量，突然一提真氣，身形平拔而起，飛起了兩丈多高，左手抓著了一節柏枝，一個大翻身，急衝而上，隱入枝葉茂密之處。

他人剛剛藏好身子，兩條人影，已疾奔而至。

方兆南仔細看去，不禁心頭一震，來人竟然是震動江湖的蕭遙子，和袖手樵隱史謀遁。

兩人丰采依舊，袖手樵隱仍是那一副冷冰冰的面孔，蕭遙子卻用一片黑紗，包著獨目。

只見兩人分頭而行，仔細地在那數丈方圓的盆地中查看一陣，又聯袂而去。

方兆南心頭隱隱間地泛起一個意念，冥嶽嶽主，可能已在這片青塚壘起，陰沉的亂墓之中，預布了什麼陰謀。

正忖思間，又有兩條人影，先後奔到。

來人都用黑紗包起了頭臉，肩上斜揹長劍。

兩人身軀一般的嬌小，長髮高挽，踏入了青塚環圍的盆地，立時相對而立，一語不發，同

時翻腕，拔出了背上的長劍。

方兆南心頭開始劇烈地跳動，暗暗忖道：「看兩人的身材，頗似周蕙瑛和陳玄霜，只不知何以相約而鬥。」

只見靠西一方的黑紗蒙面女子，一抖手中長劍，突然閃起了一朵劍花，疾向對面一女刺了過去。

雙方立時展開了一場激烈絕倫的拚搏，雙劍並舉，寒光飛繞，劍風如輪，各極其毒。

方兆南仔細看兩人劍法，竟然走得同一路數。

突然間，傳過來一聲悶哼，一陣金鐵交鳴，兩條人影霍然分開。

方兆南凝目望去，只見正東方的黑衣女子，右手按著左臂，一股鮮血，順著那纖纖指縫中流了出來，甚似周蕙瑛，心中又是一陣跳動。

那背西面東的黑衣少女，一劍傷了強敵，收住劍勢也不再搶攻，口中卻冷冷說道：「怎麼樣?妳服是不服？」

方兆南心頭怦然一動，暗道：「這不是陳玄霜的聲音麼……」

只聽那受傷的女子答道：「哼!不服氣又怎麼樣？」

那背西面東的少女，冷笑一聲，說道：「不服氣的話，我就砍掉妳一條左臂，劃傷妳一張粉臉！」

那受傷女子怒聲喝道：「未必見得！」說罷突然揮手一劍，刺了出去。

劍勢若點若劈，極盡詭奇能事。

那靠西的少女猝不及防，被她一劍刺中了左臂，一股鮮血，應劍而湧。

只聽那面東少女怒聲喝道：「好啊！妳敢借機施下這等辣手。」不顧傷勢，突然又揮劍攻了過去。

兩人這一交手，都無法再運氣調息傷勢，鮮血泉湧而出，濕去了半邊衣衫。

方兆南已從兩人對答之間，聽出了確實是陳玄霜和周蕙瑛的聲音，再也難以忍耐下去，大聲喝道：「住手！」

縱身一躍，直向下面飛去。

二女聽得那大喝之聲，心頭同時一震，霍然分開。

方兆南衣著襤褸，滿臉油污，二女一瞥之間，也未看出是誰，不禁爲之一呆。

就在二女一怔之間，方兆南已落著實地，那背西面東的少女，手中長劍一振，厲聲喝道：「什麼人！」說著揚腕一劍，刺了過去。

那面西的少女突然疾踏上一步，唰的一劍，也向方兆南前胸刺來。

這兩人出手的劍招，比之相互動武拚搏之時，更見毒辣，迫得方兆南不得不用出全身的武功，讓避二女的劍勢，中間還得雜以掌拍指點，迫逼兩人的劍勢。

轉眼之間，二女已各攻出了二十餘劍。

兩人的衣衫上都已爲鮮血濕透，但仍是不肯罷手，而且雙劍由各自爲政的單鬥，逐漸地成了聯手之勢，開始相互配合。

方兆南在這近年之中，雖然連得蜂王楊孤，和瞎眼老道，以及蓋世奇僧覺夢傳授絕技，修習佛門中上乘內功，但一則因二女劍勢太過詭奇，二則失去先機，手中又無兵刃，且要顧到右手中提的一只木籠，生恐二女的長劍掃到那木籠之上，挑破黑布，劈開木籠，驚走毒蜂，那時

勢將鬧成不可收拾之局。

這一來，更覺勢難兼顧，被逼得險象環生。

忽聽面東一女啊呀一聲驚叫，長劍突變，一式「迎雲捧日」，噹的一聲，架開另一少女長劍，說道：「不要打啦！」

方兆南借勢退了三步，舉起衣袖拭去臉上塵土，說道：「妳們各受劍傷，仍然惡鬥不息，恐已失血過多，還不快些運氣調息，延誤下去，只怕要大傷元氣。」

他連被二女的劍勢所逼迫，急得出了一頭大汗，這舉手一拭，臉上塵土大都拭去，現出本來面目。

二女互相望了一眼，緩緩拉掉蒙面黑紗。

方兆南目光一轉，果然正是他猜想之人。

那面東背西的是陳玄霜，背東面西的是周蕙瑛，方兆南不禁長長嘆息一聲，接道：「唉！妳們兩人爲什麼打了起來？」

陳玄霜冷冷答道：「爲你。」

方兆南呆了一呆，道：「爲我？」

周蕙瑛黯然一笑，幽幽說道：「不錯，爲你！」

方兆南心中雖然不解，但見兩人花容慘白，不忍再追問，輕輕嘆息一聲道：「妳們快些運氣調息，先讓傷處流血止住，有話等一會兒再說不遲。」

陳玄霜星目眨動了兩下，道：「唉！你竟然還活在世上……」

方兆南低聲說道：「妳失血過多，臉色都變了，快些坐息一陣，我等妳們運氣完畢之後，咱們再詳細談吧！」

周蕙瑛道：「不行，你不能在這裡停留，快些走吧！」

方兆南奇道：「爲什麼？」

陳玄霜冷冷地瞪了周蕙瑛一眼，道：「怕什麼，讓他留在這裡。」

方兆南放下手中木籠，微微一笑，道：「妳們先運氣調息，我在這裡等妳們，唉！分別近年，我也有許多話要說。」

二女低頭望了望肩上的傷勢，依言坐了下去，運功止血。

兩人的內功，都已入了爐火純青之境，略一運氣，流血立止。

陳玄霜首先睜開眼來，看了那木籠一眼，問道：「那黑布蒙遮的是什麼東西？」

方兆南道：「一籠巨蜂。」

陳玄霜長嘆一聲，道：「你提一籠毒蜂作甚？」

方兆南看她憂苦之容，有心討她歡樂，微笑說道：「這籠巨蜂用處可是大了，既可用做克敵，又可傳遞訊息，代人守望。」

周蕙瑛突然抬頭望了望天色，道：「你該走啦，等一會兒他們來了，你再想走，那可是千難萬難的事！」

方兆南黯然嘆息一聲，道：「爲了兩位師妹，我連很多絕世的奇奧武功，都沒去學，急急拜別了授業之人，趕來此地，準備先入冥嶽，尋找兩位的下落，想不到竟在此地遇上……」

陳玄霜道：「你怎麼找到了這片所在？」

周蕙瑛急急說道：「你快些走吧！」

方兆南聽她幾番催促自己，不禁心中動疑，口中卻微笑說道：「難得和兩位師妹相見，正有甚多別後之情，要和兩位暢敘，何以一直催促小兄快走？」

周蕙瑛道：「此時此地，不是暢敘別情的時機，唉！你快些走吧！」

但陳玄霜卻是一直不催促方兆南離去，她冷冷地望了周蕙瑛一眼，說道：「怎麼？妳害怕麼？」

周蕙瑛怒道：「妳明知此地留他不得，卻不肯催他離去，是何用心？」

陳玄霜道：「哼！要死，就死在一起，爲什麼要他獨生？」

周蕙瑛呆了一呆，道：「妳這是愛戀他麼？」

陳玄霜冷冷說道：「反正他已有了妻子，我今生不能委身相侍於他，那就不如讓他死了的好！」

方兆南心知陳玄霜對自己愛戀極深，是以雖被她囚禁於石室之中，受盡了痛苦，心中仍是毫無恨她之意。

周蕙瑛天性溫厚，她心中雖早已萬念俱灰，但對從小一起長大的方兆南，仍是有著極深的相護之心。

當下，他微微一笑，目注周蕙瑛道：「師妹不用替我擔心。」

她眼看陳玄霜的無理纏鬧，心中又急又惱，忽然抓起長劍，肅然說道：「方師兄，你如還認我這個青梅竹馬、一起長大的師妹，那就請趕快離開此地，再過一陣工夫，我師父和冥嶽嶽主，都要親自趕來此地，只怕他們已經動身了……」

方兆南插口笑道：「妳師父是誰？」

周蕙瑛氣得一跺腳，道：「你這人怎麼搞的，陷身於生死存亡之境，仍然是嘻皮笑臉，唉！你當真活得不耐煩了麼？我師父就是鬼仙萬天成，你能夠接他幾招？」

方兆南雖然對周蕙瑛所說，細節不明，但大體上心中已甚了然，微微一嘆，道：「師妹也被迫投入萬天成的門下了？」

周蕙瑛急急接道：「這片荒墳已爲萬天成和冥嶽嶽主選做了鵲橋大會的場址，早已預加布置，要借這一片荒墳，盡殘天下武林高手……」

陳玄霜插口接道：「我可以投萬天成的門下，她又爲何不可？」

兩人你言我語，吵了起來，各自舉劍，又欲相搏。

方兆南大踏一步，衝入兩人之間，急急說道：「慢來，慢來，有話好說……」目光一轉，投注到陳玄霜的臉上，又道：「陳師妹，請看小兄薄面，暫息胸中怒火……」

陳玄霜突然冷叱一聲，道：「閃開！」

唰的一劍，疾向周蕙瑛刺了過去。

方兆南一皺眉頭，砰的一掌，斜斜劈出，這一掌乃少林上乘武功，出手一擊，奇奧絕倫，逼開了陳玄霜的劍勢，直叩她握劍的右腕。

陳玄霜身隨劍轉，避開一擊，說道，「好啊！你們兩個人欺侮我一個！」唰唰唰，長劍連揮，疾向方兆南刺了過去。

方兆南左避右閃地讓開了三劍，正待說話，周蕙瑛已挺劍而上，接過陳玄霜的劍勢，惡鬥起來，口中卻連連喝道：「你快些走吧！有我擋住她，她已無法攔阻你。」

走與不走，確實使方兆南傷透了腦筋。

周蕙瑛連聲催促，顯然這地方危機四伏，若自己堅持不走，勢必要大傷她心，如若就此而去，不但於心不甘，且亦非大丈夫的行徑。

略一思忖，搖頭說道：「師妹的盛情，小兄心領，但我千里迢迢趕來此地，原爲相尋兩位師妹，幸得見面，連別後之情也未一敘，如何能撒手走開？」

忽聽一陣長嘯傳來，二女同時停下手來，一陣低沉淒涼的哀樂，緊隨著傳了過來，樂聲入耳，立時使人生出了一種異樣的感覺。

只覺這茫茫濁世，無一可留戀之處，使人興起了生不如死之感。

周蕙瑛長嘆一聲，道：「現在你還有九死一生的機會，再晚片刻，連那一分生機，也將消失了。」

方兆南回顧了那藏身的巨柏一眼，道：「可是那冥嶽嶽主來了麼？」

周蕙瑛道：「除了冥嶽嶽主之外，還有鬼仙萬天成，和三十六倩女，七十二使者，全都到了。」

方兆南聽得大感奇怪，道：「何謂三十六倩女？何謂七十二使者？」

周蕙瑛道：「唉！你當真的不想走了麼……」

她雖然責備方兆南延誤時刻，但口中卻不由自主地答道：「三十六個武功高強，妖艷無比的女人，和七十二個武功高強，各懷絕毒暗器的男人，都穿著奇裝異服，擺成了一個銷魂大陣……」

只聽那樂聲由遠而近，漸可聞人聲喝叫。

周蕙瑛淒苦一笑道：「好啦！現在你想走也走不了啦！」

陳玄霜突然一反常態，低聲對周蕙瑛道：「妹妹，他們就要到了，還是讓他躲在那株大柏樹上吧！」

周蕙瑛冷笑一聲道：「哼！現在妳又急了，剛才爲什麼不讓他走呢？」

陳玄霜流下了兩行清淚，接道：「有時我恨他入骨，恨不得生食他肉，有時候，我又覺得該好好地待他，甘心情願爲他忍受一切的苦難……」

人聲漸近，清晰可聞。

陳玄霜顧不得再接下去，舉手一揮，道：「你快些躲入那株巨柏上吧！」

她說著突然轉向周蕙瑛，接道：「咱們用兵刃相搏之聲，掩護他躍上巨柏。」

周蕙瑛翻腕一架，擋開長劍，雙劍交擊，響起一聲金鐵交鳴之聲。

方兆南心知此時此情，不是爭辯的時機，立時縱身一躍，飛上古柏。

這時，二女敵意已消，手中兵刃連連相擊，以混淆來人耳目，四道眼神卻投注在方兆南的身上。

此時方兆南的輕功，已經大非昔比，一躍之間，飛起了兩丈多高，身懸半空，左掌向下拍出，借勢換氣，一個雲裡翻身，抓住了巨柏的枝葉，隱入了濃密的枝葉之中。

陳玄霜忽然破顏一笑，道：「萬天成對我說，他早已經脈硬化而死，至少也將成爲一個殘廢之人，但看來他的武功，卻較過去，更爲高強了。」

周蕙瑛劍勢一舉，答非所問地接道：「咱們這等打法，勢將被看出破綻，倒不如真的打一場吧！」

劍勢疾轉如輪，直擊過去。

兩人又開始了一場火烈絕倫的惡戰。

方兆南隱在古柏之上，遙見幾個奇裝彩衣的小婢，護著一個身披白紗麗人，走了過來。

這時，那陣死亡樂聲，已然停下。

方兆南仔細地看那披紗麗人，頗似是冥嶽嶽主。

他雖然見過嶽主數面，但對那神秘女人的印象，一直是模模糊糊，記不清楚，但就印象所及，大致不錯。

這神秘妖媚的女人，又換了一身裝束，除了身上披著一層白紗之外，全身穿著一件綠色的勁裝。

只見她目光環掃兩女一眼，冷冷地叱道：「住手！」喝聲雖然不大，但卻清晰異常地鑽入了兩人的耳中。

陳玄霜、周蕙瑛應聲住手，各自躍了開去，齊齊弓身作禮，同時口中同聲說道：「見過嶽主。」

兩人因有心洩露來人的身分，使隱藏在古柏上的方兆南，聽知來人是誰，是以說話的聲音甚大。

冥嶽嶽主聶小鳳，緩緩取下了身披薄紗，露出來水綠的緊身勁裝。

算年齡她該是四、五十歲之人，但她駐顏有術，看上去不過二十許人，柳眉彎彎，鳳目含媚，其艷麗風華，頓使陳玄霜、周蕙瑛爲之減色不少。

聶小鳳目光轉動打量了二女一陣，忽然微微一笑，道：「妳們到這裡很久了麼？」

陳玄霜道：「我們相約比劍而來。」

聶小鳳笑道：「嘖！身上還有劍傷，比此地幽密遼闊之處甚多，不知妳們何以選擇了這片地方？」

周蕙瑛道：「這地方隱密清靜，不致驚動行人。」

聶小鳳目光環掃，四外搜索，口中卻追問道：「難道令師就沒有告訴過妳們，這地方不許私來麼？」

陳玄霜正待答覆，瞥見鬼仙萬天成，幽靈一般走了過來，看來緩步而行，走得很慢，其實來勢迅快無比，眨眼之間，已到了幾人的身側。

聶小鳳回望著萬天成，嫣然一笑，道：「老前輩。」

她的笑容，妖媚無比，萬天成看得呆了一呆，道：「嶽主有何見教？」

聶小鳳道：「南北二怪也到了兗州……」

鬼仙萬天成冷然一笑，接道：「這兩個老頭兒，居然還活在世上，當真是命長得很。」

聶小鳳道：「兩人的武功不弱，如若參與了這場鵲橋大會，咱們倒是加了一個大勁敵。」

鬼仙萬天成縱聲一陣大笑，道：「嶽主不用長他人志氣，自滅威風，除了令師羅玄之外，當世高手，無一人放在我的心上，可惜令師早已羽化歸真，世間再無老夫的敵手了。」

聶小鳳盈盈一笑，道：「老前輩的武功雖高，但南北二怪亦非平庸之輩，咱們倒是不可大意。」

萬天成一撩長衫，就在草地上坐了下去，笑道：「如以老夫之意，乾脆明火執仗，約請天下自命英雄人物，及各大門派的掌門之人，來此受死，他們來一個，咱們殺一個。先把各大門派的首腦、高手，殺去大半，然後再傾出冥嶽之力，有老夫相助，一鼓作氣，蕩平各門各派的

殘餘之力，是何等簡單之事，偏是嶽主小心過度，要布置什麼鵲橋大會，延誤時刻。」

聶小鳳淡淡一笑，道：「老前輩有所不知，當今武林中，老一輩的高手，不是死去，就是被我千方百計生擒了來，但卻未料到小一輩中，竟然出了甚多人才……」

萬天成冷冷一笑，打斷了聶小鳳的話，道：「老夫再度出世，初踏江湖，已聽得妳的大名，儼然武林霸主，因此才特地趕來冥嶽一見，卻未料到妳竟是這等畏首畏尾的膽小之人……」

聶小鳳揚了揚眉，似欲發作，但又突然忍了下去，微微一笑，目光一掃陳玄霜和周蕙瑛，說道：「老前輩這兩位女弟子，劍術上的造詣如何？」

鬼仙萬天成道：「決不在當世劍術名家之下。」

目光轉處，看二女滿身鮮血，不禁一皺眉頭，道：「妳們怎麼了？」

陳玄霜道：「我和師妹比劍，一時間收勢不住，各自中了一劍，幸好傷勢不重，經過一陣調息，已經沒有大礙了。」

萬天成陰森一笑，卻將目光投注在聶小鳳的身上，道：「百年來武林人物，只有令師一人的才智、武功，能勝得過我，但他卻傷在妳的手中，婦人之心，當真是歹毒難測……」

聶小鳳淡淡一笑，接道：「如非老前輩送給我絕毒的藥物，我縱有弒師之心，卻也無弒師之能。」

方兆南隱身在古柏之上，聽兩人談起武林最大一件隱密，不禁心頭怦怦亂跳，趕忙屏息寧神，仔細聽去。

只聽聶小鳳格格一陣嬌笑，說道：「你既知婦人心地，最為歹毒，不知何以仍收了兩個女

弟子？」

鬼仙萬天成回顧了陳玄霜一眼，陰森一笑，說道：「前車之鑒，老夫豈能重步後塵……」

他似是自知失言，陡然住口不說。

聶小鳳面對著武功高絕，陰沉險惡的萬天成，似是已有些失去了鎮靜。

只見她秀眉聳動，雙目中神光閃了一閃，道：「你找到冥嶽，口蜜腹劍，假意要助我完成霸業，要我邀請天下武林高手、各派宗主，比武論劍，先造成四面楚歌之勢，你卻在大局緊要關頭，藉機要脅於我……」

鬼仙萬天成哈哈一笑，接道：「不錯，老夫豈是甘爲人下之人，爲妳代籌柬邀武林宗主、天下高手，比武論劍，旨在造成妳騎虎之勢……

「武林高手精英，大半已爲妳收用，妳不過憑仗藥物，控制了他們的神智，一旦藥物失效，這些人神智恢復，個個都將視妳爲深仇大敵，必將殺妳而後甘心，內憂外患，兩面迫擠，別說妳了，縱是羅玄復生，處此情景，又該如何？」

聶小鳳不愧女中梟傑，聽了萬天成一番話後，微現激動之情，反而消失。

只見她舉手一掠長長的秀髮，笑道：「天下各派宗主，大都已集兗州，我確然已成了騎虎難下之勢，我不殺人，人必滅我，你的心願得償了！」

萬天成道：「老夫這鬼仙之名，豈是讓人白叫的麼？」

聶小鳳笑道：「老前輩如願高登武林霸主之位，我極願拱手相讓。」

萬天成冷冷地說道：「老夫已登古稀之年，豈有偷覷武林盟主之心。」

聶小鳳略一沉吟，說道：「老前輩既是有爲而來，那就不妨明說！」

萬天成雙目中神光暴射，凝注在聶小鳳的臉上，說道：「老夫願助妳一鼓盡殲天下各大宗派，成妳霸業，償妳之願……」

聶小鳳道：「老前輩果真如此，我自是感激不盡。」

萬天成笑道：「妳先別忙著答應，老夫尚未說出我的條件。」

聶小鳳緩緩說道：「你說吧！」

萬天成森冷一笑，道：「妳天姿國色，舉世無雙，羅玄肯傳他衣缽於妳，雖然愛妳才智，但也喜妳容色，也該是一大原因。」

聶小鳳嫣然一笑，舉手在眉宇間一抹，說道：「你再仔細看看，這一道疤痕，是否傷害到我的容貌？」

笑容中媚態橫生，動人心魄。

鬼仙萬天成面對著那動人心魄的媚笑，似是亦有些把持不定，也急急垂下眼瞼。

他緩緩從懷中摸出了一只玉盒，打開盒蓋，倒出了一顆紅色的丹丸，托在掌心，說道：「妳由羅玄處學來用藥，仗藥物控制了無數的武林高手，今天也該試試老夫這毒丹了。」

聶小鳳緩緩取過那紅色丹丸，臉上那柳媚花嬌的笑意，隨著斂收不見，冷冷問道：「你這毒丹有何妙用？」

萬天成道：「服我毒丹之後，終生得聽我之命。」

聶小鳳道：「如若不聽呢？」

萬天成道：「如若不聽我命，我在一盞熱茶工夫之內，可使毒丹藥性發作，屆時全身筋脈收縮，武功全失，每日長達三個時辰，而且經年不絕。」

聶小鳳道：「真是殘酷得很。」

她說著舉手便把那粉紅色丹丸放入口中，吞了下去。

萬天成似是也未料到聶小鳳，竟然會這般快捷地吞下藥丸，但他對聶小鳳的陰險，心中早有了深刻的印象。

略一停頓，忽然冷笑說道：「姑娘請張開口來，給我瞧瞧，我不信妳當真地把我那一粒紅色的毒丹吞了下去。」

聶小鳳微微一笑道：「老前輩果然是難纏得很。」

她緩緩張開了櫻口。

萬天成雙目神凝，仔細地看了甚久，果然已不見那紅色的毒丹，卻聞到一陣幽幽的甜香，飄了過來，令人欲醉。

聶小鳳慢慢地吹了一口香氣，閉了櫻唇笑道：「老前輩，你該相信了吧！」

萬天成仰臉望天，肅然說道：「想那羅玄的才智，是何等卓絕，但他卻傷折在此人手中，難道我萬天成的才智，還能強過羅玄不成？」

這幾句話，本是他心中之言，但卻不自禁地說了出來。

聶小鳳揚了揚眉，笑道：「我已完全地屈服了，吞下毒丸，生死已然落在你的掌握之中……」

她舉手理一理散垂的長髮，接道：「只為天下高手都已集聚兗州，大敵當前，我自知無能一面抗拒各大武林宗派，一面再和你為敵，兩害相權取其輕，與其傷在各門派宗主手下，倒不如和你聯手拒敵。」

萬天成仰起臉來，大笑三聲，道：「羅玄才智武功，舉世無與匹敵，但他卻犯了一個錯誤，那就是太自信了。」

聶小鳳突然長長嘆息一聲，道：「他實在待我很好。」

萬天成兩道冷冽的目光，凝注在聶小鳳的臉上，笑道：「羅玄明知妳是天生尤物，難以安份，偏要憑仗所能，主張人力勝天，至於我暗中助妳，是因妳早已生出了叛師之心，我不過投妳所好而已。」

聶小鳳突然一整臉色，莊嚴說道：「往事已成過去，提起來徒擾人意，咱們還是談談眼下的事情吧……」

語音微微一頓，又道：「目下各大門派的高手，都已齊聚兗州，這一戰如能盡殲這些武林高人，十年內，武林中當再無和咱們抗拒之人。」

隱身在古柏上的方兆南，聽兩人侃侃而談震動江湖的往事，聽得甚是入神，卻不料聶小鳳話鋒一轉，又談起眼下形勢，心中一動，暗暗忖道：「他們誘使天下各派宗主趕來，參與鵲橋大會，這本是一場十分凶險之事，卻取了這樣一個雅致的名字，想來必有原因，如若能夠聽得他們的隱秘，倒是不虛此行……」

忽然間，一陣山風吹來，撩起了那蒙遮木籠的黑布。

只聽一陣嗡嗡之聲，兩隻巨蜂，飛了出來。

聶小鳳和萬天成，耳目何等靈敏，四道目光，齊齊向那古柏之上望去。

陳玄霜、周蕙瑛心頭大為震動，不自禁地向那古柏望去。

聶小鳳冷冷喝道：「什麼人？」挺身而起。

方兆南隱身之處，枝葉極是茂密，聶小鳳雖然出言喝問，但並未看到方兆南的隱身之處，她舉步向那古柏走去。

鬼仙萬天成，卻仍是靜靜地坐著不動，只用兩道森冷的目光，在那古柏之上搜尋。

方兆南不知自己行蹤是否已暴露，是否該坦然走去。

正覺猶豫，突然一個柔細的女子聲音傳了過來，道：「他們暫時還未發覺你的行藏，但如讓她走近古柏，你就無法掩藏行跡了，現在，你只有兩條路可以選擇，一條是設法阻止她走近這古柏，另一條是趕快逃走。」

那聲音柔婉中，含著一種輕淡的冷漠，聽得方兆南心頭怦然大震，幾乎忘卻了尚置身於九死一生的險惡環境之中。

只聽那柔細的聲音，重又傳了過來道：「你這人怎麼了，還不快放手中毒蜂，阻延於她，難道等死不成？」

方兆南趕忙收束了那撩亂的心情，輕啓那木籠黑布一角，巨蜂立時一線飛出，直向聶小鳳衝了過去。

聶小鳳眼看寸許長短的毒蜂，直撲而來，不禁一皺眉頭，揚手一掌，劈了過去。

她掌力奇猛，非同小可，當先幾隻巨蜂，紛紛墜地死去。

但這一來，卻使那一線而來的巨蜂，陡然間散布開去，環布成丈餘大小一片蜂網，分由上下左右、四面八方地向聶小鳳撲了上去。

五六　往日情仇

聶小鳳眼看巨蜂越來越多，而且這些巨蜂生似受過訓練一般，展翅盤飛，抵隙施襲，心中不禁一動，疾劈兩掌之後，緩緩向後退去。

她的掌力威猛絕倫，兩掌交旋劈出之後，強大的潛力，在身前交織成一股旋風，擋住了飛撲而來的巨蜂。

聶小鳳退後了四丈左右，看巨蜂並未追來，回顧了萬天成一眼，道：「這巨蜂雖然爲數甚多，飛行之力，強異驚人，但如想傷我，只怕還難如願，但我卻想不出世上何人能馭此巨蜂，特此請教一、二。」

萬天成道：「天下只有一人具此能耐。」

聶小鳳道：「什麼人？」

萬天成道：「蜂王楊孤，不但善馭毒蜂，而且他的巨蜂，乃自行養育，由天下千種毒蜂中選配雜交而成，大異常蜂，奇毒無比。」

聶小鳳笑道：「此公爲人如何？」她每笑一次，無不嬌媚橫生。

萬天成看得一呆，微微笑道：「羅玄肯選妳爲衣缽弟子，只怕他也是爲妳的嫣然風韻所迷。」

聶小鳳又是盈盈一笑，說道：「我問你蜂王楊孤的爲人如何，你怎麼又扯到羅玄的身上去了。」

萬天成道：「秀色可餐，古人誠不欺我。」

兩人一問一答之間，牛頭不對馬嘴，格格不入。

聶小鳳道：「我問楊孤在武林中算是哪一道上人物？」

萬天成笑道：「孤僻冷傲，我行我素，介於正邪之間。」

聶小鳳道：「武功如何？」

萬天成道：「老夫手下的敗軍之將。」

聶小鳳道：「我那鵲橋陣中，如若加上這群毒蜂，威力當可加強甚多。」

萬天成笑道：「此人早已隱世，久未在江湖上露過面了……」

聶小鳳接道：「如若他近二十年中在江湖上露面，我也不會相詢於你了。」

萬天成道：「你一個晚生後輩，只怕他不肯聽命於妳。」

聶小鳳道：「我手下不乏武林高手，名重一時，難道蜂王楊孤還能強過蕭遙子和袖手樵隱史謀遁這些人不成？」

萬天成道：「武功雖然難說，但他手段卻要比兩人毒辣甚多，又有那奇毒巨蜂相助，妳想收服於他，只怕不是容易之事。」

聶小鳳道：「老前輩你呢？」

萬天成道：「料他還畏懼三分。」

聶小鳳道：「那就有勞老前輩請他出來吧！其人如肯爲我們效力，把巨蜂布入鵲橋大會

中，當可暗傷強敵，使人防不勝防。」

萬天成道：「收蜂必定收人，只怕楊孤不甘心爲妳所用，老夫代妳瞧瞧去吧！」站起身子，緩步向前行去。

此人自負聰明多智，但他仍爲聶小鳳所用而不自覺。

萬天成大步行來，一面高聲說道：「樹上隱身的可是楊兄麼？在下萬天成在此。」

方兆南聽得微微一呆，茫然不知所措，除非坦然走下去之外，似是不知如何才對。

正感爲難之際，突聽得細細的柔音，重又傳了過來，道：「此人凶毒狡惡，如若讓他找上來，勢必要引起一番慘烈的惡戰不可。」

方兆南心中忽然一動，暗道：「如若能設法引起他們自身之間，衝突起來，豈不可以坐山觀虎鬥？」

忖思之間，一面放出巨蜂，分頭向萬天成衝了過去。

萬天成怒聲喝道：「什麼人物，也敢對老夫這等無禮？」一面暗中估計那巨蜂飛來的距離，左手卻平胸一揮，掃出了兩掌。

隨手起了一陣急急的強風，逼住了衝向前去的巨蜂。

忽聽鬼仙萬天成大喝一聲，發了一掌，劈向方兆南停身之處。

他左手連發兩掌，潛力激旋成風，逼住那大群毒蜂不能近身，右手發出的掌力，卻是直線而行，直衝過去。

勁力斂聚，有如一道激射的水柱，濃密的枝葉，吃他那強猛有力的風柱，撞擊裂分，紛紛飄落。

方兆南早已看好了落足停身之處，借萬天成凶猛掌力撞擊古柏，震斷枝葉的響聲掩護，縱身避開，竟然未露痕跡。

萬天成掌力過處，正擊在方兆南適才停身的一根叉枝上，呼地砰然大震中，那拳頭粗細的叉枝，竟然生生震做兩段。

方兆南看得暗暗驚心，忖道：「好險啊！好險！如非早已避開，縱然能夠接下他這一掌，也必被逼得現了身形。」

那細細柔音，又傳了過來道：「你雖然避開了他的一掌，幸未暴露行藏，他既已出手，不逼你現身出來，決不肯罷休，你雖蓬首垢面掩去了本來面目，但是決無法瞞得過鬼仙萬天成和冥嶽嶽主……」

只聽萬天成高聲罵道：「楊孤老兒，你如再不肯現出身來，惹起老夫怒火，別怪我不識故人！」

這時，方兆南已把木籠中的存蜂，大部放出，高大的古柏樹下，布滿了巨蜂，嗡嗡之聲，不絕於耳。

鬼仙萬天成雖然武功卓絕，但也看得暗自驚心，不敢冒險向古柏飛躍上去。

那嬌柔的聲音，停頓了一陣，待萬天成喝罵過後，重又接口說道：「你那一籠毒蜂，盤飛在古柏下，嚇止了萬天成，你也可暫保無恙，你如借此機會逃走，倒是一個良好的脫身之機。」

方兆南仔細分辨聲音，已可確定來人是梅絳雪無疑，當下一提真氣，也施展傳音入密之術，對梅絳雪發話的方向說道：「多蒙關照，感激不盡。」

梅絳雪道：「我提醒你一下，此刻你在九死一生的環境之中，萬天成和冥嶽嶽主，都把你當做了蜂王楊孤，想收爲己用，故未施下毒手，如若他們未存收你之心，那區區一些毒蜂，如何能擋得往他們？」

萬天成雙掌連發，交互劈出，丈餘旋風盤旋，飛砂走石。

但那巨蜂卻是愈攻愈猛，萬天成掌力劈到，立隨強猛掌力向外飄飛開去，掌力已消，立時抵隙而入。

蜂王楊孤以善馭毒蜂，名震武林，數十年前他以人蜂配合的攻勢，傷了無數武林高手，有次被十八名江湖高手困住，合力殲殺於他，但卻被他施展人蜂合搏之術，竟然把十八名武林高手，盡傷手下。

這一戰，蜂王楊孤的威名大震，江湖道上的人物，開始對他生出了畏懼，對蜂王楊孤這個人，無不退避三分。

萬天成雖然未親睹那一場惡戰，但他對此事耳熟能詳，對楊孤人蜂合搏之術，並無輕侮之心，眼下又見巨蜂來勢這等凌厲，心頭更是警惕，連連劈出掌風，也不過只能阻擋那巨蜂一時。

聶小鳳見萬天成被困於巨蜂群中，陳玄霜、周蕙瑛在凝神旁觀，突啓櫻口，吐出紅色丹丸，藏入了懷中。

她爲人陰沉，裝做一副吞下毒丸之態，反問萬天成那毒丸之害，以穩住萬天成，消除他的疑心。

聶小鳳雖明知那毒丸在口中多放上一刻，就多一分中毒之險，但她卻不肯隨便吐了出來，直待萬天成被那巨蜂所困，無暇暗中監視自己之時，才吐出被真氣托住的毒丸，藏入懷中。

凝目望去，只見萬天成已陷入了蜂群之中。

雖然他內功深厚，連發掌力，把巨蜂一直迫逼在七、八尺外，但他上下左右四、五丈內，盡都是梭巡的蜂群，只要一個失神，毒蜂必將乘虛而入。

聶小鳳凝目沉思片刻，突然舉步而行，高聲說道：「老前輩，且不要慌，我來救你。」

萬天成怒道：「對付區區毒蜂，哪用人相助，未免也太藐視老夫。」喝叫聲中，左右雙手各發兩掌。

這四掌是萬天成畢生功力所聚，掌力強勁，那盤旋於周圍的巨蜂，被強猛的掌力，震得紛向兩側飛去。

但群蜂分而復合，倏忽之間，重又聚攏過來。

萬天成眼看這兩掌強猛絕倫的掌風，仍無法把那巨蜂震斃，心中亦不禁生出了驚駭，暗暗忖道：「這些巨蜂如此頑強，不知要打到幾時，才能破圍而出。」

一念轉動，心頭大急，雙掌連環劈出，勁風呼嘯，潛力四外激蕩。

方兆南眼看蜂群在萬天成強猛掌力劈擊之下，互相衝撞，亦是大爲擔心，暗道：「此人內力如此之強，單是這巨蜂，只怕難以困得住他，如若我再出手，或可逼他落敗。」

心神一動，一股衝動之氣，直泛心頭，想道：「半年來苦苦練成的武功，不知成就如何，借此機會能和當代第一流的高手搏鬥一番，也可對自己測驗一下，長長見識。」

一念動心，有如渴驥奔泉，不可遏止。

方兆南正待躍下樹去，耳際間又傳來梅絳雪柔柔的清音道：「你那巨蜂，雙翅之力，如此

強猛，倒是出了我意料之外，看情勢，萬天成甚難衝過蜂群……」

那聲音微微一頓，接道：「聶小鳳和萬天成彼此間勾心鬥角，給你以可乘之機，如若你那巨蜂，可以在遙遠之處控制，現在正是你逃走的時機了。」

方兆南道：「在下正想躍下樹去，和那萬天成搏鬥一場。」他雖在說話，暗中卻留心向那發音之處望去，但見四周一片空寂。

忽聞梅絳雪的聲音又道：「匹夫之勇，何足為恃，你現在下去和萬天成相搏，不論勝敗有損無益，不如趁機逃走。他們誤會你是楊孤，日後如有需要，也好扮成楊孤，混入他們什麼鵲橋大陣之中。」

他這裡正凝目沉思，大概梅絳雪誤認他不肯聽從自己之言，又接口說道：「你不用逞一時之勇，壞了大事，需知鵲橋大會，關係武林正邪消長之機，小不忍則亂大謀……」

聲音微頓了頓，接著又道：「是啦！你可是怕你兩位師妹，知道了你的身分麼，這個但請放一百二十個寬心，她們絕不會講出這隱密。」

方兆南細想果是不錯，當下說道：「我立刻退走……」

頓了頓又道：「我在墓林之外等你……」

話還未完，梅絳雪聲音已經接道：「不用啦！你風流成性，有不少紅顏知己，難道還會想念我麼？」

方兆南呆了一呆，不知如何答覆。

他的一舉一動，甚至細微的表情，都無法逃過她的雙目。

只聽那聲音又接著說道：「好吧！我答應你再見一面，你可以走啦！不用顧慮我找不到你，不論你到哪裡，我自會找得到你，你現在可以走啦！」

方兆南道：「好吧！」

說完一提真氣，陡然從樹上躍了下來，急急向正西奔了過去。

大約有半里之遙，才停了下來，按楊孤傳授之術，輕輕在木籠之上，敲打了一陣。

木籠中立時飛出三隻巨蜂，疾如流矢般，向適才來路之上飛去。

片刻工夫，只聽嗡嗡之聲，一群巨蜂，疾湧而來，有如秋汛夜至，迅快至極。

方兆南眼看巨蜂竟似通靈一般，能受人之命，心頭大喜，轉身急奔而去。

方兆南一則擔心鬼仙萬天成追上來，再者想試試那巨蜂飛行之力，和飛行的速度，因此施展全力，愈奔愈快。

蜂群來勢迅快，消失亦快，眨眼之間，齊齊進入那木籠之中。

方兆南放下了木籠四周垂遮的黑布，四外打量了一眼，只見群山連綿，不見萬天成等追來，自己停身之處，乃一塊如茵草地，當下選擇了一塊巨大的山石，坐了下去。

他不過剛剛坐好，忽聽步履聲響，大石之後，轉出來全身白衣的梅絳雪。

方兆南欠身而起，道：「梅姑娘。」

半年不見，玉人無恙，斜陽西照下，更顯得嫩臉勻紅，玉膚欺雪，白衣紅顏，容色絕倫，方兆南瞧了一陣，只覺耀眼生花，不敢多看，慌忙別過頭去。

梅絳雪仍是一副冷冰冰的神情，說道：「你要見我幹什麼？」

方兆南輕輕咳了一聲，道：「我想請教幾件事情。」

梅絳雪道：「說吧！」

方兆南道：「適才承蒙指教，在下感激不盡……」

他一時想不出該說什麼，陡然停口不言。

梅絳雪道：「就只是這句話麼？」

方兆南呆了一呆，道：「這次鵲橋大會，事關天下武林正邪消長……」

梅絳雪道：「這個我早知道啦！這些話，還是我告訴你的。」

方兆南臉一紅，道：「在下之意，是想請姑娘能爲挽救這次武林浩劫，盡一分力。」

梅絳雪道：「那可不一定，我和那冥嶽嶽主，總是有些師徒之情，要幫哪個，現在還很難說，要到了時間，才能決定。」

梅絳雪冷笑一聲，接道：「你憑什麼給我講這些話？你知道我是你的什麼人麼？」

方兆南重重地咳了一聲，道：「這個，這個……」

這個了半天，仍然這個不出個所以然來。

梅絳雪一個字一個字，有如彈出來的一般，說道：「我是你的妻子。」

方兆南嘆息一聲，道：「昔年之事，情非得已，姑娘隨口言來，還這等認真麼？」

梅絳雪道：「青天明月，立誓訂盟，那還不算認真麼？哼！婦人家的貞德，豈可隨便輕侮的？」

方兆南微微一聳劍眉，忖道：「這人聰明絕倫，又在冥嶽那等淫亂的環境之下長大，不知何故，竟然對面月締盟一事，這等認真。」

只聽梅絳雪嘆息一聲，說道：「不論你喜不喜歡我是你的妻子，那都無關緊要，但咱們夫

妻的名份，你必需承認下來，世上盡有反目夫妻，若立下終生不見之願，咱們為什麼不可以做一對掛名夫妻……」

她緩緩仰起臉來，望著天際一朵飄飛的白雲，接道：「我本要剃度佛門，削髮為尼，但想到了還未對你說過，只好暫時留下這一頭長髮。」

梅絳雪又道：「你一直不肯承認那晚對月締盟之事，可是為了怕認我為妻之後，我不許你再討妻妾麼？」

方兆南道：「姑娘誤會了……」

梅絳雪冷冷接道：「我一點也沒有誤會，男人家，討上三妻四妾，並非什麼大不了之事，這一點你盡可放心，我只要你承認我是方夫人，其他之事，我也懶得過問你，有本事，討上三宮六院，與我何干？」

方兆南嘆息一聲，道：「寒水潭對月締盟，不過是一時權宜行動，怕妳當時也未深想，但我卻敬重姑娘的為人……」

梅絳雪怒道：「誰要你敬重我了，哼！好女不配二夫，我當時雖未深想，但言出我口，鐵案如山，難道還能反悔麼？」

方兆南一皺眉頭，道：「這件事咱們以後再談，眼下大劫臨頭，急如星火，妳既肯趕來此地，想必已不願袖手旁觀……」

忽聽一陣急促的步履之聲，奔了過來。

梅絳雪冷冷喝道：「什麼人？」白衣閃動，直撲過去。

她此時的武功，何等高強，出手一擊，迅如電火，喝聲未絕，已有人中掌栽倒。

方兆南目光一瞥，立時急急喝道：「姑娘住手！」

梅絳雪已揚指而出，準備點擊那人的死穴，聽得方兆南喝叫之聲，陡然停手，回頭接道：「此人乃冥嶽中派來的暗樁，你還要替他求情麼？」

方兆南急急奔了過去，道：「此人是我亡師好友。」左手抓起那人的右臂，右手輕輕一掌，拍在那人的「命門」穴上。

只見方兆南舉起右掌，在那人身上幾處要穴推拿起來。

片刻工夫，那青衫長髯老者，血脈竟被推活，長長呼一口氣，睜開雙目。

梅絳雪柳眉微微聳動，口雖未言，心中卻是暗暗地吃驚，他竟然能推活我用拂穴手法拂傷人的經脈。

她哪裡知道，方兆南在這半年時光之中，得覺夢大師傳授少林上乘神功，習練易筋真經，武功精進，一日千里，已得覺夢大半真傳。

那青衫長髯老者雙目圓睜，打量了方兆南一陣，突然揚手一拳，直向方兆南前胸劈去。

方兆南縱身讓開，淒涼地說道：「張師伯，難道你一點也不認識小侄了麼？」

原來這長衫老者，正是方兆南恩師生平第一好友張一平。

梅絳雪忽然想起此人，曾和方兆南、周蕙瑛一起往袖手樵隱處避難，後被擒回冥嶽。

張一平一擊不中，立時縱身躍起，拳掌齊揮，猛向方兆南劈擊過去。

張一平拳腳並施，一口氣連攻數招，不但未能擊中方兆南，反而把自己累出了一身大汗。

梅絳雪眼見張一平即將力盡，忍不住出言喝道：「你再不點了他的穴道，你要把他活活累死麼？」

方兆南聽得心頭一凜，疾出一掌，拍中了張一平的中府穴。

梅絳雪看得又是一涼，暗道：「他出手一擊，竟是如此之準，張一平拳掌未停，攻勢未住，他竟能一擊中敵，如若換我，只怕也難這等的順利。」

方兆南右掌拍中了張一平的「中府穴」，左手卻緊接而出，抓往了張一平的身軀，緩緩放下，心中暗暗自責道：「梅絳雪自幼在冥嶽之中長大，對冥嶽中一切詭計，定是瞭如指掌，昔年她未脫離冥嶽之前，這些人亦會聽她之命，眼前有這樣一個大行家，我卻不知去問。」

忖思之間，梅絳雪已舉步行了過來，舉手按在張一平後頸之上，冷冷說道：「你可是想救他麼？」

方兆南道：「還得妳多多指教。」

梅絳雪道：「只要我掌心內力一發，立時可震斷他的心脈。」

方兆南怔了一怔，道：「你什麼意思？」

梅絳雪道：「你承不承認咱們對月締盟之事？」

方兆南當下不禁搖頭一嘆，說道：「姑娘的爲人，實是叫在下愈想愈是糊塗，似正似邪，莫可捉摸。」

梅絳雪肅冷地說道：「你先答覆了我的問話再說。」

他啓蒙的恩師，和那視他如子的師母，雙雙死去，張一平不但對他有授藝之情，而且也是亡師唯一的好友，追思師恩，不自禁地對張一平生出了極深的親切之情。

但聞梅絳雪急急催促道：「你究是承不承認，快些說啊！」

方兆南暗暗忖道：「此女一向說得出就做得到．莫要讓她真的殺了他。」

當下說道：「妳快些放手，既是確有其事，在下怎能否認。」

梅絳雪忽然展顏一笑，道：「這可是你說的話。」

說完話，她緩緩放下了右手。

方兆南怕她再追問，搶先說道：「在下有一事相求，姑娘久居冥嶽，想來必然知道解除那冥嶽嶽主的控人禁制。」

梅絳雪道：「你可是想要他神志復清麼？」

方兆南嘆道：「妳既知道，望勿再施刁難。」

梅絳雪道：「你先撥開他頭上的頭髮瞧瞧。」

方兆南依言施爲，打開張一平頭上的椎髮。

只見他「天靈穴」上，置放著一塊金錢大小的黑色藥餅，托在手中瞧了一陣，罵道：「哼！原來是此物在作怪！」

隨手要拋開去，心中忽然一動，又收入破衣袋中，深深一揖，接道：「晚輩方兆南，見過張師伯。」

只見張一平仍然呆呆地站著不動，分明未曾聽得。

方兆南微微一笑，暗自責道：「他穴道未解，如何能聽到我說的話？」

舉手一掌，拍活張一平的穴道，又是一揖，道：「張師伯還記得小侄麼？」

張一平冷哼一聲，突然舉手一拳，擊了過去。

只聽「呼」的一聲，正擊在他的肩頭之上，打得方兆南一連向後退出六、七步遠，愕然望著梅絳雪發愣。

梅絳雪突然舉步一跨，白衣飄閃中，人已欺到了張一平的身後，舉手點了他一處穴道，笑道：「瞧著我幹什麼？」

方兆南道：「怎麼拿開他髮內的迷魂餅，他的人仍是神智不清呢？」

梅絳雪道：「活該，誰叫你性子急呢，問事不問清楚，就解了他的穴道，哼！幸虧他出拳稍慢，又非擊向要害，要是他這一拳把你打死，你說那冤是不冤？」

方兆南道：「難道他身上還有什麼禁制不成？」

梅絳雪道：「如若那冥嶽嶽主，仗倆僅是如此，還能把無數武林高手，收羅在冥嶽之中，塗面做鬼，任她擺布麼？哼！其實你早該知道那禁制不僅如此，只怪你粗心大意罷了！」

方兆南道：「我怎麼會知道呢？」

梅絳雪道：「簡單得很，你想想看那少林寺中和尙，個個都未蓄髮，爲什麼仍然被冥嶽嶽主控制？」

方兆南怔了一怔，道：「責罵得好，這一層我確未想到……」

微微一頓，又道：「還有什麼禁制，還得妳指點指點！」

梅絳雪道：「你再看看他後腦之中，可有什麼奇異之物麼？」

方兆南依言撥開張一平的頭髮，在後腦上仔細地搜尋了一陣，果然又被他發覺了一處隱密的禁制。

原來，他在張一平後腦處，長髮濃密的所在，找出了一個有著金色小蓋子的奇異之物，當下一整臉色道：「可有解救之策麼？」

梅絳雪道：「不會把他後腦處釘的金針，取下來麼？」

方兆南伸出二指，正待去取那金針，梅絳雪忽地接道：「小心了，這枚金針刺的乃極端重要之區，稍有失措，都將悔恨莫及。」

方兆南縮回雙手，暗中運氣，他左手抓住了張一平的肩頭，右手緩緩伸出，起下後腦上的金針。

凝目望去，只見金針長約一寸六分，體積細微，尖利異常，心中暗暗嘆息一聲，又把金針收入懷中。

方兆南已吃過一次苦頭，不敢擅自動手，抬頭望著梅絳雪問道：「還有沒有什麼禁制？」

梅絳雪道：「自然有了，要不然少林和尚都未蓄髮，這金針控腦的禁制，豈不早就被你發覺了麼？」

方兆南暗暗忖道：「這話倒是不錯。」

一抱拳，說道：「還得請姑娘指點。」

梅絳雪道：「你脫去他的衣服，看看他命門穴上，是否有物？」她說完話，緩緩轉過身去。

方兆南依言脫下張一平的衣服，果然見「命門穴」旁邊，又釘著一支金針，當下拔了出來，說道：「還有禁制麼？」

梅絳雪道：「你再看他的雲台、玄機和任、督二脈的交匯之處。」

方兆南仔細在張一平的身上搜尋，果然又尋出了三枚金針，一一起下之後，又道：「還有何處？」

梅絳雪道：「這叫五針釘魂之法，應該是沒有啦，你替他穿好衣服吧！」

方兆南收好金針，穿好張一平的衣服，說道：「現在可以解他的穴道了麼？」

梅絳雪緩緩轉過身來，說道：「不行，他剛剛起下五針，不宜立刻解他穴道，等一會兒再解不遲。」

方兆南炯炯的眼神，移到梅絳雪的臉上，說道：「這五針釘魂之法，可是那羅玄創出的麼？」

梅絳雪點點頭道：「不錯，我未入血池之前，如遇上今日之事，那就要和你一樣地茫然無措了。」

方兆南哼了一聲，道：「人人都稱羅玄天縱奇才，世無其匹，對他敬重非凡，但今日看來，他這些殘忍的手段，固然是叫人驚奇，但究非大丈夫的行徑，有傷忠恕之道，非智者所取，仁者所施。」

梅絳雪道：「他創出這五針釘魂之法，目的在對付江湖中的厲魂惡魔等人物，如若是一個嗜殺殘忍之人，你釘上他的要穴，讓他神智混亂不清，處處聽命於你，豈不是一件大有用處之事麼？」

方兆南道：「在下有兩點不解之處，還得請問。」

梅絳雪道：「你問吧！只要我知道的，都告訴你就是。」

方兆南道：「剛才我取下他身上的幾枚金針，似都在人身死穴之上，怎地會竟然不死？」

梅絳雪微微一笑道：「你可曾看仔細了麼？那金針雖是釘在死穴之上，其實卻偏向一側，釘在一處經脈之上，這些經脈都是控制神經的樞紐。

「所謂五針釘魂大法，並非是直接釘在人的三魂七魄，只不過使其神智迷亂，忘掉了過

去，對昔年的人、事或物，失去了辨認之能而已。」

方兆南沉吟了一陣，道：「就人身經脈穴位的功能而言，此事大有可能，只不過非得絕頂聰明之人，才能推算出來罷了。」

梅絳雪道：「羅玄深諳人身穴道，諸脈功能，故而推演人身體能變化，創出這五針釘魂大法，此事看來容易，行法亦非難事，但如想到那初創之人，推演人身經脈運行之奧，下針部位之準，實是一件非比尋常的大難之事。」

方兆南忽然想到覺非遺言心願，要他找羅玄比試一下武功，以印證正宗、旁門之別，究竟誰勝一籌。

當下說道：「不論羅玄的才華如何光耀，武功如何高強，但他終是旁門邪徑，難以立論千古，不能算武技正統。」

這幾句話，言出弦外，任她梅絳雪才智絕世，也是想不出用意何在，微微一怔，道：「怎麼？你可是不太服氣麼？」

方兆南仰天大笑，道：「羅玄的才智，在下自知難以及得萬一，但對他創出武功的邪毒，卻是不敢恭維。」

梅絳雪道：「你這口氣，對一位才氣縱橫的前輩奇人太不尊敬，以後言詞之間，最好是小心一些。」

方兆南笑道：「如若有和羅玄會面的機會，我倒想向他領教一下。」

梅絳雪忽然想到他剛才躲避張一平拳掌的武功，大是奇奧，此言定非信口開河，只怕是出自衷心，當下一聳柳眉，道：「就憑你麼？」

方兆南道：「不錯，我或非羅玄之敵，但我找他比試一下武功，應該不是什麼大逆不道之事吧！」

梅絳雪臉色微變，欲言又止，突然出手一掌，拍活了張一平的穴道。

方兆南似已發覺了梅絳雪的神色有異，趕忙接口說道：「所以我要先和那冥嶽嶽主搏鬥一場，先能勝過冥嶽嶽主再說。」

說話之間，已伸手扶住了張一平。

只見張一平胸口起伏地長長呼一口氣，目光投注到方兆南的身上，凝注了良久，道：「你可是方賢侄麼？」

方兆南看他神智果然清醒過來，心頭大喜，連連說道：「正是小侄，張師伯先請坐下養息一下精神，晚輩還有話要說。」

張一平兩道目光，不停地在方兆南身上打量，道：「賢侄怎生落得這等模樣？」

方兆南躬身說道：「此事說來話長，一言難盡，師伯還是先請打坐調息一陣，小侄替你護法。」

張一平確然感覺十分倦累，依言盤膝而坐，運氣調息。

梅絳雪緩步走去繞過岩石，消失不見。

方兆南本待叫她，但又怕驚動了張一平，心想梅絳雪既然在此，不難相見，先待張一平調息復元之後，再去找她不遲。

大約過了頓飯工夫，張一平果然睜開了雙目，長長嘆息一聲，說道：「賢侄，你這身裝束……」

方兆南道：「小侄際遇非常，說來話長，客待後稟，眼下倒是有一樁緊要之事，想先問師伯一聲。」

張一平道：「什麼事？」

方兆南道：「師伯可記得剛才和小侄動手的情形麼？」

張一平凝目沉思，想了半晌，道：「依稀記得，若有似無。」

方兆南嘆息一聲，緩緩從袋中取出五枚金針，和一塊迷魂藥餅，說道：「適才師伯就受困於這五針一餅之下，忘去了昔年之事，相識之人……」

張一平望了那金針和黑色迷魂藥餅一眼，接道：「有這等事麼？」

方兆南指著那金針、藥餅，詳盡地把經過情形說了一遍。

張一平聽得驚心動魄，愕然變色，半晌之後，才長長嘆息一聲道：「如非賢侄相救，細心替我除了那金針、藥餅，這一生都要淪爲那冥嶽妖婦的奴僕爪牙……」

說此一頓，目光轉動，四下望了一眼，又道：「那位梅姑娘哪裡去了？在下得拜謝一下救命之恩。」

方兆南也不知梅絳雪是否已然走去，或是隱身附近，只好支吾以對道：「她有事先行了一步，此刻找她不易，好在相見有時，再見她時，相謝不遲。」

張一平似是突然想起了一件重大之事，一躍而起，道：「方賢侄！我那蕙瑛侄女可還活在世上麼？」

方兆南淒然說道：「唉！恩師陰靈相佑，她還好好地活在世上。」

張一平神智已復，已想起昔年甚多往事，當下長長呼一口氣，道：「不知她現在何處？」

方兆南道：「她雖是好好地活著，但如要見她之面，卻是要大冒凶險。」

張一平奇道：「為什麼？」

方兆南道：「她已拜在鬼仙萬天成的門下了，那鬼仙萬天成如今和冥嶽嶽主聶小鳳，勾結一起，布下鵲橋大陣，想一網打盡天下武林高手。」

張一平仰臉思索了一陣，道：「鬼仙萬天成，數十年前，江湖倒是傳誦著此人的事跡，似是和羅玄齊名，只是一正一邪。」

方兆南冷哼一聲，接道：「那鬼仙萬天成陰毒邪惡，人盡皆知，也還罷了，但那被人譽為一代人傑的羅玄，卻是外善內惡，胸藏奸詐，假善獲譽，欺盡天下人的面目。」

張一平愕然說道：「羅玄乃武林中一代人傑，天下英雄無不欽敬，賢侄豈可信口相污？」

方兆南指著那金針、藥餅，道：「這五針釘魂大法，就是羅玄的奇技之一，聶小鳳用此技奴役了千百武林高手，只此一樁，其用心就不能算得正大……」

方兆南說著語音突停，霍然站起，冷冷喝道：「什麼人？」

只聽一個嬌媚的聲音說道：「我……」

大石後蓮步細碎，走出了個身著藍衣的少女。

張一平臉色忽然大變，挺身站了起來。

原來，他一見此女之後，腦際之中，隱隱泛現起可怖回憶，似是這女人的形貌，深藏於他的意識之中。

方兆南冷笑一聲，道：「唐文娟，妳來幹什麼？」

唐文娟笑道：「怎麼？你忘記了咱們約訂之言麼？」

方兆南道：「什麼約言？」

唐文娟笑道：「當真是貴人多忘事了，我帶你見著了兩位師妹，而且也未洩露你的身分……」

方兆南接道：「可是要我傳授妳武功麼？」

唐文娟道：「我們有約在先，並非求你相授。」

方兆南略一沉思，道：「好吧！我傳妳一招。」

唐文娟怒道：「一招……」

方兆南冷冷地說道：「怎麼？少了麼？哼！這一招你能練得純熟，就終生受用不盡，拿劍過來吧！」

唐文娟緩緩拔出背上長劍，遞了過來，笑道：「有一件事，我倒是忘記告訴你了。」

方兆南接過寶劍道：「什麼事？」

唐文娟道：「我在少林寺中奪了你一柄寶劍，已經還給了你的夫人。」

方兆南微微一怔，怒道：「妳胡說什麼？……」

唐文娟道：「我一點也沒有胡說，你敢說梅絳雪不是你的妻子麼？」

方兆南只覺此一問，甚難答覆，梅絳雪是否隱身在附近，還很難說，既不能承認，也不能否認，只好扳轉話題，領動劍訣，冷冷說道：「我只傳授一遍，至於妳能否學得會，那就是妳的事了。」

唐文娟趕忙轉過頭去，凝目相望。

只見方兆南屏息凝神而立，手中長劍緩緩舉動，頗有傳技之誠，連劍變招之間，動作十分

緩慢。

唐文娟武功已登堂奧，一看那出劍之勢，已知劍招非凡，屏息凝神，用心默記。

方兆南緩緩把一招劍式用完，遞過長劍，肅然說道：「在下敢誇這一招劍式，是妳生平未見之學，妳能記上一半，那就享用不盡了。」

也不待唐文娟答話，方兆南提起木籠，拉著張一平，匆匆而去，奔出了十幾里路，到了一處僻靜的山谷之中，才停下來。

張一平經過一陣急快的奔行，已然累得微微見汗，就旁側一塊大山石上，坐了下來。

張一平拭去頭上的汗水，說道：「你那師父、師母在世之日，曾經親口告訴過我，要我作媒，把你那蕙瑛師妹許配於你，不想你師門遇上巨變，落得個滿門遭劫，在那等情勢之中相遇，自是不便提到你們師兄妹的終身大事，想不到竟然因此鑄錯，造成恨事。」

方兆南道：「什麼恨事？」

張一平道：「適才那藍衣少女，聲稱你已娶了夫人？………」

方兆南搖頭說道：「沒有的事，師伯不要……」

他說著忽然住口不言，停了下來，心中暗道：「那對月締盟一事，雖屬玩笑，但梅絳雪如若硬要認起真來，那也是無法不認。」

張一平看他陡然停口不言，心中暗自一嘆。

他久走江湖老於世故，從方兆南的神色之中，已看出他心中苦衷，當下接道：「唉！賢侄不用爲難此事，錯在老夫身上，待見到蕙瑛之時，老夫替你解說就是。」

方兆南長嘆一聲，默默不語。

良久之後，抬起頭來，望著無際藍天，神情莊肅地說道：「今日武林，大難方殷，我身受兩位高僧重托，豈可袖手不理，蕙瑛師妹縱然責怪於我，那也是無可奈何的事了。」

他這番感慨之言，張一平茫然不解，問道：「什麼大難方殷，高僧重托，你可把我說糊塗了！」

方兆南回過頭去，雙目凝注在張一平的臉上，當下把見聞之情，詳細地說了一遍，又道：「小侄出道雖晚，但連年來的際遇，卻是歷盡辛酸、幻奇。晚輩得蒙兩位少林高僧垂青，破例授予武功，豈可把他們授藝苦心，置身武林是非之外，衡度情事，只好把兒女私情放在一旁了……」

張一平肅然敬道：「賢侄的仁俠胸懷，實叫我這身為長輩的慚愧。」

方兆南微微嘆道：「對付冥嶽嶽主那等狡詐之徒，除以毒攻毒外，還得和她一較心機……」

張一平奇道：「賢侄怎麼不說了？」

方兆南道：「晚輩實是不忍出口。」

張一平道：「什麼事？儘管說吧！賢侄年紀輕輕，就胸懷救人救世的大志，我這把年紀了，縱然赴湯蹈火，那也是毫無所惜，賢侄儘管說吧！」

方兆南道：「晚輩確實想到了一件麻煩師伯之事，但又想此事太過危險……」

張一平哈哈一笑，道：「賢侄可是要我裝做神智未解，混入冥主手下，刺探消息，對麼？」

方兆南道：「早前冥嶽嶽主聶小鳳，在冥嶽絕谷之中，擺下了招魂之宴，聽來雖然恐怖，但卻假人以不可測之情，這鵲橋大會，卻不知是什麼名堂，明明是一場殘酷的屠殺，血雨腥風，但卻偏偏取了這樣一個典雅的名字，以晚輩推想，其間定然有重大原因……」

張一平接道：「賢侄可是想在未入那鵲橋大陣之前，先行了解那原因何在麼？」

方兆南點點頭，道：「不錯，顧名思義，那鵲橋大陣之中，必然有甚多奇怪布置，而且和女人有關，如能早悉聶小鳳陰謀，預做準備，屆時對症下藥，當可收事半功倍之效。」

張一平正容說道：「賢侄要我如何去探聽消息……」

方兆南說道：「但晚輩又想到那冥嶽嶽主機警無比，看出金針已除，豈不要招致一場殺身之禍？」

張一平道：「師伯在冥嶽並非什麼重要人物，只要稍微留心一些，或可倖得生存，賢侄請把我金針未除、神智未醒之時的情景，描述一番。」

方兆南略一忖思，就記憶所及，把張一平神智未復時的情景，仔細地描述了一番，張一平一一記下，拱手說道：「賢侄保重，我要走了。」

說著轉身大步行去，大有一副從容就義的精神。

一個死的念頭，閃電般由方兆南的腦際掠過，陡然喝道：「不行，快停下來！」

張一平微微一怔，站住身子，回頭問道：「什麼事？」

方兆南道：「適才咱們遇到那個唐文娟，乃冥嶽嶽主聶小鳳的大弟子，此人雖有叛離冥嶽之心，但她為人刁詐險惡，恐已知師伯金針已除之密，見面之後，說不定要動討好那冥嶽嶽主之心，如若聶小鳳知你金針被除，決然不會留下活口。」

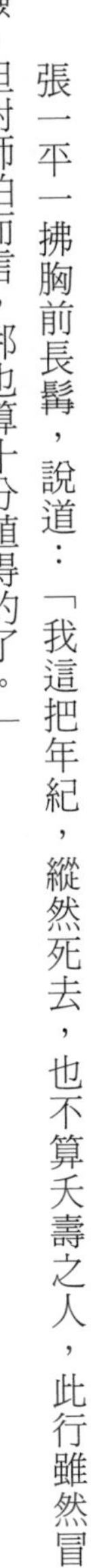

張一平一拂胸前長髯，說道：「我這把年紀，縱然死去，也不算夭壽之人，此行雖然冒險，但對師伯而言，那也算十分值得的了。」

方兆南仰臉望望天色，道：「此刻時光還早，在下轉授師伯兩招防身武功，必要時好做脫身之用。」

張一平還在猶豫，方兆南已折了一截松枝，握枝作劍，開始傳授劍招。

這劍招精奇博大，凡是習劍之人，只要看到，無不動心，張一平集中心神，潛心默記，舉手仿習。

方兆南傳授的異常細心，不厭其煩地再三講授，足足耗去了一、兩個時辰之久，才算把一招劍式傳完。

張一平記熟之後，忽然覺得這一招劍式，頗似剛才方兆南傳授唐文娟的一招一樣，忍不住問道：「賢侄，這一招叫什麼名堂，剛才你傳那藍衣少女的一招，可是一樣的麼？」

方兆南道：「不錯，這一招叫『西來梵音』，正是剛才傳給唐文娟的一招，此劍源起於少林武學。」

張一平道：「賢侄得天之寵，奇遇連連，小小年紀，竟然有此成就，何愁異日不凌駕羅玄之上？」

方兆南道：「小侄如無這身武功，也不致捲入這永無休止的江湖是非之中，唉！不願辜負兩位少林高僧的傳藝之恩，不得不捨身逐鹿於血腥屠殺之中……」

他似是感慨萬千，仰天大笑三聲，接道：「小侄再傳師伯一拳，有此一劍一拳，必要時用來護身，當可勉強對付了。」

當下又傳了張一平一招拳法。

張一平學會了一劍一掌，天色已然入夜。

方兆南肅容一揖，說道：「師伯此去，尚望多加小心，如若情勢許可，尚望找幾個助拳之人，起了他門身上金針，結做幫手。」

張一平道：「江湖上的機詐，老夫自理會得，不勞賢侄費心了……」

語音一頓，又道：「賢侄最好能和諸大門派中的掌門之人，早日取得聯繫，不論哪一門派的掌門之人，都非平庸之才，賢侄和他們多多研商，自可大獲裨益。」

方兆南笑道：「小侄籍籍無名，人微言輕，那些掌門之人，如何肯聽小侄之言，如若此刻去見他們，反將弄巧成拙，無助大局，不如留待機會到來之時，再和他們相見的好。」

張一平道：「賢侄年少智高，勝過我這做師伯的甚多，你珍重自處了。」轉過身子，大步行去。

夜色中方兆南凝注著張一平的背影，只覺他背影中流露出無限的淒涼，不禁默然一嘆，等那張一平的身形，消失於夜色之中，才提起木籠，大步行去。

方兆南本想去找南北二怪，共謀大局，但此時並非正面相搏，南北二怪名頭甚大，行動間亦引人注目。

想那梅絳雪既知五針釘魂之法，想來對鵲橋大陣亦有所了解，如得她合作，或可挽救這一次武林浩劫。

可是玉人形蹤無定，飄忽莫可捉摸，一時間想找到她談何容易。

忖思之間，到了一座山峰之下，抬頭一看，銀河耿耿，已是三更過後時辰。

崖下風微，一片寂幽，方兆南忽覺有些倦意，放下木籠，依壁而坐，行起少林高僧相授的吐納之術。

片刻間氣走百脈，神凝五中，雜念盡消，靈台空明，步入了渾然忘我之境。

忽然間，一個沉重的步履之聲，傳了過來，方兆南霍然一驚，趕忙停下了運息，睜開雙目望去。

只見一條龐大的黑影，逐漸行近，不禁心頭一凜，暗道：「這是什麼東西，這等龐大？」

方兆南爲一陣強烈的好奇之心誘動，輕輕移開木籠，藉著夜色掩護，沿著崖壁向前行去。

他此時的輕功，已到了踏雪無痕之境，沿壁而行輕若飄絮，逐漸地接近了那團黑影。

原來那團龐大的黑影，竟然是一頂轎子，四周都用黑布重重罩住，兩個長毛披垂、似猿非猿的怪物，分站在那轎子兩側。

方兆南一皺眉頭，忖道：「這又是什麼人物？竟然能役使猿獸……」

忖思之間，忽聽那黑布垂遮的轎中，傳出來一聲輕微的喘聲。

只聽一個怪獸低嘯一聲，那轎前垂簾突然大開，輪聲轆轆，從那巨大的黑轎中，滾出來一輛輪車。

只見那輪車行了四、五尺左右，自動停了下來。

那輪車後背向後面仰張甚多，一個人平平地躺在那輪車之上，他身上覆蓋了一層黑布，看上去實叫人無法分辨出他是死人，還是活人。

方兆南暗暗忖道：「看這人怪異行徑，只怕……」

忖思之間，突聞一聲長長的嘆息，傳了過來。

這一聲長長的嘆息，充滿了無比的淒涼，直似要在這一聲長嘆中，吐出人生所有的積忿、憂鬱。

一陣輕微的軋軋之聲，那輪車背椅緩緩地升起，黑色的覆被，亦隨著微微掀動，露出來一張枯瘦的面孔。

方兆南窮盡目力望去，只見那人頭倚靠在輪椅枕上，胸前飄垂著一片雪白的長髯，雙目深陷，兩顴瘦削，突起了甚高，雙目甚大，但卻毫無神采。

他似是無力支撐那瘦弱和疲累的身體，對人生充滿著厭倦，身軀微微掙動一下，突然又長嘆一聲，靜止不動，望著天上的星光出神。

忽聽那老人又是一聲長長的嘆息，彷彿自言自語般地低聲說道：「鵲橋大陣，唉！想不到這丫頭竟然是這等嗜殺……」

只聽那聲音，愈來愈低，漸不可聞。

方兆南心頭凜然一震，暗道：「此人似是身染重病，已然到了無法支持自己的軀體之時，難道也是來參與那鵲橋大會不成。」

只聽那白髯枯瘦老人，喃喃地說了幾句話，兩隻似猿非猿的怪物中的一個，突然縱躍而起，奔行如飛地直向一個山峰之上攀去。

不多一刻，突聽一陣奇異的嘯聲，傳了過來。

嘯聲由遠而近，不大工夫，已近身側，一團黑影疾奔而來，將近那輪車之時，卻突然停了下來。

那疾奔的黑影，也同時為之緩慢下來，正是攀上峰的那似猿非猿的怪物。

這一連串怪異的動作，在方兆南的心中，留下了難解之謎，也更引動他好奇之心，決心要看個水落石出。

忽然間，由遙遠處傳過一聲尖亮嘯聲，重又劃破了剛剛歸於沉寂的靜夜。

那黑衣老人抬動了一下身軀，枯瘦的長手一揮，兩個似猿非猿的怪物，同時仰臉長嘯。

大約有一盞熱茶工夫，對面山峰上，突然間奔來一團白影，來勢奇快，眨眼之間，已近那黑衣人的輪椅。

方兆南凝神瞧去，不禁心頭一震，原來那白衣人竟是梅絳雪。

一個新的念頭，閃電般地掠過他的腦際，暗暗忖道：「這黑衣老人是誰？難道是羅玄？他

還未死麼？」

他有些迷惑了，羅玄這個神奇的人物，在武林中造成無數的隱密，江湖上津津傳誦著他的醫道，但他卻甚少在江湖上露面。

他享譽之隆，被上一代武林人物宣揚成神奇的人物，留給了一代武林人物無比的崇敬仰慕，但他的作爲卻又不似他那崇高的聲譽，對這位神奇的人物，方兆南已無法辨識他的正邪。

一時間百感交集，愈想愈是茫然。

只聽梅絳雪那脆如銀鈴的聲音，幽幽說道：「師父體力不支，怎可跋涉而來？」

方兆南心中一動，暗暗嘆道：「果然是羅玄了。」

只聽一聲輕微的嘆息悠悠揚起，一個低沉微弱的聲音，傳了過來道：「昔年我曾爲好奇之心，設計了一座鵲橋大陣，在陣中，我動用了各種飛禽、走獸，想不到竟然被那丫頭攜去藍圖，唉！如若她已把那座大陣的訣竅變化，盡皆領悟，當真不知要有多少人傷在那座陣中了。」

只聽梅絳雪柔聲地說道：「師父玄功精深，胸羅奇術，如果能靜心地療傷，總有復元的一天……」

那低沉微弱的聲音，重又響起，道：「唉！藥醫不死病，世無長生方，不論何等內功精深之人，都難永生不死，我這一把年紀，死亦無憾了，只是，聶小鳳那孽……」

又是一陣連續的咳嗽，中斷了他未完之言。

梅絳雪道：「師父不要多說話啦！還是安心養息病勢吧，此地夜寒露重，找一個可避風露的地方，先休息一下再說。」

那低沉微弱的聲音，再度傳了過來，道：「不行，我已是油盡燈枯之人，隨時可能氣絕而死，那鵲橋大陣，關係著整個武林的命運，世人均不知破解之法，只怕難以逃出她的毒手……」

梅絳雪似已無法按捺下好奇之心，說道：「為什麼叫鵲橋大陣呢？」

那黑衣老人答道：「我利用鳥獸的游動，變化陣勢，傳灑毒藥，但陣中鳥語花香，美女歌姬，翠袖紅裳，看上去耀眼生花，藏殺機於綺麗的風光之中，以鵲橋為界，生死兩域，故名鵲橋陣。」

梅絳雪道：「原來如此。」

那黑衣老人道：「在我坐的輪椅之下，藏著鵲橋陣組成的一幅藍圖，另附有破解之法，聶小鳳自負聰明，卻不知我早已有準備。

「我設計那鵲橋怪陣之後，就苦思破解之法，終於被我想了起來，記在一本經文之中，我如死了之後，妳要好好地詳閱那破陣之法，要知此事關係太大，不可漫意輕心。」

梅絳雪道：「弟子記下了。」

她扶起羅玄，探手在那輪椅下摸了一陣，果然找出一本經文。

那黑衣人又道：「妳收起此書之後，就在此地，給我找一個埋身之處。」

方兆南吃了一驚，暗嘆一聲，道：「難道他有未卜生死之能，預知死期麼？」

梅絳雪藏好經文，接道：「師父快請休息一下。」

方兆南此刻已完全確定這枯瘦的老人，就是那被武林人渲染為一代人傑的羅玄了。

梅絳雪的耳目，何等靈敏，方兆南這失聲一嘆，早已驚動了她，嬌叱一聲，說道：「什麼

人？」

揚手一掌，劈了過來。

方兆南暗暗忖道：「我這半年，盡得少林高僧覺夢大師所學，不知武功進境如何，不如接她一掌試試。」

當下暗運功力，一掌推出。

兩股排空勁氣一觸，方兆南突覺全身一震，凝目看梅絳雪時，也不自禁地向後退了兩步。

那躺在輪椅上的老人，似是已感覺到梅絳雪遇上勁敵，突然一挺身，坐了起來，道：「雪兒住手！」

但聞那老人低沉的聲音，傳了過來，道：「是哪位高手，既然相遇，總是有緣，可否請出一見？」

方兆南想道：「我身受覺非遺言相囑，要我和羅玄比試武功，但看他虛弱的身體，這比武之願，只怕難以實現了，唉！但我已然答應了覺非大師，豈能讓他期望落空……」

方兆南收斂起洶湧的思潮，霍然站了起來，大步行去。

梅絳雪本已揚掌作勢，但她看清楚來人是誰之後，卻緩緩地放下了揚起的掌勢，愕然說道：「原來是你？」

方兆南微微一笑，道：「不錯，是我……」

抱拳對那枯瘦白髯老人一揖，道：「老前輩可是留給武林後輩們，無限欽慕的羅玄羅老前輩麼？」

那枯瘦老人輕輕地咳了一聲，目注方兆南頷首應道：「不錯，老夫正是羅玄，請教貴

姓？」

方兆南一挺胸，道：「在下方兆南。」

羅玄有氣無力地啓齒一笑，道：「方世兄的武功不弱，但不知令師何人？」

方兆南道：「晚輩的恩師周佩……」

羅玄接道：「群集天下高手，也難調教出你這樣的武功，老夫有些不信。」

方兆南道：「晚輩得蒙少林高僧覺夢、覺非兩位大師垂青，授以武功。」

羅玄道：「這就是了，老夫早就想到是他們兩位了。」

方兆南忽然長嘆一聲，目注羅玄，欲言又止。

羅玄移動身軀，說道：「年輕人，你可有滿腹心事麼？」

方兆南接道：「心事倒無，只是有幾句不敬之言，不忍出口。」

梅絳雪冷冷接道：「既知是不敬之言，那還是不說的好，免得招致殺身之禍。」

方兆南回顧了梅絳雪一眼，道：「妳對我施恩甚多，我讓妳幾句就是。」

羅玄緩緩伸出枯瘦的右手，搖了幾搖，低聲對梅絳雪道：「雪兒，不用妳多管，我要和這位方世兄多多地談談。」

方兆南回顧了梅絳雪一眼，道：「妳縱然要和我反目成仇，我也得說出心中蘊藏之事。」

羅玄點頭笑道：「你說吧！有我之命，雪兒決然不會出手……」

他輕輕嘆息一聲接道：「其實她縱然出手，也未必是你的敵手。」

梅絳雪臉色一變，道：「師父，此言當真麼？」

羅玄的目光又轉注到方兆南的臉上，接道：「你如學全覺夢、覺非的武功，雪兒此刻果然

是打你不過，可是，當我氣絕死亡之後，她的武功舉世間，就無人能與之抗衡的了！縱然是功力上勝她一籌，也無法擋得她凌厲的劍勢。」

方兆南聽得莫名其妙，搖頭說道：「晚輩並無和梅姑娘爭名比武之心，但老前輩這一番話，卻使晚輩如陷身十里雲霧，越聽越糊塗了。」

羅玄輕輕嘆息一聲，低沉慈和地說道：「孩子，有很多事，你還是無法了解的，智慧和武功，都似浩瀚的大海，無盡無止，世上沒有永恆的第一，因爲一個人的智能，不論如何的高強，也無法學盡世間的東西……

「不錯，覺夢和覺非都是當世的奇人，他們的才智或許遜老夫一籌，但他們的堅忍和毅力，卻非老夫能比，何況，老夫旁緣雜學，星卜醫巫，無所不學，但他們卻能專心一志於武功之上……」

一陣急促的咳嗽，打斷了羅玄未完之言。

羅玄微微嘆息一聲，道：「我原想把胸中的一些隱密，伴隨著這具軀體，永埋地下，一了百了，唉！但我此刻要改變這想法了……」

他緩緩抬起頭來，目光凝注到梅絳雪的臉上，道：「孩子，妳和聶小鳳，是這一代中的兩株奇葩，妳們的才智可能在伯仲之間，不同的是妳能擇善固執……」往事似一道道烙印，深深地印在羅玄的心上。

他感慨地抬起頭來，自言自語地說道：「造成今日殺劫，那不能全怪聶小鳳，老夫也該擔負起一大部分的責任……」

一陣夜風吹來，飄飛起幾人的衣袂，羅玄似是被這一陣寒風，吹得恢復了清醒，兩道目光

凝注在方兆南的身上，說道：「你說吧！孩子，老夫這一生中，甚少聽到不敬之言，只要你說得對，老夫都將誠心接受，唉！縱然是說錯了，也不要緊，你說吧！」

方兆南萬沒想到，這位被武林中目爲一代神奇人物的羅玄，對自己竟然是這等的和藹，一時之間，反有著不便出口之感。

沉吟了一陣，方兆南道：「武林中盛傳老前輩的神奇事跡，不要說能拜在老前輩的門下了，就是能和老前輩見上一面，那也感覺道有無與倫比的榮寵，不過，晚輩卻從兩位少林高僧口中，聽說到老前輩是一位孤傲冷僻，不近人情之人……」

羅玄微微一笑，道：「他們說得不錯，我是有些冷僻的不近人情。」

方兆南輕輕咳了一聲，道：「晚輩覺得老前輩並非傳說中的那等冷傲……」

羅玄截住了方兆南的話頭道：「不知他們還說些什麼？」

方兆南道：「老前輩事事逆天而行，造成武林中的殺劫，不知是真是假？」

羅玄道：「事情雖在我預料之中，但卻並非我用心初衷。」

方兆南道：「覺非大師臨死之際，遺言晚輩，和老前輩比試一次武功，他臨死遺言相托，晚輩當時又答應了他，極不願讓他失望於九泉之下……」

梅絳雪怒聲指責道：「哼！你好大的口氣，也不怕山風閃了舌頭麼？」

方兆南側臉望了梅絳雪一眼，繼續說道：「晚輩原想先除了冥嶽嶽主之後，再設法找尋老前輩，完成覺非大師的遺志，不計勝負，和老前輩比試一陣，卻不料聶小鳳又興風作浪，和鬼仙萬天成合作，擺下鵲橋大陣，準備一網打盡天下武林高手，唉！更想不到今宵竟然能和老前輩相遇於此。」

羅玄淡然說道：「孩子，還有一件你沒料到的事，就是你遇見老夫之時，我已是奄奄將死之人，難能奉陪於你，使你無法完成那覺非大師的遺言了。」

方兆南道：「這一樁確然出了在下的意外，想不到老前輩竟然還活在世上，唉！那血池中諸多布設，又都是你弄的玄虛？」

羅玄點點頭，道：「老夫一生和天作對，想不到終是術難回天……」

方兆南奇道：「爲什麼？」

梅絳雪冷冷地接道：「那是因爲當代武林之士，無人能和師父抗衡，哼！孤陋寡聞。」

方兆南忽然縱聲大笑，其聲悲淒，直沖雲霄。

梅絳雪秀眉連揚，大聲喝道：「你笑什麼？如若你一定要完成那老和尙的遺願，和我比試一陣，也是一樣！」

方兆南停下大笑之聲，面容肅穆地指著羅玄喝道：「我明白了，我明白了……」

梅絳雪厲聲喝道：「你竟敢這等無禮，是活得不耐煩了……」

羅玄揮手阻攔住梅絳雪之言，轉對方兆南道：「你明白了什麼？」

方兆南道：「大奸巨惡，常常是不著痕跡，你明知聶小鳳天性陰毒，卻偏把她收歸門下，盡傳武功，讓她在江湖之上，掀起了一片滔天的風浪，留下『血池圖』，造成江湖上互相殺伐的禍源。

「聶小鳳追隨你的時日不短，縱是她天性惡毒，也該受到你春風化雨，但她離你之門，手段更爲毒辣，你創造五針釘魂之法，那無疑替聶小鳳指出了一條控制江湖高人的捷徑，以你羅玄的才智，豈能不知這種惡毒的武功，必將留禍後世，分明是有意縱她爲惡……」

羅玄仰臉望著天際間一顆閃亮的明星，自言自語地說道：「罵得好，果然是痛快淋漓，句句都是老夫從未聞過之言……」

他微微嘆息一聲，又道：「接著說吧！老夫一生中從未聽受過別人的教訓，臨死之前，得以嘗受，對老夫而言，該是一件值得歡樂之事。」

方兆南冷笑一聲，道：「可惜你死得太晚了，如若能早死一步，在下無緣和你相見，我心中雖然對你猜疑甚深，但終究是猜想之事，今宵一面，使在下證實了心中的猜想，哼！我方兆南如若今宵能倖脫毒手，必要把你的惡毒用心，昭告天下。」

羅玄緩緩舉起了兩隻枯瘦之手，輕輕相擊一聲，說道：「雪兒，妳過來，爲師今宵要把藏在胸中的一段隱密，告訴妳。」

梅絳雪緩緩走了過來，一雙圓又大的眼睛，充滿著憤怒的火焰，冷冷地對方兆南道：「你記著，今晚上你加諸我師父身上這些放肆惡毒之言，我必將回報給少林寺那兩個老不死的和尙。」

羅玄搖頭說道：「雪兒，不能怪他，他說得不錯，我生平做事，太過自負，處處想和人背道而馳，但我的用心，卻未像他說的這等惡毒，可是誰又能了解呢……」

這位被武林公認爲神奇的人物，此刻的聲音中，卻充滿淒涼憂傷，一副老邁悲苦之狀。

方兆南心中怦然而動，想到適才刻薄之言，緩緩地垂下頭去。

羅玄雙手招動，幽沉地說道：「你們坐下來。」

梅絳雪和方兆南，都不自禁地向前行了幾步，坐在輪車旁側。

羅玄長嘆一聲，緩緩說道：「世人多說聶小鳳艷如春花，心似蛇蠍，但這只是膚淺的認

識，她天生妖媚，一代尤物，若不是我收她爲徒，常帶身側，今日江湖，恐已非目下的局面了……」

他重重地咳嗽兩聲，接道：「紅顏禍國，古已有之，聶小鳳天生妖媚，一顰一笑間，醉人如酒，以她的姿色和聰明，決不甘雌伏一生，身爲人間田舍婦，她可以在武林中掀起滔天的風浪，禍國殃民，有何不可……」

方兆南呆了一呆，道：「這個，這個……」

羅玄黯然接道：「這是數十年前的往事了，發現聶小鳳的並非是我，而是少林寺中的高僧，覺生大師，爲此女幾乎使他們師兄弟三人反目成仇……」

方兆南呆了一呆，搖頭說道：「我不信，晚輩未見過覺生大師，但覺夢，覺非都是晚輩親目所見之人，閉關參禪，道行深遠，似那等高僧，豈會有這等不可思議的行徑，只怕是你有意地污蔑他們……」

羅玄長長嘆息一聲，道：「孩子，這是千真萬確的事，因爲此事，覺夢、覺非曾經追蹤尋我數年之久。」

方兆南暗暗忖道：「這話倒是不錯，兩位高僧也曾對我談論此事。」心中在想，口中卻仍然反唇駁道：「那是找你比試武功。」

羅玄黯然一笑，道：「他們爲什麼要找我比試武功呢？孩子，那時老夫在江湖上，只不過是一位稍有名聲之人，少林高僧找我比武，豈不要大大地抬高了我的身分？」

羅玄又輕輕嘆道：「老夫無意輕侮三位少林高僧，他們並沒有造成什麼大錯……」

方兆南似已逐漸爲羅玄言詞說服，默然不語。

羅玄憂傷地接道：「造成了今天的大錯，確是老夫，因此，老夫責無旁貸，我要在死亡之前，籌謀好對付她的策略……」

他緩緩把目光移注到方兆南的臉上，道：「孩子，這是很多年前的事了，那時，覺生大師還掌著少林的門戶，老夫對那傳誦數百年，聲威一直震盪江湖的少林寺，敬慕甚深，因此，準備去拜訪一番，想不到少林寺未能遊賞，卻發現了一件震動人心的事。」

方兆南接道：「可是遇上了覺夢大師等麼？」

羅玄道：「不錯，正是覺生、覺夢、覺非等三人，當時我感到很奇怪，不知三人何以會在這等荒涼的山下？

「當時，我即感到不解，這等少林高僧，貴為寺院中僅有的長老身分，竟在深更半夜之中，來到這荒涼山下，不知是何用心，立時隱起身子，四處張望，希望能看出一點原因來。

「卻不料這當兒，忽然響起了一個女子的哭喊之聲，不過，那哭聲一嚎即住，生似已被人掌握在手中，不是早被點了穴道，就是現下被製了穴道……」

方兆南接道：「你在什麼地方遇上了他們？」

梅絳雪冷冷說道：「對我師父說話，最好是規矩一點……」

羅玄淡然一笑，道：「雪兒，不用管他，我這一生中，受盡了無數人的頌讚、崇拜，如令就要死了，讓人大聲厲呼地叱罵幾句，倒也是一大樂事。」

梅絳雪幽幽嘆息一聲，道：「師父，為什麼你竟對他這等容忍？」

羅玄道：「孩子，我終身未娶，一死百了，聶小鳳雖受我培育之恩，但她卻叛我而去，繼承我衣缽，傳我道統，只妳一人，他既是妳的丈夫，為師的在言語上，讓他幾句，有何不可目光一轉，投注到方兆南的臉上，接道：「在嵩山少室峰下一處幽谷之內。」

方兆南一抱拳，道：「老前輩說下去吧！」

羅玄接道：「我當時心中甚感奇怪，因爲少林一門，門規素極深嚴，何況覺生大師又是當代少林掌門之人，決然不會有什麼傷天害理之事，但那女子呼叫之聲，猶在耳際，清晰異常，更是不會聽錯，心中疑竇叢生，決心要查看一個水落石出，當時隱身在一株松樹之後，暗中察看個究竟……

「我藏好身不久，覺夢和覺生大師，開始了一陣激烈的爭執，以覺生之意，似是要廢去一個人兩條主脈，要她一生一世，難學武功，但覺夢、覺非卻以爲不可，三人爭辯甚久，仍是難以得到結論，這當兒，卻從那幽谷暗影之中，爬出來一個中年婦人……」

方兆南訝然接道：「那婦人又是誰呢？」

羅玄道：「聶小鳳的母親，她似是已受了很重的傷，無法單憑雙足行動，用雙手輔助雙足，在那纍纍的山石中，爬行到覺生大師身前……

「在那中年婦人身後，緊隨著一個七、八歲的女童，那女童年紀雖然幼小，但性格卻十分堅毅，在那等險惡的環境之中，竟然毫無畏懼之心，昂頭挺胸而行……

「那中年婦人爬近了覺生大師身側，苦求覺生大師，要他放了自己的骨肉……」

方兆南吃了一驚，道：「什麼，那聶小鳳的生父，竟然是覺生大師？」

梅絳雪似是也被這驚人之言震住，忍不住插口問她師父道：「那老和尚可承認聶小鳳是他的女兒麼？」

……」

羅玄搖頭說道：「如若覺生大師承認了這件事，所有的苦難，也許都已在上一代中做了了斷，老夫也不致落得今日這等淒慘的下場，鬼仙萬天成，更無所施展他那挑撥的奸計了。」

方兆南黯然一嘆，說道：「原來這裡面，還牽扯著這樣一段因果關係，老前輩就請說下去吧！」

羅玄道：「覺生大師當時被那中年婦人苦求之言，鬧得呆在當地，覺夢、覺非卻突然負氣而走，他們師兄弟，似已對掌門師兄，生出了極大的誤會……

「覺生大師似也是甚為激動，很想叫回來兩位師弟，但他身為掌門之尊，很難啓齒，望著兩人背影消失不見，才長長嘆一口氣，問那中年婦人，此舉是何用心……」

方兆南道：「這麼看來，那婦人是信口開河，倒是不值得相信了，唉！如非老前輩隱身在暗中偷窺，只怕覺生大師，身受之污，永遠難以洗刷清白了。」

羅玄道：「年輕人，不要太過武斷，我知道你心中對幾位少林高僧極為崇敬仰慕，但人生數十年的歲月，誰也無法一直保持著永恆的清醒……

「孩子，就日月運行流轉而論，數十年的時光，可以彈指即過，但就一個人生而論，在數十年的歲月中，可能會造成無能抗拒的錯誤……」

方兆南道：「可是覺生大師承認了麼？」

羅玄道：「覺生大師執掌少林門戶，乃武林中泰山北斗，以他的身分、武功而言，如若承認了其事，自是不會逃避……」

方兆南道：「如若覺生大師堅不承認，自然是那婦人含血噴人了……」

梅絳雪接道：「哼！你怎麼知道？」

方兆南呆了一呆，默然不言。

只聽羅玄接口說道：「覺生大師雖然堅不承認，但那中年婦人卻一口咬定，指那女童確是覺生大師的骨肉，而且背誦她的生辰年月，只是，那婦人雖然背誦了那女童的生辰年月，覺生大師仍是不肯相認，事情就是這般地僵了下去……

「那婦人眼看苦求無用，怒聲對覺生說道：『不論你信了不信，這孩子確然是你的骨肉，你俗家姓聶，因此我替她取名聶小鳳，用你之姓，沿我之名……』」

梅絳雪接道：「如此一來，那老和尚，總該信了吧！」

羅玄搖搖頭說道：「覺生大師堅不相認，但卻答應把聶小鳳函介一位友人處，要他代為養育。」

梅絳雪道：「這麼說來，他是心中有愧，不得不默予承認了。」

羅玄道：「若是這麼的簡單，我也不會出面多管閒事了。」

方兆南道：「怎麼？事情還有變化麼？」

羅玄道：「那中年婦人一見覺生答應收養女兒，又把問題扯到本身之上，質問覺生，要如何待她？」

方兆南接道：「我早就想到，那中年婦人的用心，不過是想托身在少林威名的翼護之下罷了。」

羅玄輕輕咳了兩聲，接道：「覺生大師一聽那婦人扯到自己身上，突然冷笑一聲，說道：『我早就知道妳的用心了，果不出我所料』，轉身拂袖而去……

「那中年婦人目睹覺生回頭而去，心中大為焦急，突然飛躍而起，猛向覺生大師撞去，覺

生倒未出手還擊，橫向旁側一閃，避開了那中年婦人飛躍一撞之勢，但那婦人在重傷之後，這飛身一躍，已然用盡她全身餘力，覺生一閃避開，她卻收勢不住，一頭撞在崖壁上，登時腦漿迸流，碎首而亡……」

方兆南接道：「事出無心，那也不能怪覺生大師。」

羅玄淡然一笑，道：「那中年婦人死後，覺生卻大爲感傷，望著那具屍體，黯然嘆息一聲，動手把屍體掩埋了起來。」

梅絳雪插口問道：「那聶小鳳瞪著眼看到母親慘死，就沒有哭一聲麼？」

羅玄道：「沒有，她一直眼看著這一幕慘劇，但卻一語未發，直待覺生大師掩埋那具屍體，她才望著覺生大師問道：『你當真不是我的生父麼？』……

「她小小年紀，突然提出了這樣一個重大問題，別說當事人的覺生大師爲之一呆，就是我這隱身在暗中偷窺的旁觀者，也聽得心頭一震，深覺她心機深沉，大大地超越了她的年齡。」

梅絳雪道：「那中年婦人既已死去，這覺生大師也該承認了吧！」

羅玄道：「沒有，覺生大師雙目凝注在那女童身上，看了良久，突然仰天說道：『又是一代尤物，如留妳長大，爲禍之烈，決非妳母親能及，我佛慈悲，請恕老衲之罪。』突然一把抓了那女童……」

方兆南聽得一驚，說道：「怎麼？難道覺生大師竟然會對一個不解人世的女童下手殺害麼？」

羅玄道：「如若他當真下了毒手，這數十年江湖中，也不致掀起這一股殺劫風浪了，當他抓起那女童之後，卻突然嘆息一聲，又緩緩放了下去……

「就這一陣耽誤、猶豫，那含怒而去的覺夢和夢非大師，卻又轉了回來，目睹場中情景，突然齊齊怒吼，揮掌攻向覺生大師……

「覺生大師雖然連連喝請他們住手，但兩人哪裡肯聽，拳掌齊施，竟然都是足以致命的招術，初動手時，覺生大師還可閃避，但兩人攻了幾招之後，覺生被迫得險象叢生，只得出手招架了。」

方兆南輕輕嘆息一聲，欲言又止。

羅玄緩緩移動一下靠在輪背上的身體，接道：「那女童看三人打得猛惡，卻悄然放步溜走，像她那點年紀，遇上了此等慘變，不但一聲未哭，而且居然知道逃命，當時老夫實在暗中佩服她的膽識，但此刻想來，卻別有一番感慨了。」

梅絳雪道：「可是她司空見慣，早已有了逃命的經驗。」

羅玄點頭說道：「不錯，她年紀雖然幼小，但卻常見這等殘忍的屠殺，是以臨陣不亂，她逃的方向偏偏又正是我隱身之處，當時爲一股憐憫之情所動，伸手救了她，乘覺生大師等搏鬥正烈，未及注意之時，我帶她悄然而行……」

羅玄突然挺身坐起，接道：「這人就是聶小鳳了，我帶她一口氣奔出了數十里，天才大亮，停在道旁大樹下面休息……

「因我心中一直記著覺生大師之言，就不自禁地打量了她一陣，那時她還不過是個女童，但眉宇之間，已隱隱含蘊妖媚之氣，才知覺生之言不虛，此女如留在世上，大可禍國殃民，敗亂朝綱，小則招蜂引蝶，禍害一家，可惜我當時竟然狠不起心腸，一掌把她擊斃……」

他長長嘆息一聲，接道：「也是我天性好強，想了一陣，覺著水可覆舟，亦可載舟，只要

我能盡力培養於她，未始不可化她的妖媚，想不到因此一念，鑄下大錯……」

他突然住口不言，緩緩閉上了雙目，兩行老淚，順腮而下。

沉默足足延續了一盞熱茶工夫之久，羅玄才又黯然一嘆接道：「就這樣她在我翼護、教養之下長大，她的容色，也隨著增長的年齡，日漸嬌艷……

「我因爲對她心有成見，管教一直甚嚴，經常把她帶在身側，爲了使她變化先天的妖媚氣質，我拒絕了江湖，布置了一個人間仙境，和她避世而居，那裡有我辛苦移植而來的奇花異草，翠羽珍禽，鶴鹿成群，遊戲其間，希望能藉山川的靈秀之氣，使她脫胎換骨……

「唉！如今想來，才知當時這些布置心血，都完全出於一種自私的心理，原來，老夫竟然不知不覺間已爲她的美色所惑，只是當時我並未查覺而已。」

方兆南、梅絳雪兩人同時聽得心中一動，相互望了一眼，但覺心弦震盪，卻無法說出是何感受。

羅玄緩緩躺下身子，接道：「終於在一個風雨之夜，我鑄下終生大錯，事後清醒，當真是痛不欲生，但我又想到如若自絕一死，對自己的懲罰未免太輕了，決心活下去承受折磨……

「但我因懺悔恨事，對她態度大變，冷淡漠然，視她有如蛇蠍，也許她無法再在那地方長住下去，難以忍受我的漠視，動了逃走之心，就暗中勾通了我手下游魂，鬼仙萬天成，暗用劇毒害我……

「當下我雖然知道，但卻又想到，我玷污了她的清白，由她親手殺死我，那也是天理報應，因此故作不知，任她擺布。

「待我中毒之後，將要死去之時，又突然想到我還不能死，如若就此一死，世上再無制她

之人，她如掀起風波，豈不是我的罪孽，因此，我又做安排，暗運內功，把劇毒迫入雙腿，拚落個終身癱瘓，留下性命，裝作毒發身死，放任她逃離門下，如若她能夠潔身自愛，我就放任毒發而死……

「卻不料她甫離師門，就在江湖上，鬧出了幾件驚天動地的血案，以『七巧梭』傷害開始，唉！當時我雙腿癱瘓，不良於行，雖有除她之心，但卻力有未逮……

「當時我在慌不擇路，饑不擇食，一時心急之下，我又收了一個弟子，那人入我門下，已然在武林中享譽盛名，我費了三年苦心，傳他武功，準備要他代我清理門戶，追殺聶小鳳……

「唉！當差遣他下山之際，忽然又想到萬一此人再背叛了我，豈不錯上加錯，臨時又讓他多留三個月。在這三個月內，我繪製了一幅『血池圖』，因爲我已發覺迫入雙腿之毒，已逐漸地反向上體攻來，恐難久於人世，想得活命，必要隱入火山源下，借地下火源熱力，再運本身內功，或可阻止劇毒上行……」

方兆南突然插口說道：「老前輩最後收歸門下的一個弟子，可是姓陳麼？」

羅玄愕然說道：「不錯，他叫陳天相。」

方兆南喃喃自語道：「那定然是他，陳師妹的爺爺……」

梅絳雪冷冷接道：「你最好不要接口。」

方兆南吃她一喝，果然住口不言。

只聽羅玄接道：「我繪製好『血池圖』，給了他三個錦囊，要他按時拆閱，遵照行事，第一個錦囊，要他假冒我之名，到處在江湖上現身，果然引得很多武林高手注意並暗地追蹤。

「第二個錦囊中，我要他把『血池圖』宣揚於世，並要以本來面目，裝做得圖之人，但如

有人能和他動手過五十招不敗，就要他僞做失手，棄圖而去。

「這兩件事情辦完，就可以掀開第三個錦囊，在那個錦囊之中，我要他代我清理門戶，追殺聶小鳳，完成此三樁心願，就算報了我授藝之恩，我這般做法，是怕他難拒聶小鳳的美色誘惑，爲聶小鳳收用，或者殺死……」

方兆道：「未出老前輩的預料……」

羅玄接道：「我已經判定，遣他下山之後，他的智謀不是聶小鳳的敵手，我必得留下有用的性命，想出克制聶小鳳的方法，離開親手經營的世外山莊，潛伏於血池之中，只待有一個天生奇才，能夠解開我在『血池圖』上留下的先天神數，深入血池，見我之面，或是得我遺物，出面制服聶小鳳……

「想不到，我一等數十年時光，爲防止劇毒侵入內腑，自行用地源之火燒焦雙腿，可是仍然無人能進入那血池之中，這說明了『血池圖』輾轉數十年，竟然未遇到一個能解我留下的先天神數之人……

「我生平嗜愛山水，尋幽探奇，未收聶小鳳前，已深入那血池一次，暗把進入的計算方法，混入先天神數之中，只要能夠解得，進入血池輕而易舉……」

他長長嘆息一聲，緩緩地把目光投注在梅絳雪的臉上，接道：「卻不料她被聶小鳳迫入絕路，誤打誤撞地進入了血池之中，我雖將一身武功傳授於她，但她功力不足，還難以和聶小鳳抗拒，至少得苦練三年，始可和聶小鳳硬行一拚。」

一陣急勁的山風過後，突然響起一陣嗡嗡之聲。

羅玄嘆息一聲，道：「這是什麼聲音？」

方兆南道：「可能是晚輩帶的一籠巨蜂。」

羅玄道：「怎麼？你能役使巨蜂？」

方兆南道：「這是蜂王楊孤的遺物，要晚輩替他保管。」

羅玄道：「唉！老夫曾聽人說過他役蜂之術，並世無雙，你既承繼了他的衣缽，不可私心自珍，免使此術絕傳於世。」

方兆南道：「晚輩受命！」

羅玄接道：「孩子，你去把那木籠提過來給我瞧瞧。」

片刻之後，方兆南提著木籠回來了。

這籠巨蜂，費盡了蜂王楊孤的苦心，不但大過常蜂甚多，而且團居木籠，從不散飛，釀蜜自食，似有靈性。

羅玄望了那巨蜂一眼，面上忽露喜色，道：「孩子，如若你肯把巨蜂釀成之蜜，賜給老夫一些，或可使我支撐幾天。」

方兆南道：「只要能療得老前輩傷病，食用籠中之蜜，有何不可？」探手入籠，取出一大塊生蜜。

羅玄仰臉長長嘆息一聲，接道：「我已是油盡燈枯之人，縱有回生靈藥，起死仙丹，也難以使我得慶重生，這一塊毒蜂之蜜，只不過能助我多延續三、五日性命而已，但這已經很夠了……」

他突然一整臉色，肅然對方兆南道：「老夫雖已是垂死之人，但在武林中留下的聲譽，或許尚未完全幻滅……」

他掙扎而起，回顧梅絳雪道：「妳把我座椅之下一個折扇取出來。」

梅絳雪輕伸皓腕，取出折扇，擺好輪椅，扶羅玄坐了下去。

羅玄經過這一陣掙動之後，似是大爲疲累，喘息了一陣，對方兆南道：「孩子，你拿著這柄摺扇，去見各大門派的掌門之人，要他們三日後正午時分，趕往聶小鳳排的鵲橋陣中，合幾大門派的實力，當可支持到午夜光景……」

方兆南道：「晚輩籍籍無名，如何能使各派掌門，聽我之命？」

羅玄道：「你打開那摺扇瞧瞧吧！」

方兆南緩緩從梅絳雪手中接過摺扇打開，只見上面龍飛鳳舞，紅黑雜陳，在扇面上寫滿字跡，有用硃砂，有用墨筆，覺生大師的名字，赫然也在其中。

羅玄輕輕咳嗽兩聲，接道：「那扇面之上簽具的人名，都是當年武林中盛名卓著的高人，當時九大門派中掌門之人，無一不在其中，但這些人恐大都凋謝，但承繼他們衣缽之人，當知此中之密，只要你出示摺扇，讓他們辨識一下先師的筆跡，那就如老夫親身拜會他們了。」

方兆南若有所悟地嗯了一聲，道：「這些人都和老前輩見過面了？」

羅玄輕輕嘆息一聲，道：「往事已成了過眼雲煙，老夫也不願多提昔年豪勇，孩子，我逃避覺夢、覺非苦苦追尋，並非出自本心，實乃是覺生大師授意於我，覺生天縱奇才，不但武功高出兩位師弟甚多，就當時武林中高人而論，無一能夠是他敵手。」

梅絳雪接道：「但他卻敗在師父的手下。」

羅玄道：「他和我力戰五百回合，才中我一指，唉！算了吧！昔年雄風今安在，數十年人生歲月，只不過曇花一現……」

五八　鵲橋大劫

方兆南聰慧過人，舉一反三，已經知道凡是在摺扇上寫下姓名之人，都曾經是羅玄的手下敗將。

這是一件震駭武林的大事，但江湖上卻從未聽過傳聞，羅玄不願揭開這段隱秘，用心極是忠厚。

只聽羅玄輕輕嘆息一聲，道：「孩子，你可告訴各大門派的掌門人，當他們進入鵲橋大陣之時，你就把這摺扇當眾焚去。」

方兆南又從木籠中取出了一大塊生蜜，放在輪椅旁側，道：「晚輩立時就去，但願不辱老前輩遺派之命。」

說著抱拳一禮，欲轉身而去。

忽聽羅玄的聲音，道：「不要慌，我還有話沒有說完。」

方兆南回首說道：「老前輩，還有什麼吩咐？」

羅玄緩緩從懷中摸出了一個小巧的玉瓶，道：「帶著這個，聶小鳳排成的『鵲橋大陣』之中，暗藏有一種無色無味的迷神藥粉，只不知她會在何時何地，運用什麼方式，把藥粉噴射出來，使入陣之人，不知不覺的中毒。」

方兆南駭然問道：「那要如何預防？」

羅玄道：「那藥粉雖然無色無味，但中毒之人，卻有一種特別的感受，一有警覺，立時閉住呼吸，然後打開瓶塞，倒出瓶中的儲存之物，用火燃起，即可散發出一股清香之氣，但這香氣甚難及遠，入陣之人都必須集中在三丈方圓之內，劇毒即難侵害，縱是已然中毒之人，只要未侵內腑，亦保無恙……

「還有一件重要之事，你必得牢牢記下，那陣中幾種最利害的埋伏，都在那鵲橋之後，你們攻入陣中之後，切勿輕過鵲橋，老夫和雪兒大約在午夜時分，可以趕到，屆時老夫當命雪兒相召諸位。」

方兆南道：「晚輩記下了。」

說完提起木籠，轉身大步而去，眨眼之間，消失在黑夜之中。

梅絳雪睜著一雙又大又圓的眼睛，望著方兆南消逝的背影，不自禁地發出一聲黯然的嘆息。

羅玄伸出枯瘦的手指一招，兩個長毛的猩猿，奔了過來，把輪車推入轎中，放下垂簾，抬起轎槓。

只聽一聲長長的嘆息，由轎中傳了出來，道：「雪兒，上轎來吧！為師的要用這三日時間，把胸中幾件壓箱底的絕學，傳授於妳。」

梅絳雪如夢初醒，啊了一聲，緩步走到轎前。

只聽羅玄輕輕嘆息一聲，道：「我雖然傳授了兩個弟子，聶小鳳和陳天相，但他們學到我

的武功，也不過十之五、六而已，不過，聶小鳳除學得我的武功之外，又學去了我調毒、用毒之法，因此她能在武林之中，造成了這樣一場驚天動地的浩劫。」

梅絳雪道：「師父可是要傳我用毒、解毒之法麼？」

軟轎垂簾中，重又飄傳出來羅玄的聲音，道：「我要把胸中所知幾種絕學，一併地傳授給妳……唉！爲師的武功已經完全的失去，現在只能用口述之法，指導於妳，我傾盡所有，決不藏私……」

說完，輕輕一擊軟轎，兩隻巨大的長毛猩猿，抬起軟轎，急急奔去。

梅絳雪放腿急追，緊隨在軟轎之後。

三天的時光，匆匆而過。

第四天艷陽當空，風和日麗，由兗州東門中，魚貫走出了甚多奇裝異服的人物。

這些人，有僧人、道人，也有長衫白髯的老者，有勁裝疾服、佩帶兵刃的大漢，和風華絕代，衣袂飄飄的年輕少女，以及那衣著破爛，蓬首垢面的風塵怪客，形形色色，無所不具。

這一群衣著形色，複雜異常的人物，卻有著一個共同的特徵，那就是每人的臉色，肅穆莊嚴，不見一點笑容。

他們奔行同一個方向，肅然而行，也似有著一般沉重的心情。

郊外山風，逐漸強大，吹得落葉紛飛，衣袂閃動。

大約有十幾里路，到了山峰的邊緣，抬頭看峰嶺連綿，重重疊聳，越向前去，越見高聳。

在那突起的山嶺前，有一座廣大的墓地，青塚纍起，古柏環繞，看上去十分陰沉恐怖。

那廣大墓地的一側，和一道山谷接連在一起。

這些僧俗混雜、男女兼有之人，到達那古柏環繞的墓地前面，一齊停了下來。

一位身著月白袈裟的老僧，越眾而出，合掌當胸，高喧了一聲佛號，接道：「諸位道兄、檀越，由這古柏環繞的墓地開始，就要進入了鵲橋大陣，這一戰，不但決定了眼下所有人的生死，而且關係著今後武林中正邪消長的命運……」

他頓了一頓，繼道：「昔年冥嶽嶽主，以七巧梭代柬相邀，召請武林高人和各大門派掌門人，同赴招魂之宴，適逢老衲坐關之期，未克趕往參加，赴那招魂之宴，由少林派掌門人大方禪師，主持舉行一次泰山大會，與會之人，包羅極廣，大江南北，各地高手，雲集泰山絕頂，集武林一時俊彥，老衲未能親身恭逢其盛，想來仍有遺憾……」

全場中鴉雀無聲，都似在極仔細地聽這老僧的高論。

只聽他長長嘆息一聲，接道：「但那一戰的勝負，卻是大大地出了老衲的意料之外，不但折損了甚多少林高僧，而且大挫武林元氣，當時，除了極少幾個人得以逃出之外，所有與會精英，大半死亡，即或未死，也被那冥嶽嶽主收用奴役，傷亡之重，結局之慘，開武林未有之先例……

「那一戰，當今九大門派中，大都有人參與，想來早已耳熟能詳，用不到老衲再多饒舌了，為了維護武林中公理正義，前人雖仆，咱們未死之人，卻得繼起遺志……」

只聽一個聲如洪鐘的聲音接道：「大師說得不錯，今日之戰，事關武林劫運，有道是蛇無頭不行，鳥無翅不飛，眼下之人，皆是各大門派高手，非德高望重之人，不足以服眾，本座推舉大師，領袖群倫，各大門派中人，一律聽命行事。」

那老僧合掌說道：「這個貧僧如何敢當？」

群豪轉頭望去，只見那說話之人，身軀高大，正是華山派中掌門人開山一劍洪方。此人天生異秉，臂力過人，特製了一柄三十六斤重的金劍，勇武過人，為華山一派中百年來難得的人才。

只聽一個清亮的口音接道：「貧道贊成洪掌門提議，我們崆峒派自貧道起，一律聽命於大師。」

一聲沉重的佛號，起自人群之中，接道：「大師不用推辭，我們少林一門，幾乎全毀在冥嶽那妖婦手中，大方掌門師兄，中毒未癒，和師兄弟視若陌路人……

「自從大愚師兄接替掌門之後，追敵失蹤，迄今下落不明，大悲、大正等諸位師兄，為了維護少林一門的聲譽，戰死少林本院，唉！少林一門中，大部精英高手，幾乎殞傷殆盡……

「武當派神鐘道長，戰死冥嶽，青城派青雲道兄和崑崙派的天星道兄，以及點蒼掌門曹燕飛，雪山、崆峒二位前輩耿震和石三公，和貧僧師兄大愚一起走失，至今仍然行方不明……

「敝寺中雖然損傷慘重，但仍派由貧僧帶了八位門下，趕來應命，大師掌峨嵋門戶，垂四十年，德望俱重一時，望勿再行推辭。」

群豪轉頭望去，只見那人身穿鵝黃袈裟，正是少林寺的大道禪師。

那身著月白袈裟的老僧還待推辭，群豪已齊齊呼喝，道：「目下之人，以你伽因大師年望最高，你如再推辭，未免有負眾望了。」

伽因輕輕嘆息一聲，道：「大方禪師、神鐘道長，是何等才略的人物，老衲望不及大方，武也不勝神鐘，只怕難以帶諸位度過這鵲橋大劫。」

大道禪師道：「此次浩難劫運，開武林千百年所未有，天數早定，大師不用爲憂，我等死而無怨。」

伽因大師道：「既然如此，老衲恭敬不如從命了。」

一語甫落，遙聞長笑之聲傳來，聲作龍吟，笑騰長空。

群豪轉臉望去，只見三條人影，疾如奔馬般飛馳而來，眨眼之間，已到了群豪身前。

正中一人，身著黑色勁服，面如冠玉，劍眉星目，英俊瀟灑，背插長劍，手中卻提了一個黑布垂遮的木籠。

左右兩側，緊隨著兩個長髮披垂，白髯及腹的老人。

群豪之中，雖然大都未見過那兩個老人，但大都聽說過南、北二怪兩人生相的怪異，一望之下，立時認出是南、北二怪。

但對那英俊少年卻都有些茫然陌生，以他那小小年紀，何以能和盛名蓋代的南北二怪混在一起。

只有各大門派的帶隊掌門人，對他卻十分恭敬，微微頷首。

大道禪師當先合掌一禮，欠身說道：「方施主……」

目光一掃群豪，接著說道：「貧僧替諸位引見這位少年英雄方施主，就是單劍援救少林，獨敗冥嶽高手的方兆南方大俠，敝寺如非方施主先行通報馳援，傷損的慘重，恐又非今日形勢了。」

方兆南放下木籠，抱拳說道：「大師過奬了，晚輩如何敢當。」緩緩從懷中摸出一柄摺扇，晃燃千里火筒，當眾焚去。

群豪雖然不知這焚扇之意何在，但各大門派中的領隊掌門人，卻心中明白，那摺扇乃上代掌門人，留下的恥辱標誌，目睹方兆南舉火焚去，個個對他心中感激莫名。

伽因大師合掌一禮，說道：「方施主……」

方兆南急急抱拳作禮，道：「大師有何見教？」

伽因大師道：「老衲濫竽充數，被推做主持全局之人……」

方兆南不容他把話說完，急急接道：「在下和兩位義兄，一併聽受大師之命。」

伽因大師急急說道：「這個老衲如何敢當……」

南怪辛奇冷冷地接道：「老和尚不用推辭了。」

北怪黃煉仰臉望著無際的藍天，說道：「老夫最是看不慣那種俗凡的客套。」

伽因大師只覺臉上一熱，自解自嘲地說道：「如此說來，老衲恭敬不如從命了。」

回手一招，登時有兩個中年僧人應手走來，肅立待命。

伽因大師一揮手，道：「你們前面開路，遇警止步。」

說完，轉身合掌，低聲對方兆南說道：「方大俠請。」

方兆南微微一笑，道：「老前輩如有遺派，儘管吩咐。」

方兆南點頭說道：「晚輩領命。」

伽因大師回顧了開山一劍洪方一眼，道：「洪兄請就華山門下高手，挑選四人，居左入墓，遇上警訊，不可輕敵深入，先與老衲聯絡。」

伽因大師又轉身目注大道禪師道：「有勞禪師就少林門下選挑四個高手，繞右側十丈進入古墓。」

伽因派遣兩翼護圍之後，目光緩緩從群豪臉上掃過，道：「諸位道兄、施主，此行一戰，勝敗難卜，老衲之意，大可不必完全進入古柏林中，各門各派，不妨就所屬之中，選幾位武功較高，閱歷豐富之人，進入古柏林中，餘下之人，盡可留在林外或是退回故居，萬一此戰不幸落敗，也好替武林之中，留下一點元氣。」

各大門派的掌門領隊，似是都對此戰存下了不幸預感，一個個臉色肅穆，不發一言，遵照伽因大師所囑，就門下弟子中，選出數人，留在古柏林外，並暗自囑咐他們，林中如有什麼驚變，立時返回山去，不可多在此地留戀。

誰也不願問入選之人，是否是門下武功高強之人，也許留下的人手中，才真是晚一代的精英人物。

在這門戶存亡的決戰中，任何人都不免存下一點私心，希望能為本門中，保留一脈，不使絕技失傳武林。

不過，老一輩的人物，卻是盡皆奉選入林，參與了這場決戰。

方兆南目睹各大門派調動人手的情形，暗暗傷懷，忖道：「九大門派，在江湖之上數百年來，一直屹立不搖，向為江湖人物目為武林正宗，不料竟然被聶小鳳興風作浪地一攪，短短不足一年的時光，鬧得局殘人非，岌岌可危。」

南北二怪卻是滿臉冷漠之色，生似未看到眼下的豪壯、淒涼之情。

伽因大師眼看各派人手，都已調派完成，才合掌當胸，肅然說道：「老衲承各位抬舉，統領全局，既蒙厚愛，還望配合，進退攻守，均不得擅自行動。」

群豪齊聲說道：「我等願遵大師之命。」

伽因頷首說道：「咱們入陣去吧！」說著當先向林中走去。

方兆南搶前一步，走在伽因身側，低聲說道：「老禪師請傳令所屬，不可輕敵躁進，以免受人暗算。」

方兆南又輕輕嘆息一聲，道：「鵲橋大陣，費盡了羅玄的心血，陣中變化詭奇，莫可預測，老前輩入林之後，最好能召來兩翼高手，實力集中，免招無謂的傷亡。」

說話之間，突聞長嘯傳來。

伽因大師一皺眉，道：「兩翼傳警，想是已和強敵動上了手。」

方兆南道：「大師最好傳諭且莫深入，晚輩先去瞧瞧。」

說完縱身躍起，直向右側奔去。

南北二怪齊振衣袂，緊隨在方兆南的身後。

方兆南一面奔行，一面留神四周的景物，但見古柏蒼蒽，林中一片沉寂。傳來的長嘯聲，倏然中斷，生似強敵一現即隱。

方兆南深知那冥嶽嶽主之能，愈是這等沉寂平靜，愈覺得事非小可。

穿過一片古柏林，瞥見了大道禪師率領四個少林高手，布成了一個四方陣形，小心翼翼地向前緩進。

方兆南一揮手，高聲說道：「大師止步！」

縱身幾個飛躍，方兆南已到大道禪師的身側。

這位少林高僧，一聽方兆南召喚之聲，立時停下了腳步。

方兆南低聲問道：「大師可遇上什麼警兆麼？」

大道禪師道：「似見人影一閃，但一瞥間立即隱去。」

方兆南輕輕嘆息一聲，道：「據晚輩所知，冥嶽嶽主擺下這一座鵲橋大陣，不但暗蘊玄機變化，且可借用鳥獸傳送劇毒，晚輩已請伽因大師，要他召回兩面側翼，既可集中實力，亦可避免顧此失彼。」

突聽南怪辛奇冷哼一聲，道：「什麼人？」

一陣清脆的笑聲，傳了過來。

五九　驚現羅玄

只見三丈外一株古柏後，緩步走出來一群身披輕紗的少女，赤手空拳，漫步含笑而來，輕紗薄如蟬翼，舉步行走之間，飄飄欲飛。

方兆南點數來人，前三後五，總計八人，個個玉容如花，嬌艷欲滴，直行而來，毫無畏懼之色。

南怪辛奇怒聲喝道：「牛鼻子老道士，就會故弄玄虛。」呼的一掌，劈了過去。

一股強猛的掌風，應手而出，擊向前排正中一人，只見那少女尖叫一聲，整個嬌軀飛了起來，摔出去七、八尺遠，口噴鮮血，氣絕而死。

餘下的七個少女，眼看同伴傷亡掌下，似是毫無所覺，仍然滿臉笑容地緩步行來。

方兆南早得羅玄暗示玄機，仔細查看那行來的少女，雖然面帶笑容，但形態癡呆，分明受了禁制。

心中一動，急急說道：「這幾位姑娘分明不會武功，咱們既不能屠殺毫無抗拒之力的婦女，但也不能讓她們逼近身來，咱們得快些退走。」

群僧眼看南怪辛奇掌斃那少女的慘狀，哪裡還忍心下手，齊齊向後退去。

伽因大師自聽方兆南建議之後，亦覺得此陣中凶危極多，不能以常情行略用謀，與其分散實力，不如走在一起得好，立時長嘯三聲，相召兩翼歸隊。

突然間，響起一陣尖厲的哨聲，七個輕紗少女突然停下了腳步，緩緩回身而去。

方兆南望著七個少女的背影，凝目沉思片刻，若有所悟地自言自語說道：「原來如此。」

北怪黃煉一皺眉頭，問道：「兄弟，這是怎麼回事？」

方兆南道：「那冥嶽嶽主，心知各大門派中人，大都不願屠殺無辜，所以故意利用這些年輕貌美的少女，來接近咱們。

「假如我判斷不錯的話，這些女娃兒們，不是暗藏著極其微小的絕毒暗器，定是攜有毒粉之類的藥物，她們看來個個都如花似玉，其實早已無法控制自己的神智，剛才那尖厲的哨聲，就是隱在暗處，操縱她們的人。」

說話之間，已和中路會合。

伽因大師迎了上來，問道：「大道師兄，可曾遇上了敵人麼？」

大道禪師合掌喧了一聲佛號，詳細地說明了經過。

伽因大師聽得不住搖頭，道：「劫數，劫數！」

這時開山一劍洪方，也帶著華山高手，趕回本隊。

方兆南一抱拳道：「老前輩可曾遇上什麼怪異之事？」

洪方道：「本座深入十餘丈，未見任何敵蹤，卻看到了一座高大的木籠，籠中關了一群雀鳥……」

方兆南吃了一驚，道：「老前輩可曾動那木籠麼？」

洪方道：「本座心中雖覺奇怪，知是敵人布下的陷阱，但想那一群雀鳥，難道還真能傷人

不成，正想去劈那木籠，忽聽到了伽因大師召喚，立時趕了回來。」

方兆南長長吁一口氣，道：「幸好你沒有劈那木籠，如若放出那一群雀鳥，只怕諸位此刻，都已身中劇毒……」

他微微一頓，提高了聲音，接道：「在下並非危言聳聽，羅玄的才智，諸位想都早已聽過，那冥嶽嶽主，出自羅玄門下，不但武功奇高，而且學會了羅玄的用毒之術。

「目下這古柏林中，所有之物，恐都已被她暗藏劇毒，一不小心，勢必將死個糊糊塗塗，實不可絲毫大意。」

伽因大師道：「方施主早得高人指點，已深諳陣中變化的詭奇、凶辣，請代老衲統率全局如何？」

方兆南急急說道：「晚輩年幼無知，豈敢擔此重大責任，承蒙老禪師垂青下顧，應竭我之能，從旁贊助。」

伽因大師知他所言非虛，以他的年紀聲望，恐難使群豪心服，當下說道：「方施主這等謙辭，老衲也不便勉強了……」

說此微微一頓，接著又道：「下一步該當如何？」

方兆南道：「晚輩之意，先選派幾個武功高強之人，長驅直入，誘敵發動埋伏。」

伽因大師道：「借重大才，老衲帶峨嵋門下弟子，當先開路。」

開山一劍洪方道：「大師統主大局，豈可輕身涉險，在下願帶華山門下一行。」

方兆南道：「洪掌門願去最好，卻不能多帶人手，在下和兩位義兄，加上洪掌門再帶一位華山高手，五個人已經夠了。」

洪方道：「就依方兄之意。」就門下選一個武功最高強的弟子，連同南北二怪五人聯袂而入。

方兆南回頭對伽因大師道：「聽得晚輩招呼，老前輩就率人疾進。」放步向前行去。

他一面勘查形勢，一面緩行深入，走了四、五丈遠，仍是不見動靜。

南怪辛奇似已感不耐，冷冷說道：「兄弟，咱們放一把火，燒了這臭樹算啦！不用這等小心翼翼，有如捉迷藏般，叫人難過。」

方兆南笑道：「如是一把火可以解決武林中的紛爭的話，那咱們也不用參與這場險惡之戰了。」

說話之間，瞥見一株高大的古柏之下，壘起的青塚之上，盤坐著一個全身黑衣之人。

那人閉目而坐，狀似老僧入定，對幾人行近身側，渾似不覺。

開山一劍洪方一皺眉頭，喝道：「什麼人？」

那人仍然端坐不動，連頭也未抬過一下。

洪方回首望身後的弟子一眼，道：「馬傑，你過去瞧瞧看，那是個死人還是個活人？」

馬傑應了一聲，雙肩一晃，直搶而出，猛向那黑衣人飛躍過去。

方兆南欲待喝止，已然來不及了。

馬傑一掌，拍在那黑衣人的身上。

只聽砰然一聲輕響，那黑衣人應聲向後倒去。

馬傑乃華山第二代弟子中武功最強之人，一掌擊實，已然覺得不對，那盤坐在青塚上的黑衣人，竟然非人，立時仰身一躍，向後疾退而出。

但已然來不及了，一片細如髮絲的白芒，分向馬傑停身之處的四面八方射去。

馬傑武功雖然高強，但這等形勢之下，實有無法閃避之感，只覺身上幾處一陣麻木，不禁暗道一聲：「完了……」話未說完，砰然一聲，倒地死去。

方兆南看那黑衣人身上暴射而出的毒針，疾急眾多，在不及三尺的距離之下，縱然武功如南北二怪，也是無法讓避得開。

他不禁黯然一嘆，說道：「這鵲橋陣中的殺人方法，無所不用其極，當真是步步殺機，草木皆兵。」

群豪目睹其情，個個心頭泛生起一股寒意，雖只是一人死亡，但群豪卻都有著死之將至的感覺。

洪方沉默了片刻之後，突然微微一笑，道：「對敵相搏，不死必傷。」長劍一揮，當先向前衝去。

奔行之間，突有一陣幽沉的樂器之聲，傳了過來。

這樂聲充滿著悲傷淒涼的情調，如聞哀樂一般，使人不自覺地生出了茫茫人世，無可留戀的愁苦。

要知群豪此時的心情，沉重異常，人人存著慷慨赴死的情感，面對著死亡一刻，誰都難免有著一種激動的感覺，此時心情，最易感受。

方兆南心中早有準備，較爲鎮定，眼看群豪神情落寞愁苦，如臨大難，立時仰臉長嘯，聲做龍吟，直沖雲霄，混入了幽沉的樂聲之中。

南北二怪隨聲附和，各做長嘯，這兩人功力深厚，悠長震耳的嘯聲中，豪氣奮發，又激發

群豪消沉的戰志。

哀樂倏然中斷，古柏林中，又恢復了一片沉寂。

林木中人影閃動，疾快地向後退去。

方兆南輕輕嘆息一聲道：「如若咱們被那幽沉的樂聲，誘惑到不可自制之時，這隱伏在四周的強敵，立時將乘機施襲。」

開山一劍洪方接道：「見怪不怪，其怪自敗，在下之意，對這些鬼技玄虛，給它個視而不見，聽而不聞，長驅直入，找到那冥嶽嶽主，放手一搏，也好早些分個勝敗出來。」

方兆南微微一嘆道：「高論雖有見地，但卻涉險過大，在下之意，還是步步爲營，穩扎穩打得好。」

洪方突然彈劍長笑，道：「在下願率華山弟子開路。」長劍一揮，大步向前行去。

五個華山門下弟子，緊隨他身後而行。

只見洪方仗劍護胸，昂首而行，目不斜視，神情凜然，大有視死如歸之氣概。

行約半里，已到了古柏林的盡處，景物忽然一變，觸目山花漫爛，綠草如茵，兩座山峰，挾持著一道翠谷。

谷口處，並肩站著四個分著紅、黃、藍、白的少女，每人手中舉著一個牌子，分寫著：「鵲橋渡口」四個大字。

四女身後，有一道四丈寬窄的深溝，一座彩花紮成的渡橋，連接兩岸，橋寬三尺，花色耀目，數十隻黑白雜陳的靈鵲，分列兩行，棲落於花橋之上。

方兆南凝目望著那彩花紮成的渡橋，沉思了片刻，心中默默計算著和羅玄之約定，尙有一段不短的時間，因此，最好不要和冥嶽嶽主聶小鳳有太多衝突，至低限度，應避開和聶小鳳的決戰。

他能夠一直地保持著鎮靜，與羅玄和他約定陣中相見一事，關係極大，自那夜他和羅玄相遇之後，已對那奄奄將死的老人，改變了印象。

羅玄雖然造成了極大的錯誤，但他已知悔改，而且正用著殘餘的生命，來挽救這次的浩劫……

伽因大師看他一直望著那花橋出神，若有所思，忍不住問道：「方施主，越渡過這座花橋，就進入鵲橋陣中麼？」

開山一劍洪方已等待不耐，高聲接道：「我們華山派先渡鵲橋，替諸位開道。」長劍一擺大步行去。

方兆南急急地叫道：「老前輩，不可躁進……」

洪方回首答道：「畏首縮尾豈是大丈夫的行徑？」也不理方兆南的勸告，舉步登上花橋。

艷麗奇目的彩花，掩遮了一切，洪方窮盡了目力，也看不出這座彩橋是何物搭成，只好提聚真氣，舉步登橋。

洪方的輕功，已達登萍渡水之境，縱然這橋全是鮮花結紮而成，也是擋他不住。

橋上靈鵲，眼見生人登上，忽然振翼長鳴，一片鵲噪，聽得人心煩意亂，奇怪的是那兩側靈鵲，並不飛去，展翼噪鳴，似迎嘉賓。

方兆南眼看著開山一劍洪方率領了華山弟子渡過鵲橋，苦笑一聲，對伽因道：「大師，咱

們也過去吧！」

伽因大師肅然點頭，轉頭目注群豪說道：「各位如若自知不善輕功，難渡花橋，那就不可造次。」

說完，當先向花橋行去，不料，當最後一人剛剛走過，突聽一陣急鼓之聲傳了過來，群鵲齊齊振翼飛去，花橋似是突然失去了支撐之力，散成朵朵，落入深溝。

伽因大師暗暗忖道：「好險惡的花橋，如若行至中途，群鵲突然展翼而去，橋上之人，豈不盡要跌入深谷……」

忖思之間，忽聽方兆南高聲說道：「老前輩快退回來！」

伽因大師抬頭看去，只見一片茫茫白煙迎面而來，想這鵲橋大陣之中，無物不毒，不禁心頭駭然，倏然停下腳步。

要知這茫茫白霧般的濃煙，無孔不入，如若這煙中含有劇毒，那可是無法防備。

只聽方兆南高聲喝道：「諸位快請退集一起，這煙中含有劇毒。」

此言一出，群豪震動，果然齊齊向後退了過來。

花橋已散，深溝百丈，群豪的退路已斷。

方兆南仔細看去，那茫茫白煙，起自數丈外的草叢綠樹之中，顯然，有人隱在樹後草中，施放毒煙，借峽谷中的山風，吹送過來。

伽因大師眼看白煙漫天而來，後無退路，已成了必死之局，心中大急。

他回顧了方兆南一眼，說道：「方大俠，鵲橋已斷，身陷絕地，如若這白煙中果有劇毒，橫豎是死，倒不如衝上去和他們拚上一場，死也落得個痛痛快快。」

這位遁身方外的高僧，顯然是已爲眼前的形勢鬧得束手無策，激起了拚命之心。

方兆南道：「老前輩不用擔心，快請傳諭下去，要他們閉住呼吸，集中在一丈方圓，晚輩自有破毒之策。」

伽因大師怔了一怔，臉上泛現出一片懷疑之色，但他仍然依照方兆南之言，傳諭各大門派中人，齊集於一丈方圓之中。

這時，那茫茫白霧，已然逼近群豪，隱隱嗅到了一股清香氣味。

方兆南大聲喝道：「諸位快請閉住呼吸。」挺身而出，站在最前，他早從懷中摸出了羅玄相贈的一瓶藥物，燃燒火摺子，點了起來。

一股強烈的腥臭之味，暴散開來，觸鼻欲嘔，濃重的藍煙，由玉瓶中湧了出來。

麗光耀射下，蔚爲奇觀，藍、白兩種煙霧接觸之後，竟然化作一種淡紫的顏色，裊裊散去，群豪都被那腥臭之氣，熏得想嘔，個個皺起眉頭。

開山一劍洪方忍不住大聲問道：「方大俠，你那玉瓶中裝的到底是什麼藥物，熏得人頭暈腦脹。」

方兆南苦笑一下，道：「良藥苦口，諸位請忍耐一下，如若玉瓶湧出的藍煙有毒，先死的還是在下。」

大約有一盞熱茶工夫，玉瓶藍煙漸淡，生似蓄存的藥物，將要用完，再看那濃起的白煙，仍然在山風中飄送過來，方兆南不禁暗暗焦急，忖道：「這一瓶存藥將盡，仍然不見羅玄現身，如若這玉瓶存藥用盡，群豪都將中毒而死。」

正自憂苦之間，突聽厲嘯傳來，起自谷中，倏然之間，已到了數丈之內。

群豪齊齊爲厲嘯驚動，凝神向外望去，只見兩隻長毛披垂，身形高大的奇形猩猿，抬著一頂黑色小轎，如飛奔來，停在四、五丈外。

方兆南精神一振，道：「那兩頭猩猿抬的小轎中，就是武林中人譽爲一代人傑的羅玄了。」

兩頭巨大的猩猿，放下小轎之後，分頭撲向那草叢之中，但聞慘叫之聲，連綿不絕，片刻工夫，那揚起白煙，隨著中斷。

這時，方兆南手中玉瓶的存藥，也剛燃盡，拋了玉瓶，疾步向前行去。

群豪魚貫相隨，直向那小轎走去，兩隻巨大的猩猿，急急奔回，並肩擋在那黑色的小轎前面，怒目相視群豪，攔住了去路。

方兆南抱拳對那黑色小轎一揖，道：「晚輩方兆南，見過羅老前輩。」

他一連喝問數聲，不聞相應，方兆南尷尬一笑，回顧伽因一眼道：「羅老前輩身體不適，咱們不用驚動他了。」

伽因大師道：「羅老前輩乃人中之龍，錯過今日會見之緣，那可是終身憾事。」

忽聽南怪辛奇冷哼一聲，道：「有人來啦！」

群豪抬頭望去，只見一個全身白衣的少女，緩步行了過來。

在那白衣少女身後，緊隨著一大群人，人物之中，竟也有僧有道，有男有女。

方兆南看那當先行來的白衣少女，正是梅絳雪。

緊隨她旁側的一個長髯道人，竟然是青城派掌門青雲道長，心頭大感驚奇，驚愕之間，梅絳雪等已然走近身側。

伽因大師從未見過梅絳雪，只覺她美艷明淨，不可方物，乃世間難得一見的美人，但她身後相隨的人物，卻使伽因大大地爲之震駭。

原來緊隨在梅絳雪身後的除了青雲道長之外，尚有點蒼派第七代掌門人曹燕飛，崆峒派的童叟耿震，雪山派的石三公，崑崙掌門人天星道長，另外尚有兩個面貌英俊，神態瀟灑的藍衣少年，卻是素不相識。

梅絳雪冷漠地望了群豪一眼，輕移蓮步，走到那黑色小轎前面，恭恭敬敬地說道：「師父，雪兒幸未辱命。」

黑色的小轎中，傳來微弱的聲音，道：「那很好……」聲音微微一頓，又道：「那姓方的娃兒，已來了很久……」

一陣輕輕的咳嗽之後，接道：「天下英雄，大都在此，妳替我清理門戶之後，再代我向天下英雄謝罪，爲師的心願，就算完了。」

梅絳雪道：「弟子遵命。」回顧身旁侍立的兩個英俊少年，道：「你們兄弟去帶那冥嶽嶽主來吧！」

這兩人正是葛煒、葛煌，齊齊抱拳一禮，領命而去。

伽因大師合掌當胸，遙對青雲道長一禮，道：「道兄別來無恙？」

青雲道長微微一嘆，道：「多謝道兄關心。」

這時，青城、點蒼、崑崙諸派中人，齊齊奔了過來，拜見掌門人，但這幾位掌門人，卻是相對黯然一笑，低聲對拜伏在地上的弟子說道：「你們起來。」

南怪辛奇目睹群豪對羅玄的崇敬之情，心頭大是不服，望了北怪黃煉一眼，兩人心意相通，北怪眨眨眼睛，南怪辛奇立時冷冷喝道：「牛鼻子老道，你好大的架子！」

梅絳雪秀眉一聳，道：「你罵哪個？」

辛奇冷然一笑，道：「羅玄，除他之外，此地還沒有值得老夫罵的人物！」

梅絳雪勻紅的嫩臉上，泛現起一片殺機，緩緩地說道：「可是不想活了麼？」

黑色的小轎中，傳出來羅玄的聲音，道：「雪兒，不許對前輩無禮……」一聲重重地咳嗽之後，接道：「辛兄別來無恙，黃兄還健在人世麼？」

北怪黃煉冷冷接道：「你想咒我死麼？可惜老黃卻是越活越長命了。」

只見垂簾啓動，一輛輪車，自轎中緩緩滑了出來。

六十　惘然世事

對這位名重天下的神奇人物，群豪都存有一見爲榮之心，想他定然是仙風道骨，一派飄飄出塵之概。

哪知一見之下，大謬不然，輪上的羅玄，竟是一個乾枯瘦弱、病態支離的老頭，仰靠在輪車上，一副奄奄將死的模樣。

南北二怪目睹羅玄的神態，心頭怒火頓消，輕輕嘆息一聲，默然不語。

原來兩人生平不善說慰人之言，心中感慨萬千，卻是不知如何開口。

山風輕飄起羅玄覆身的黑毯，他臉上泛現出一股淒然的笑容，道：「兩位可是在責怪我未曾離轎相迎麼？」

南怪辛奇一拱手，道：「罷了，罷了……」

梅絳雪緩步行到羅玄身側道：「山谷風寒，師父還是請回到轎中吧！」

羅玄道：「不用了。」

遙聞步履之聲傳來，葛煒、葛煌帶著冥嶽嶽主聶小鳳、鬼仙萬天成、陳玄霜、周蕙瑛、唐文娟和一個全身紅衣的少女，急急奔行而來。

這些人除了雙足尚能移動之外，全身都已似僵木，緊隨葛氏兄弟身後，片刻之間，已到群

豪身前。

群豪都覺眼前一亮，所有的目光，都不自主地投注到聶小鳳身上。

這一代尤物，雖然神態木然，但仍然無法掩遮她天生的嬌媚。

只聽羅玄輕輕嘆息一聲，道：「雪兒，你把她處決了吧！」

微微一頓，目光環掃了群豪一眼，接道：「老朽傳技非人，爲武林招惹下一場大禍，此刻總算是制服了叛徒，我要當諸位之面，清理門戶，以稍解愧疚之心。」

只見梅絳雪緩步走近了聶小鳳，冷漠地舉起右手，但卻舉掌難落，久久不能拍下，忽然，她急快地收回了舉起的掌勢，望著羅玄，幽幽說道：「師父，弟子下不了手！」

羅玄輕輕嘆道：「她對妳有過傳技之恩，那是不能怪你……」

緩緩把目光轉投到方兆南的臉上，接道：「她殺死你初期授業恩師，你去廢了她的武功吧！」

方兆南神情激動，望著聶小鳳那絕世花容，緩步行了過去。

他心中暗暗忖道：「此人陰沉毒辣，不知害死過多少武林人物，無論如何放她不得。」忖思之間，人已走到了聶小鳳的身側。

羅玄忽然閉上了雙目，說道：「點她的任、督二脈交集要穴。」

方兆南微微一怔，但卻依言點了聶小鳳的穴道。

只聽羅玄接道：「再點她十二重樓和命門、百匯二穴。」

方兆南又依言出手點了聶小鳳的穴道。

突然，梅絳雪黯然嘆息一聲，別過頭去。

這時，場中所有之人的目光，都投注在方兆南和聶小鳳身上，期待著情勢的變化。

羅玄微弱的聲音，突然間變得十分尖厲，叫道：「點她的腹結穴！」

方兆南舉起手來，正待點出，忽聽聶小鳳迸出微弱的聲音，道：「你殺了我吧……」目中流露出無限的哀怨，眼角間垂下來兩行清淚，神態動人至極。

方兆南只覺心中怦然一跳，舉手難下，他凝神靜立片刻，突然轉過身子，右手反穿而出，點中了聶小鳳的腹結穴。

一聲尖銳的驚叫，震驚了全場人心，因爲那聲音出自一個美麗的女人之口。

只見聶小鳳雙手蒙臉，全身抽動，一聲聲動人魂魄的哭聲，響徹山谷。

突然間，她放腳向前奔去，直向深谷，顯然她想跳入深谷，以求速死。

群豪情緒激動，只覺這樣美麗的玉人，縱然是犯了天大的過錯，也不該把她處決。

原來，群豪在不知不覺中，都已被聶小鳳那絕世的風華，撩人的妖嬈所動。

只見聶小鳳奔行了十幾步，突然跌倒在地上。

驀地由群豪之中，疾快地衝出來一條人影，伸手向聶小鳳抓去。

聶小鳳尖聲叫道：「不要動我！」

但她蒙在臉上的雙手，已被那人拉開。

那人匆匆一瞥，突然驚叫一聲，放開了雙手，呆在當地。

聶小鳳奮盡餘力，向那深谷中滾了過去，當她跌入深谷瞬間，群豪看到她那長垂秀髮，已然變成灰白的顏色。

那呆呆地站著之人，正是華山派掌門人開山一劍洪方，只聽他喃喃自語地說道：「我不應

該救她的，我不該救她……她要留下美麗容貌的印象，但我卻破壞了她，她變得老醜了。」

羅玄微弱地接道：「不錯，她變得老醜了，因爲她仗以保持美麗容貌的內功，已被廢去，她成了一個普通的人，上天是公平的，歲月不饒人，她不過是償還了時間的代價，恢復了年齡的痕跡。」

方兆南回顧了身後的陳玄霜和周蕙瑛一眼，低聲對羅玄道：「老前輩，真正的主凶不過是聶小鳳和萬天成，其他之人，還望老前輩開恩釋放。」

羅玄點頭應道：「冥嶽中所有之人，大都是受了聶小鳳的藥物所控制，失去了自主之能，縱然有錯，也不能責怪他們。」轉臉望著梅絳雪道：「雪兒，你解開她們的穴道。」

梅絳雪應聲解了陳玄霜和周蕙瑛的穴道。

羅玄輕輕嘆息一聲，說道：「所有被聶小鳳奴役之人，都已服用了解藥，但因中毒過深，一時之間，還難恢復本性，因此我要雪兒用普通手法，點了他們的穴道，不論何人，都可解得，老朽管教不嚴，替武林招來了這一場大禍，僅此向諸位謝罪。」

方兆南突然抱拳一禮，高聲說道：「老前輩慢走一步，晚輩還有事請教。」

輕輕一擊輪車，兩個似猿非猿的怪物，奔了過來，把輪車向轎中推去。

羅玄停下輪車，緩緩說道：「什麼事？」

方兆南道：「如今武林亂源已平，聶小鳳跳入深谷而死，萬天成已爲老前輩生擒活捉，你心願已了，但晚輩受人之托，有一件事耿耿於懷，還望老前輩成全於我。」

羅玄談淡淡說道：「你可是想和我印證一下武功麼？」

方兆南道：「不錯，老前輩被天下武林人物，譽爲一代人傑，但晚輩深受兩位少林高僧的

培養重托，想和老前輩求證一下，是少林武功博大精深，還是老前輩的武功強過少林。」

羅玄道：「我纏綿病榻數十年，半身殘廢，武功早失，如何還能和你動手？」

方兆南黯然淚垂，長揖說道：「晚輩已答應兩位少林高僧，完成他們心願，此事如不辦到，晚輩終身難安，還望老前輩成全晚輩。」

梅絳雪突然冷冷接道：「你既可代表那少林高僧，我自可代師效勞。」

方兆南微微一怔，道：「我只是想和羅老前輩用口論武，以分優劣，並無動手相搏之意。」

梅絳雪道：「我師父精神不濟，萬一有個失神，豈不辱及他一世英名，要比咱們就真刀真槍，打個勝敗出來，有這麼多高手作證，誰也不能取巧耍賴。」

羅玄嘆息一聲，道：「覺夢、覺非，受覺生遺言所命，潛修少林武功，以雪昔年之恥，但老夫可以告訴你，你決然不是雪兒之敵。」

方兆南被他一激，豪氣忽生，傲然接道：「晚輩近日日夜思考此事，深覺少林武功博大精深，堂堂正正，和老前輩詭奇之學，大不相同，老前輩斷言勝負，未免言之過早了。」

梅絳雪怒道：「不要逞口舌之利……」飛身一躍直撲過來，一掌劈下。

方兆南縱身避開，喝道：「不要慌，我交代幾句話後，咱們再比不遲。」

方兆南抱拳對南北二怪一揖，道：「不論小弟比武的勝敗如何，兩位義兄均不可捲入漩渦，小弟受人所托，縱死無怨。」

南怪辛奇冷漠地接道：「道士、和尚的花樣最多，打不過人也就算了，卻要遺言比武，鬧出這無謂之爭。」

方兆南道：「小弟亦曾幾經思考，深覺此事重大，關係著今後武學道統，不能以私人恩怨視之。」

梅絳雪早已不耐，怒聲接道：「說完了沒有？」

方兆南緩緩轉過身子，前行五步，道：「恭請賜教。」

梅絳雪淒然一笑，嘆道：「你要小心了！」揚手一指，點了過來。

方兆南不再讓避，揮手一招「暮鼓晨鐘」，反擊過去。

梅絳雪側身一讓，左手側攻，右指彈襲，倏忽之間，連攻八招，果然是奇詭絕倫，見所未見之學，只看得群豪個個屏息凝神。

方兆南施展開少林上乘武功手法，點穴斬脈，封開八招。

這是一場武林中罕難一見的激鬥，兩人的手法招數，無一不是精奇無儔之學。

片刻工夫，兩人已拚搏了百招以上，只看得群豪如醉如癡。

突聽梅絳雪嬌喝一聲，指影幻起，籠罩了方兆南身上一十三處大穴。

群豪的目光之中，似是突然幻化起數十個梅絳雪來，掩去了方兆南的身影，都不禁爲方兆南捏了一把冷汗。

突地，響起了方兆南清嘯之聲，有如長空鶴鳴，九霄龍吟，兩條人影陡然分開。

方兆南雙手按腹，馬步不穩，退了三步之後，終於一跤跌倒。

梅絳雪花容慘淡，玉掌捧心，嬌軀搖了幾搖，倒在地上。

南北二怪，齊齊喝了一聲：「兄弟，傷得重麼？」縱身躍落到方兆南的身側。

那面的葛煒、葛煌，也同時奔向了梅絳雪。

只聽羅玄沉聲喝道：「不要妄動他們。」

四人怔了一怔，齊齊退開。

只見梅絳雪掙扎著坐了起來，道：「夫君，你受傷可重？」

方兆南一手撐地，緩緩坐起，道：「謝謝妳手下留情。」

梅絳雪慘然一笑，道：「你那一掌如若內勁全發，早已震斷了我的心脈。」

方兆南黯然說道：「不論勝敗，我已完了心願。」說完，緩緩地站起了身子。

就在方兆南站起的同時，梅絳雪也掙扎而起，原來兩人各以絕招，擊中對方時，同時留勁未發，手下留情，是以兩人都受傷不重。

忽然間，響起了一聲悠長的佛號，一個白髯垂胸的老僧，慢步而來。

方兆南回顧那老僧一眼，淒涼地說道：「晚輩未負大師所托。」

來人正是少林寺僅餘的高僧覺夢。

他身後緊隨著代掌少林門戶的大愚禪師，大愚手中捧著一件黃色的袈裟，和少林至尊無上的綠玉佛杖。

覺夢大師目光一掃羅玄，低聲對方兆南道：「少林上一代掌門遺命，哪一個能勝過羅玄，就要他接掌少林門戶，但老衲卻不便相強，施主願否接就此位，聽憑自決。」

方兆南呆了一呆，道：「這個……」

突聽梅絳雪嬌聲喊道：「只要你不忘記我倆月下盟誓，你縱然取上三妻四妾，我也不放在心上。」

陳玄霜幽幽說道：「從此之後，我再不對你無理取鬧了，你也不該忘記我爺爺早已將我付托給你。」

周蕙瑛長嘆一聲，輕輕說道：「我父母親只收了你一個弟子，就是指望你能承繼我們周家的香火。」

這時，方兆南望了望三個深情無限的絕美玉人，又回頭望望大愚禪師那雙手捧著的袈裟、佛杖。

只覺思緒紊亂，前塵往事、情愛糾葛齊集心頭，一時之間，竟然茫然無措，不知道該如何是好……

全書完

臥龍生武俠經典珍藏版 12

絳雪玄霜（四）大結局

作者：臥龍生
發行人：陳曉林
出版所：風雲時代出版股份有限公司
地址：10576台北市民生東路五段178號7樓之3
電話：(02) 2756-0949　　傳真：(02) 2765-3799
執行主編：劉宇青
美術設計：許惠芳
行銷企劃：林安莉
業務總監：張瑋鳳
出版日期：臥龍生60週年珍藏版 2022年4月
ISBN ：978-986-5589-73-8
風雲書網：http://www.eastbooks.com.tw
官方部落格：http://eastbooks.pixnet.net/blog
Facebook：http://www.facebook.com/h7560949
E-mail：h7560949@ms15.hinet.net
劃撥帳號：12043291
戶名：風雲時代出版股份有限公司

風雲發行所：33373桃園市龜山區公西村2鄰復興街304巷96號
電話：(03) 318-1378　　傳真：(03) 318-1378
法律顧問：永然法律事務所 李永然律師
北辰著作權事務所 蕭雄淋律師

行政院新聞局局版台業字第3595號 營利事業統一編號22759935

定價：320元　　**版權所有　翻印必究**

國家圖書館出版品預行編目資料

絳雪玄霜／臥龍生 著. -- 臺北市：風雲時代出版股份有限公司，2021.06- 冊；公分（臥龍生武俠經典珍藏版）

ISBN：978-986-5589-70-7（第1冊：平裝）
ISBN：978-986-5589-71-4（第2冊：平裝）
ISBN：978-986-5589-72-1（第3冊：平裝）
ISBN：978-986-5589-73-8（第4冊：平裝）

863.57　　110007330